# Le Pays des contes

## Le Sortilège perdu

# Le Pays des contes

## Le Sortilège perdu

CHRIS COLFER

*Traduit de l'anglais (États-Unis) par Yan Brailowsky*

*Pour grand-mère,*
*ma première éditrice,*
*qui m'a donné le meilleur conseil d'écriture que l'on puisse donner :*
*« Christopher, je crois que tu devrais attendre de terminer l'école primaire*
*avant de te demander si tu es un écrivain raté. »*

« UN JOUR, TU SERAS SUFFISAMMENT GRAND
POUR RECOMMENCER À LIRE DES CONTES DE FÉES. »

C. S. LEWIS

# LA VISITE DE LA REINE

Le donjon était un lieu misérable. La lumière y était faible et vacillante, provenant uniquement des quelques torches accrochées aux murs de pierre. L'eau fétide des douves qui encerclaient le palais au-dessus s'infiltrait lentement. L'endroit grouillait de rats, à l'affût de la moindre miette. Une reine n'avait rien à faire là.

Il était peu après minuit et le calme régnait, seulement troublé de temps à autre par le cliquetis d'une chaîne. À travers ce lourd silence se répercutait l'écho lointain des pas d'une personne descendant l'escalier en colimaçon menant au donjon.

Une jeune femme apparut au bas des marches, enveloppée de la tête aux pieds dans une longue cape couleur d'émeraude. Elle traversa l'allée de cellules avec précaution, éveillant la curiosité des prisonniers qui s'y trouvaient. À chaque pas, elle ralentissait l'allure, tandis que les battements de son cœur s'accéléraient.

Les prisonniers étaient disposés suivant la gravité de leurs crimes. Plus elle s'avançait dans le donjon, plus les criminels qui y étaient enfermés étaient cruels et dangereux. Elle fixait du regard la cellule au bout du couloir, où se trouvait une captive d'un genre particulier, surveillée par un imposant gardien qui lui était dédié.

La femme était venue poser une question. C'était une question simple, mais elle occupait toutes ses pensées et l'empêchait la plupart du temps de trouver le sommeil. Lorsqu'elle parvenait à dormir quelques instants, elle ne rêvait que de cela.

Une seule personne pouvait lui donner la réponse, et cette personne se trouvait de l'autre côté des barreaux qui se dressaient face à elle.

– Je veux la voir, dit la femme au gardien.

– Personne ne peut la voir, répondit l'homme, presque amusé par cette requête. La famille royale m'a donné des ordres clairs.

La femme ôta sa capuche, dévoilant son visage. Sa peau était pâle comme la neige, ses cheveux noirs comme le charbon et ses yeux verts comme la forêt. Sa beauté était connue de tous dans le pays, et son histoire était célèbre au-delà des frontières.

– Votre Majesté ? Je vous demande pardon ! s'exclama le geôlier ahuri qui fit aussitôt une profonde révérence. Je ne m'attendais pas à voir quelqu'un du palais.

– Ne vous excusez pas, répondit-elle. Mais je vous prie de ne parler à personne de ma visite ici ce soir.

– Bien sûr, dit l'autre en hochant la tête.

La femme demeurait devant les barreaux, attendant qu'ils furent levés, mais le gardien hésitait.

– Êtes-vous certaine de vouloir entrer là-dedans, Votre Altesse ? On ne sait pas de quoi elle est capable.

– Je dois la voir, répondit la femme. À tout prix.

Le geôlier se mit alors à actionner une grosse manivelle, relevant la grille de la cellule. La femme inspira profondément et s'engouffra par la porte.

Elle traversa alors un long couloir sombre où une série de grilles furent relevées puis abaissées derrière elle. Une fois parvenue au bout du couloir, la dernière barrière fut remontée, et Blanche-Neige pénétra dans la cellule.

La prisonnière était assise sur un tabouret au milieu de la pièce et fixait une petite fenêtre qui se trouvait au-dessus d'elle.

Elle attendit quelques instants avant de tenir compte de la présence de sa visiteuse. Elle n'avait jamais eu de visite. Pourtant, elle savait de qui il s'agissait, sans même avoir à se retourner. Ce ne pouvait être qu'une seule personne.

– Bonjour Blanche-Neige, dit la prisonnière d'une voix douce.

– Bonjour belle-mère, répondit Blanche-Neige, la voix tremblante. J'espère que vous vous portez bien.

Même si Blanche-Neige avait longtemps réfléchi aux mots qu'elle allait prononcer, il lui était presque impossible de parler à présent.

– Il paraît que tu es la reine, maintenant.

– Oui, répondit Blanche-Neige. J'ai hérité du trône, ainsi que mon père l'avait souhaité.

– Que me vaut cet honneur ? Es-tu venue pour me voir dépérir ? demanda la marâtre de sa voix puissante et pleine d'autorité, une voix qui avait brisé les plus durs des hommes.

– Au contraire, je suis venue pour comprendre.

– Comprendre *quoi* ? rétorqua durement la captive.

– Pourquoi...

Blanche-Neige hésita, avant de reprendre :

– Pourquoi avez-vous agi de la sorte ?

Soudain, la jeune femme se sentit libérée de ce poids qui n'avait cessé de l'oppresser. Elle avait enfin pu poser la question qui l'obsédait. Elle avait fait la moitié du chemin.

– Il y a beaucoup de choses que tu ne comprends pas en ce monde, répondit la prisonnière en se tournant enfin vers sa visiteuse.

Cela faisait bien longtemps que Blanche-Neige n'avait pas vu le visage de sa belle-mère. C'était le visage d'une femme qui avait été d'une beauté parfaite et pure, d'une femme qui avait été reine autrefois. À présent, elle n'était qu'une prisonnière à la splendeur fanée, le visage figé dans un rictus empreint de tristesse.

– Peut-être, reprit sa belle-fille. Mais pouvez-vous m'en vouloir de chercher à comprendre ce qui vous a poussée à agir ainsi ?

Les années que venait de vivre Blanche-Neige avaient causé le plus grand scandale du royaume. Tout le monde connaissait l'histoire de la belle princesse qui s'était réfugiée auprès des sept nains pour fuir la jalousie de sa marâtre. Tout le monde connaissait l'histoire infâme de la pomme empoisonnée et du vaillant prince qui l'avait sauvée d'une fausse mort.

C'était une histoire simple, mais la suite l'était moins. Alors que son récent mariage et la charge d'un royaume auraient pu lui occuper l'esprit, Blanche-Neige ne pouvait s'empêcher de se demander si les théories sur la vanité de sa belle-mère étaient fondées. Au plus profond d'elle-même, la nouvelle reine refusait de croire que l'on pouvait être si méchant.

– Savez-vous comment on vous appelle au-dehors ? demanda Blanche-Neige. Hors des murs de cette prison, le monde vous connaît comme la « Méchante Reine ».

– Si c'est ainsi que le monde a décidé de me désigner, c'est avec ce nom que j'apprendrai à vivre, répondit la Méchante Reine. Quand les gens se sont mis une chose en tête, il est difficile de les faire changer d'avis.

Blanche-Neige fut surprise par le peu de cas qu'en faisait sa belle-mère, pourtant elle avait besoin que cette dernière se sente concernée. Elle avait besoin de savoir que la prisonnière avait encore en elle une once d'humanité.

– Ils voulaient vous exécuter après avoir découvert vos crimes contre moi. Le royaume tout entier voulait votre mort !

La voix de Blanche-Neige se perdit en un murmure pendant qu'elle cherchait à réprimer l'émotion qui montait en elle.

– Mais j'ai refusé ! Je ne pouvais pas...

– Dois-je te remercier de m'avoir épargnée ? demanda la Méchante Reine. Si tu t'attends à ce que quelqu'un se jette à tes pieds pour exprimer sa gratitude, tu t'es trompée de cellule.

– Je ne l'ai pas fait pour vous, mais pour moi, expliqua Blanche-Neige. Que vous le vouliez ou non, vous êtes la seule mère que j'aie jamais connue. Je refuse de croire que vous êtes un monstre sans âme comme le dit le reste du monde. J'ai peut-être tort, mais je suis sûre qu'au plus profond de vous vous avez un cœur.

Les larmes coulaient le long de son visage pâle. Elle s'était jurée d'être forte, mais en présence de sa marâtre elle ne pouvait plus réprimer ses émotions.

– Tu as tort, je le crains, répondit la Méchante Reine. La seule âme que j'aie jamais eue est morte il y a longtemps, et aujourd'hui le seul cœur qu'il me reste est de pierre.

La Méchante Reine avait en effet un cœur de pierre, mais pas dans sa poitrine. Une pierre de la taille et de la forme d'un cœur était posée sur une petite table, dans un coin de sa cellule. C'était le seul objet que la Méchante Reine avait pu emporter avec elle au moment de son arrestation.

Blanche-Neige reconnut la pierre qu'elle avait vue dans sa jeunesse. Elle avait toujours été d'une grande valeur pour sa marâtre qui ne la quittait jamais des yeux. Blanche-Neige n'avait jamais eu le droit ne serait-ce que de la toucher, mais plus rien ne l'en empêchait à présent.

La jeune femme traversa la cellule, prit la pierre et l'examina avec curiosité. L'objet lui rappelait tant de souvenirs... toute la tristesse et le sentiment d'abandon que sa belle-mère lui avait causés étant enfant.

– Toute ma vie, je n'ai voulu qu'une chose, dit Blanche-Neige. Que vous m'aimiez. Quand j'étais petite, il m'arrivait de rester cachée pendant des heures, quelque part dans le palais, dans l'espoir que vous remarquiez mon absence. Mais cela ne se produisit jamais. Vous passiez des journées entières dans vos appartements, avec vos miroirs, vos onguents et cette pierre. Vous avez consacré plus de temps à des inconnus et à leurs méthodes pour contrecarrer les effets du vieillissement qu'à votre propre fille. Pourquoi donc ?

La Méchante Reine ne répondit pas.

– Vous avez tenté de me tuer à quatre reprises, trois fois en vous y prenant vous-même, continua Blanche-Neige, secouant la tête d'incrédulité. Quand vous vous êtes déguisée en vieille femme et que vous êtes venue me trouver à la chaumière des nains, je savais qui vous étiez. Je savais que vous étiez dangereuse, mais je vous ai quand même fait entrer. J'avais toujours l'espoir que vous alliez changer. Je vous ai laissée me faire du mal.

Blanche-Neige n'avait jamais confié cela à quiconque, et après cet aveu elle ne put s'empêcher de pleurer, se cachant le visage dans les mains.

– Tu crois savoir, *toi*, ce que c'est que d'avoir le cœur brisé ? siffla la Méchante Reine si brusquement que sa belle-fille en fut interloquée.

Tu ne sais *rien* de la souffrance! Tu n'as jamais reçu d'affection de moi, mais le royaume tout entier t'a aimé dès ta naissance. *D'autres*, en revanche, n'ont pas eu cette chance. *D'autres*, Blanche-Neige, voient parfois leur unique amour leur être arraché.

Blanche-Neige ne sut quoi dire. À quel amour faisait-elle allusion?

– Parlez-vous de mon père? demanda-t-elle.

La Méchante Reine ferma les yeux et secoua la tête.

– La candeur est un trait si apprécié, répondit-elle. Eh bien, crois-le ou non, Blanche-Neige, j'ai eu une vie à moi avant de surgir dans la tienne.

Blanche-Neige demeura silencieuse, un peu honteuse. Bien sûr, elle savait que sa belle-mère avait eu une vie avant d'épouser son père, mais jamais elle ne s'était demandée en quoi elle avait pu consister. Sa marâtre avait toujours été si réservée, Blanche-Neige n'avait pas eu de raison d'y songer.

– Où est mon miroir? demanda la Méchante Reine.

– Il va être détruit.

Soudain, la pierre de la Méchante Reine se fit bien plus lourde dans la main de Blanche-Neige. Elle ne savait pas si c'était vraiment le cas ou simplement le fruit de son imagination. Elle avait le bras fatigué à force de tenir le cœur de pierre et le reposa.

– Il y a tant de choses que vous ne m'expliquez pas, reprit Blanche-Neige. Il y a tant de choses que vous m'avez cachées, toutes ces années.

La Méchante Reine baissa la tête et fixa le sol, silencieuse.

– Je suis peut-être la seule personne au monde qui ressente de la compassion à votre égard, insista Blanche-Neige. S'il vous plaît, dites-moi que ce n'est pas peine perdue. S'il y a eu des événements dans votre passé qui vous ont fait agir de la sorte, expliquez-les-moi, je vous en prie.

Toujours aucune réponse.

– *Je ne partirai pas d'ici tant que vous ne m'aurez pas répondu !* hurla alors Blanche-Neige, haussant la voix pour la première fois de sa vie.

– Entendu, répondit la Méchante Reine.

Blanche-Neige s'assit sur l'autre tabouret de la cellule. Sa belle-mère attendit un moment avant de commencer, laissant l'impatience de sa visiteuse grandir.

– Ton histoire sera contée jusqu'à la fin des temps, dit-elle, mais personne ne se souciera de la mienne. Je serai toujours dépeinte grossièrement comme une scélérate, rien de plus. Mais ce que le monde ne comprend pas, c'est qu'un *scélérat* n'est autre qu'une *victime* dont l'histoire n'a pas encore été racontée. Tout ce que j'ai fait, mon œuvre et mes crimes contre toi, tout ça, je l'ai fait pour *lui.*

Blanche-Neige sentit son propre cœur devenir lourd. Elle avait le tournis et était dévorée par la curiosité.

– Qui ça ? demanda-t-elle si vite qu'elle ne put s'empêcher de laisser transparaître l'angoisse dans sa voix.

La Méchante Reine ferma les yeux et laissa ses souvenirs refaire surface. Des images de lieux et de gens de son passé surgirent du plus profond de sa mémoire comme des lucioles dans une caverne. Elle avait vu tant de choses dans sa jeunesse, tant de choses dont elle aurait aimé se souvenir et tant de choses qu'elle aurait préféré oublier.

– Je vais te parler de mon passé, ou du moins du passé de la personne que je fus autrefois, commença la Méchante Reine. Mais je te préviens : mon histoire n'est pas de celles qui se terminent par « ils vécurent heureux et eurent beaucoup d'enfants ».

## CHAPITRE 1

# IL ÉTAIT UNE FOIS

– « Il était une fois... » commença Mme Peters devant sa classe. Voilà les mots les plus magiques que notre monde ait jamais connus. Ils sont la porte d'entrée vers les meilleures histoires jamais contées. Ces mots nous interpellent, ils nous invitent à rejoindre un univers où nous sommes tous les bienvenus et où tout peut arriver. Des souris peuvent se transformer en hommes, des servantes, en princesses, et on peut apprendre des choses utiles en chemin.

Alex Bailey se redressa sur sa chaise, à l'affût. Elle aimait généralement les cours de son professeur, mais *celui-ci* lui tenait particulièrement à cœur.

– Les contes de fées ne sont pas simplement des histoires qu'on raconte le soir avant de se coucher, continua Mme Peters. On peut trouver la solution de pratiquement tous les problèmes imaginables dans la conclusion d'un conte de fées. Ces contes sont des leçons de vie déguisées, avec des personnages flamboyants et des situations improbables. L'histoire du *Garçon qui criait au loup* nous rappelle l'importance d'une bonne réputation et de l'honnêteté. *Cendrillon* nous montre qu'on est récompensé si l'on a un cœur pur. *Le Vilain Petit Canard* nous apprend ce qu'est la beauté intérieure.

Alex avait les yeux grands ouverts et hochait la tête en signe d'approbation. C'était une jolie enfant avec de pétillants yeux bleus et des cheveux blond vénitien coupés court, maintenus par un serre-tête.

Mme Peters n'avait jamais pu s'habituer à la façon dont les autres élèves la regardaient, ébahis, comme si le cours se déroulait en langue étrangère. C'est pour cela qu'elle s'adressait généralement toujours au premier rang, où s'asseyait Alex.

Mme Peters était une femme mince, grande, qui portait toujours des robes qui ressemblaient à de vieux canapés à motifs. Elle avait des cheveux bouclés et noirs, parfaitement réunis sur le sommet de son crâne à la manière d'un chapeau (ses élèves croyaient d'ailleurs souvent qu'elle en portait un). À force d'avoir regardé ses élèves d'un œil sévère pendant des années, ses yeux étaient plissés de manière permanente derrière ses épaisses lunettes.

– Hélas, ces contes immémoriaux n'ont plus de sens dans notre société, continua-t-elle. Nous avons échangé leurs extraordinaires leçons contre des divertissements médiocres, comme la télévision ou les jeux vidéo. Aujourd'hui, les parents laissent leurs enfants devant des dessins animés stupides et des films violents. Et quand certains enfants finissent par découvrir ces contes, c'est par le biais de versions abâtardies au cinéma. Ces « adaptations » suppriment souvent la morale de l'histoire d'origine, la remplaçant par des animaux de la forêt qui chantent et qui dansent. J'ai lu récemment que des films allaient être produits avec Cendrillon en chanteuse hip-hop qui a du mal à percer, et la Belle au bois dormant en princesse qui combat des zombies !

– Génial ! chuchota un élève assis derrière Alex.

Alex secoua la tête. Ce qu'elle entendait lui faisait mal au cœur. Elle tenta de partager sa désapprobation avec ses camarades, mais malheureusement ses craintes ne rencontrèrent aucun écho.

– Je me demande si le monde serait différent si nous connaissions tous ces contes tels qu'ils furent imaginés par les frères Grimm et Hans Christian Andersen, reprit Mme Peters. Je me demande si les gens sauraient tirer une leçon du cœur brisé de la Petite Sirène lorsqu'elle meurt à la fin de la véritable histoire. Je me demande s'il y aurait autant d'enlèvements si les enfants connaissaient les vrais dangers auxquels avait été confronté le Petit Chaperon rouge. Je me demande si les délinquants seraient si enclins à mal agir s'ils savaient les conséquences du comportement de Boucle d'or avec les trois ours. Il y a tant de choses à apprendre, de choses que l'on pourrait éviter à l'avenir, si seulement on ouvrait les yeux pour tirer les leçons du passé. Peut-être que si on écoutait plus attentivement les contes de fées, il nous serait plus facile à nous aussi de « vivre heureux et d'avoir beaucoup d'enfants ».

Si Alex avait eu son mot à dire, chaque leçon de Mme Peters se terminerait par un tonnerre d'applaudissements bien mérités. Malheureusement, ses camarades accueillaient tous la fin de son cours avec un soupir de soulagement.

– Voyons si vous connaissez bien vos contes de fées, reprit le professeur avec un sourire, en arpentant la salle. Dans *Le Nain Tracassin*, le père de la jeune fille dit au roi que sa fille peut filer la paille pour la transformer en quelle matière ? Quelqu'un sait ?

Mme Peters parcourut la classe du regard comme un requin à l'affût d'un poisson blessé. Une seule main se leva.

– Oui, mademoiselle Bailey ?

– Il prétend qu'elle peut changer la paille en or en la filant comme la laine, répondit Alex.

– Très bien, mademoiselle Bailey, dit Mme Peters.

Si elle avait une élève préférée (chose qu'elle n'aurait jamais avouée), Alex aurait été une bonne candidate. La jeune fille faisait toujours tout pour plaire et était un véritable rat de bibliothèque. Peu importait l'heure : avant, pendant ou après l'école, ou encore avant de se coucher, Alex était toujours en train de lire. Elle était assoiffée de connaissances et, pour cette raison, était généralement la première à répondre aux questions de Mme Peters.

Alex faisait de son mieux pour gagner le respect de ses camarades chaque fois qu'elle le pouvait, s'appliquant toujours plus que les autres pour préparer chaque fiche de lecture ou présentation devant la classe. Mais au contraire cela irritait les autres élèves, qui se moquaient souvent d'elle.

Elle entendait les filles ricaner dans son dos et passait l'heure du déjeuner toute seule, à lire un livre de la bibliothèque sous un arbre. Même si elle ne l'avouait jamais à personne, Alex se sentait parfois tellement seule que cela lui faisait mal.

– Et maintenant, qui peut me dire quel accord passe la jeune fille avec le Nain Tracassin ?

Alex attendit un moment avant de lever la main. Elle ne voulait pas avoir l'air d'être *vraiment* la chouchoute de la maîtresse.

– Oui, mademoiselle Bailey ?

– En échange du pouvoir de transformer la paille en or, la jeune fille promet au Nain Tracassin de lui donner son premier-né lorsqu'elle sera reine, expliqua Alex.

– C'est un accord plutôt injuste, commenta un garçon assis derrière elle.

– Et qu'est-ce qu'un vieux nain bizarre veut faire avec un bébé ? demanda sa voisine.

– Évidemment, il ne pouvait pas en adopter un avec un nom pareil, ajouta une autre.

– Il a mangé le bébé ? demanda un quatrième, l'air inquiet.

Alex se retourna vers ses camarades ignares.

– Vous ne comprenez rien à la morale de l'histoire, s'énerva-t-elle. Le Nain Tracassin a profité de la jeune fille parce qu'elle était dans le besoin. C'est une histoire sur le prix qu'on paie quand on ne sait pas négocier. Jusqu'où sommes-nous prêts à sacrifier notre futur pour assurer notre présent ? Vous comprenez maintenant ?

Si Mme Peters avait pu changer l'expression de son visage, elle aurait eu l'air d'être très fière.

– Bien dit, mademoiselle Bailey. Je dois avouer qu'après tant d'années d'enseignement je n'ai jamais rencontré d'élève avec une aussi bonne connaissance de…

Un gros ronflement s'éleva soudain du fond de la classe. Un garçon au dernier rang était avachi sur son pupitre. Il était si profondément endormi que de la bave coulait du coin de sa bouche.

Alex avait un frère jumeau, et c'était dans des moments comme celui-là qu'elle aurait souhaité ne pas en avoir. Comme un trombone attiré par un aimant, l'attention de Mme Peters se tourna vers lui.

– Monsieur Bailey ? demanda-t-elle, mais le garçon continuait à ronfler. Monsieur Bailey ? reprit-elle en se rapprochant de lui.

Il laissa échapper un nouveau ronflement particulièrement bruyant. Quelques élèves s'étonnèrent qu'un son d'une telle ampleur puisse émaner d'un garçon de onze ans.

– *Monsieur Bailey !* lui cria Mme Peters à l'oreille.

Conner Bailey se réveilla en sursaut, comme si quelqu'un avait allumé un pétard sous sa chaise, et faillit renverser son pupitre.

– Où suis-je ? Que se passe-t-il ? s'exclama-t-il, confus et pris de panique.

Il jetait des regards dans tous les sens, son cerveau cherchant à se rappeler où il se trouvait. Comme sa sœur, il avait de pétillants yeux bleus et des cheveux blond vénitien. Son visage était rond, parsemé de taches de rousseur et, à ce moment-là, un peu écrasé sur le côté, comme celui d'un basset qui vient de se réveiller d'une sieste.

Alex n'aurait pas pu être plus embarrassée par son frère. Elle et lui n'avaient rien en commun, si ce n'est qu'ils partageaient le même air de famille et la même date de naissance. Conner avait peut-être beaucoup d'amis mais, contrairement à sa sœur, il peinait à l'école... surtout pour rester éveillé.

– Heureuse que vous vous joigniez à nous, monsieur Bailey, dit Mme Peters avec sérieux. Avez-vous bien dormi ?

Conner devint tout rouge.

– Je suis vraiment désolé, madame Peters, dit-il en tentant de s'excuser avec l'air le plus sincère possible. Quand vous parlez pendant longtemps, je m'endors. Je peux pas m'en empêcher. Vous fâchez pas.

– Vous vous assoupissez dans mon cours au moins deux fois par semaine, lui rappela-t-elle.

– C'est *vrai* que vous parlez beaucoup...

Avant d'avoir pu s'empêcher de prononcer ces mots, Conner comprit qu'il n'aurait pas dû dire cela. Quelques élèves se mordirent la paume de la main pour s'empêcher de rire.

– Je vous conseille de rester éveillé lorsque je fais cours, monsieur Bailey... le menaça l'enseignante.

Conner n'avait encore jamais vu quelqu'un plisser les yeux si fort sans pour autant les fermer.

– ... à moins que vous ne connaissiez suffisamment les contes de fées pour faire cours vous-même ?

– C'est possible, répondit le jeune garçon, encore une fois sans réfléchir. Euh... je veux dire que je connais bien ces trucs-là, c'est tout.

– Ah, vraiment ?

Mme Peters n'était pas du genre à ne pas relever un défi, et le pire cauchemar des élèves était de l'avoir comme adversaire.

– Très bien, monsieur Bailey, puisque vous êtes un fin connaisseur, répondez à ma question.

Conner déglutit.

– Dans la vraie histoire de la Belle au bois dormant, reprit-elle, combien d'années dort la princesse avant d'être réveillée par le premier baiser d'un amour sincère ?

Mme Peters scrutait le visage de Conner. Tous les regards étaient tournés vers lui, guettant impatiemment le moindre signe qui prouverait qu'il ignorait la réponse. Mais heureusement, il la connaissait.

– Cent ans, répondit-il. La Belle au bois dormant est restée endormie pendant un siècle. C'est pour ça que les terres du château étaient recouvertes de ronces et de trucs comme ça, parce que le mauvais sort avait affecté tout le royaume et qu'il n'y avait plus personne pour s'occuper du jardinage.

Mme Peters en resta muette. Elle fronça les sourcils, absolument abasourdie. C'était bien la première fois que Conner donnait la bonne réponse en étant au pied du mur, et elle ne s'y était pas attendue.

– Essayez de rester éveillé à l'avenir, monsieur Bailey. Vous avez de la chance, j'ai utilisé mon dernier bulletin de colle ce matin. Mais je peux toujours aller en chercher d'autres, le prévint Mme Peters avant de retourner rapidement à son bureau pour poursuivre la leçon.

Conner souffla, soulagé, et son visage reprit des couleurs. Ses yeux rencontrèrent ceux de sa sœur. Même elle avait été surprise qu'il connût la bonne réponse. Elle n'aurait jamais pensé que son frère se souvenait d'un quelconque conte de fées...

– Maintenant, les enfants, sortez votre livre de littérature, ouvrez-le à la page cent soixante-dix et lisez *Le Petit Chaperon rouge* en silence, ordonna leur professeur.

Les élèves obéirent. Conner s'installa confortablement et commença à lire. L'histoire, les images et les personnages lui étaient si familiers...

L'une des choses qu'Alex et Conner attendaient avec impatience quand ils étaient petits était les visites à leur grand-mère. Elle vivait dans les montagnes, au cœur de la forêt, dans une maison minuscule qu'on pourrait appeler un cottage, si une telle chose existe encore.

Le voyage était long pour s'y rendre, plusieurs heures de voiture, mais les jumeaux en savouraient chaque instant. Leur excitation augmentait au fur et à mesure qu'ils traversaient des routes sinueuses au milieu des arbres. Au moment où ils traversaient un pont jaune, les jumeaux s'écriaient:

– On est presque arrivés! On est presque arrivés!

Une fois à destination, leur grand-mère les accueillait à la porte à bras ouverts, les embrassant avec tant de force qu'ils étaient sur le point d'éclater.

– Regardez-moi ça ! Vous avez tous les deux poussé de trois têtes depuis la dernière fois ! disait-elle, même si ce n'était pas vrai.

Puis elle les faisait entrer chez elle où les attendait un plateau de biscuits tout juste sortis du four.

Le père des jumeaux avait grandi dans la forêt et il ne se passait pas une journée sans qu'il leur racontât les aventures de son enfance... tous les arbres qu'il avait escaladés, les ruisseaux dans lesquels il avait nagé, les animaux féroces auxquels il avait échappé de justesse. La plupart de ses histoires étaient grossièrement exagérées, mais Alex et Conner aimaient plus que tout au monde ces moments passés avec lui.

– Un jour, quand vous serez grands, je vous emmènerai dans tous les lieux secrets où je jouais, leur promettait leur père pour les taquiner.

C'était un homme de grande taille avec des yeux pleins de bonté qui se plissaient quand il souriait... et il souriait beaucoup, surtout quand il taquinait ses enfants.

Dans la soirée, la mère des jumeaux aidait sa belle-mère à préparer le dîner et, après manger, dès que la vaisselle était terminée, la famille s'asseyait autour d'un feu de cheminée. Leur grand-mère ouvrait son grand livre de contes de fées, et elle et son fils en lisaient aux jumeaux jusqu'à ce qu'ils s'endorment. Parfois, la famille Bailey restait éveillée jusqu'à l'aube.

Ils racontaient les histoires avec tant de détails et d'enthousiasme que jamais Alex et Conner ne se fatiguaient d'entendre les mêmes contes encore et toujours. Aucun enfant n'aurait voulu de plus beaux souvenirs.

Malheureusement, les jumeaux n'étaient pas retournés dans le cottage de leur grand-mère depuis fort longtemps...

– MONSIEUR BAILEY ! cria Mme Peters.

Conner s'était assoupi à nouveau.

– Pardon, madame Peters ! cria-t-il à son tour en se redressant sur son siège comme un soldat au garde-à-vous.

Si un regard avait été capable de tuer, Conner n'aurait pas survécu à celui de son enseignante.

– Qu'avez-vous pensé de la *véritable* histoire du Petit Chaperon rouge ? demanda-t-elle à la classe.

Une fille aux cheveux bouclés et portant un appareil dentaire leva la main.

– Madame Peters ? appela-t-elle. Je ne comprends pas.

– Quoi donc ? rétorqua l'enseignante, l'air de dire : « Que n'as-tu donc pas pu comprendre, petite sotte ? »

– Le conte dit que le Grand Méchant Loup est tué par le chasseur, expliqua la fille aux cheveux frisés, mais moi, j'ai toujours cru que le loup était méchant simplement parce que les autres loups se moquaient de son museau, et que lui et le Petit Chaperon rouge devenaient amis à la fin. En tout cas, c'est ce qui arrive dans le dessin animé que je regardais quand j'étais petite.

Mme Peters leva les yeux au ciel tellement haut qu'elle aurait pu finir par voir derrière elle.

– Voilà justement pourquoi je vous fais cette leçon, articula-t-elle entre ses dents serrées.

La fille aux cheveux frisés écarquilla les yeux, soudain triste. Comment une chose qu'elle avait tant chérie pouvait se révéler si fausse ?

– Comme devoir pour demain, commença l'enseignante, ce qui fit s'affaler tous les élèves sur leurs chaises, vous choisirez votre conte de fées préféré et ferez une rédaction sur la véritable morale de l'histoire.

Elle se dirigea ensuite vers son bureau, et les élèves commencèrent à travailler sur leur devoir pendant les quelques minutes de cours restantes.

– Monsieur Bailey ? J'aimerais vous parler, dit-elle en lui faisant signe d'approcher.

Conner avait des ennuis, et il le savait. Il se leva avec précaution et s'approcha du bureau de son professeur. Les autres élèves le regardaient avec pitié, comme s'il s'avançait vers son bourreau.

– Oui, madame Peters ? demanda le garçon.

– Conner, j'essaie de prendre en considération votre *situation familiale...* commença-t-elle en regardant par-dessus ses lunettes, les yeux emplis de colère.

«Situation familiale». Deux mots que Conner avait entendus trop souvent au cours de l'année écoulée.

– ... cependant, continua Mme Peters, il est des comportements que je ne saurais tolérer dans ma classe. Vous ne cessez de vous assoupir en cours, vous n'y prêtez aucune attention, sans parler de vos mauvaises notes. Votre sœur, elle, semble s'en sortir tout à fait normalement. Et si vous suiviez son exemple ?

Comme chaque fois, cette comparaison lui fit l'effet d'un coup de pied dans l'estomac. En effet, il ne ressemblait absolument pas à sa sœur, et on le punissait toujours à cause de cela.

– Si ça continue, je serai contrainte de prendre rendez-vous avec votre mère, vous m'entendez ? prévint Mme Peters.

– Oui, m'sieur. Euh, je veux dire, oui *m'dame* ! Madame. Pardon.

– Bien. Vous pouvez aller vous rasseoir.

Décidément, ce n'était pas son jour. Conner retourna lentement à sa place, la tête plus basse qu'auparavant. Plus que tout, il détestait avoir l'impression d'être un raté. Alex avait suivi leur échange et, même s'il lui faisait honte, elle avait de la compassion pour son frère comme seule une sœur pouvait en avoir.

Alex parcourut son livre de littérature afin de choisir l'histoire pour sa rédaction. Les images n'étaient pas aussi colorées et fascinantes que celles du livre de sa grand-mère, mais voir tous les personnages qu'elle avait côtoyés durant son enfance lui donnait l'impression d'être chez elle, un sentiment qui, dernièrement, s'était fait rare.

*Si seulement les contes de fées étaient vrais*, pensa-t-elle, *quelqu'un pourrait prendre une baguette magique et faire que les choses redeviennent comme avant...*

## CHAPITRE 2

# UN CHEMIN PLUS LONG POUR RENTRER

— J'ai adoré ce cours ! s'exclama Alex sur le chemin de retour de l'école.

Conner avait l'habitude d'entendre sa sœur dire ce genre de chose, et c'était généralement un signal pour qu'il cesse de l'écouter.

— Mme Peters a fait une très bonne remarque, tu sais, continuait la jeune fille avec animation, parlant à toute allure. Pense à tout ce que perdent les enfants qui sont privés de contes de fées ! Comme ce doit être affreux ! Ça ne te rend pas triste pour eux ? Conner, tu m'écoutes ?

— Ouaip, mentit l'intéressé.

Son attention était en fait tournée vers la coquille d'escargot vide dans laquelle il shootait le long du trottoir.

– Tu peux t'imaginer une enfance sans connaître tous ces lieux et ces personnages ? poursuivit Alex. On a eu de la chance que papa et grand-mère aient tant insisté pour nous lire ces histoires quand on était petits.

– Oui, de la chance... répéta Conner en hochant la tête, même s'il ne savait pas bien à quoi il donnait son assentiment.

Chaque jour après l'école, les jumeaux Bailey rentraient ensemble, à pied. Ils vivaient dans un quartier agréable, près d'autres quartiers agréables, eux-mêmes entourés de quartiers agréables. C'était la banlieue à perte de vue, chaque pavillon ressemblant à son voisin, tout en étant unique à sa manière.

Pour passer le temps sur le chemin, Alex racontait à son frère tout ce qui lui passait par la tête, ce qui la préoccupait, ses pensées du moment, ce qu'elle avait appris ce jour-là et ce qu'elle comptait faire dès qu'ils seraient rentrés. Même si cette routine quotidienne l'agaçait, Conner savait qu'il était la seule personne à qui sa sœur pouvait parler, alors il faisait de son mieux pour écouter. Même si ça n'avait jamais été son point fort.

– Quel conte je vais choisir pour ma rédaction ? C'est trop dur de se décider ! s'exclama Alex en tapant des mains avec enthousiasme. Tu vas prendre lequel, toi ?

– Euh... répondit Conner, détachant soudain son regard du sol.

Il fallait qu'il rembobine mentalement la conversation pour se souvenir de la question.

– *Le Garçon qui criait au loup*, dit-il, choisissant le premier conte de fées qui lui traversa l'esprit.

– Tu ne peux pas choisir celui-là, protesta sa sœur en secouant la tête. C'est le plus évident ! Tu dois prendre quelque chose de plus difficile pour faire bonne impression à Mme Peters. Tu devrais travailler sur un conte avec un message caché plus profondément, un dont la morale n'est pas si superficielle.

Conner soupira. Il était toujours plus facile d'aller dans le sens d'Alex que de discuter avec elle, mais parfois il ne pouvait l'éviter.

– D'accord, je vais choisir *La Belle au bois dormant*, dit-il alors.

– Un choix intéressant. Et à *ton* avis, quelle est la morale de cette histoire?

– Fiche la paix à tes voisins, je suppose.

Alex grogna en signe de désapprobation.

– Sois sérieux, Conner, ce n'est *pas* la morale de *La Belle au bois dormant*, grommela-t-elle.

– Mais bien sûr que si, expliqua-t-il. Si le roi et la reine s'étaient contentés d'inviter cette enchanteresse timbrée à la fête de leur fille, pour commencer, rien de tout ça ne serait jamais arrivé.

– Rien n'aurait pu l'éviter, contra Alex. Cette enchanteresse était méchante et aurait probablement jeté un mauvais sort à la princesse de toute façon. *La Belle au bois dormant* nous raconte ce qu'il se passe quand on tente d'éviter l'inévitable. Ses parents ont essayé de la protéger et ont fait détruire tous les rouets du royaume. Elle était tellement bien protégée qu'elle ne savait même pas qu'il y avait un danger, mais elle a quand même réussi à se piquer le doigt avec le premier fuseau qu'elle a trouvé.

Conner réfléchit à cette interprétation et secoua la tête. Il préférait de loin la sienne.

– Je suis pas d'accord, insista-t-il. J'ai vu comment tu réagis quand les gens vont quelque part et qu'ils ne t'invitent pas: la plupart du temps tu as l'air de quelqu'un capable de maudire un bébé.

Alex lui jeta un regard assassin dont Mme Peters aurait été fière.

– Même s'il n'existe pas de *mauvaise* interprétation, je dois dire que *là* c'est clairement mal interprété, commenta-t-elle.

– Je dis juste qu'il faut bien choisir qui tu décides de snober, expliqua son frère. J'ai toujours pensé que les parents de la Belle au bois dormant l'avaient cherché.

– Ah ? dit sa sœur. Et je suppose que tu crois que Hansel et Gretel l'avaient cherché, eux aussi ?

– Oui, dit-il, en faisant le malin. Et la sorcière aussi !

– Comment ça ?

– Parce que, reprit Conner avec un petit sourire satisfait, si tu vas vivre dans une maison en bonbons, il ne faut pas t'installer près de là où il y a des gamins obèses. En réalité, beaucoup de personnages de contes de fées manquent de jugeote.

Alex ronchonna à nouveau en signe de désaccord. Conner estima qu'il pourrait lui soutirer encore une cinquantaine de grognements avant d'arriver à la maison.

– La sorcière ne vivait pas à côté de chez eux ! Elle vivait au fond de la forêt ! Ils devaient laisser une piste de miettes de pain derrière eux pour retrouver le chemin du retour, rappelle-toi, dit-elle agacée. Et puis tout l'intérêt de cette maison était d'attirer les enfants. Ils étaient affamés ! Souviens-toi au moins des faits correctement avant de critiquer.

– S'ils étaient si *affamés*, comme tu dis, pourquoi ont-ils gâché des miettes de pain ? demanda Conner. Pour moi, ces deux-là cherchaient plutôt la bagarre.

Alex grogna une nouvelle fois.

– Et avec ton esprit tordu, quelle est la morale de *Boucle d'or et les trois ours* ? le questionna-t-elle avec défiance.

– Facile, répondit Conner. Fermez vos portes à clé ! Il y a des voleurs de toutes les tailles et de toutes les couleurs. On ne peut même pas se fier aux petites filles aux cheveux bouclés.

Alex grogna encore et croisa les bras. Elle s'efforçait de ne pas glousser pour ne pas donner raison à son frère.

– *Boucle d'or* parle des conséquences de nos actes, Mme Peters l'a dit elle-même! s'écria-t-elle.

Même si la jeune fille ne l'aurait jamais avoué, elle trouvait amusant de discuter avec son frère.

– Et à ton avis, que raconte *Jack et le haricot magique*? demanda-t-elle. .

Le garçon réfléchit un instant puis sourit malicieusement.

– Que les mauvais haricots peuvent causer quelque chose de bien plus grave qu'une indigestion, répondit-il enfin, en s'esclaffant tout seul.

Alex fit la moue pour dissimuler son sourire.

– Et quelle est la morale du *Petit Chaperon rouge*? Penses-tu qu'elle aurait dû se contenter d'envoyer le panier cadeau de sa grand-mère *par la poste*?

– Tu vois quand tu veux! répondit-il. Mais j'ai quand même de la peine pour le Petit Chaperon rouge: c'est clair que ses parents ne l'aimaient pas beaucoup.

– Pourquoi tu dis ça? demanda Alex, curieuse de comprendre comment il était arrivé à cette conclusion.

– Qui envoie sa petite fille dans une forêt sombre où vit un loup, avec de la nourriture tout juste sortie du four et un chaperon de couleur vive? demanda Conner. C'était pratiquement réclamer que le loup la dévore! Elle devait vraiment leur casser les pieds!

Alex fit tout son possible pour ne pas éclater de rire mais, à la grande joie de son frère, elle ne put s'empêcher de lâcher un petit gloussement.

– Je sais que tu es secrètement d'accord avec moi, triompha le garçon en la bousculant gentiment de l'épaule.

– Conner, ce sont des gens comme toi qui gâchent les contes de fées pour le reste du monde, dit Alex en s'efforçant de reprendre son sérieux. On se moque de ces contes, et tout d'un coup toute la morale de l'histoire est... est... *perdue*.

Soudain, Alex s'arrêta de marcher. Petit à petit, son visage devint blême. Quelque chose de l'autre côté de la rue avait attiré son attention, quelque chose de terriblement décevant.

– Que se passe-t-il ? s'enquit Conner en se retournant vers sa sœur.

Alex regardait fixement une grande maison. La demeure était ravissante, peinte en bleu avec un filet blanc et plusieurs fenêtres. Le jardin, devant, était parfaitement aménagé, avec juste ce qu'il fallait de pelouse, de carrés de fleurs et un grand chêne idéal pour grimper.

Si une maison pouvait sourire, celle-ci aurait arboré le plus grand qui soit.

– Regarde, dit Alex en montrant du doigt un panneau près du chêne. Elle a été vendue, continua-t-elle en secouant lentement la tête. Vendue, répéta-t-elle avec incrédulité.

Le visage rond de Conner devint lui aussi plus pâle. Les jumeaux regardèrent fixement la maison pendant un moment, en silence, ne sachant pas quoi se dire.

– On savait tous les deux que ça arriverait *un jour*, dit enfin le garçon.

– Alors pourquoi est-ce que ça m'a surpris ? se demanda sa sœur à voix basse. J'imagine que comme elle a été mise en vente il y a si longtemps, je croyais qu'elle... tu sais... qu'elle *nous attendait*.

Le regard humide, Conner vit les yeux de sa sœur s'emplir de larmes.

– Allez, viens, Alex, rentrons, dit-il en reprenant son chemin.

Elle regarda la maison un instant encore et suivit son frère. Cette maison n'était qu'une des choses que la famille Bailey avait perdues récemment...

🍎

L'année précédente, quelques jours à peine avant leur onzième anniversaire, le père d'Alex et de Conner s'était fait renverser par une voiture à la sortie de son travail. M. Bailey possédait une librairie à quelques rues de chez lui, la Librairie Bailey, mais ce simple trajet avait suffi pour qu'il soit victime d'un terrible accident.

Les jumeaux et leur mère l'attendaient pour le dîner quand ils avaient reçu un appel disant que leur père ne les rejoindrait pas ce soir-là, ni aucun autre soir. Il n'avait jamais été en retard pour le dîner, alors à l'instant où le téléphone avait sonné, ils avaient tous compris que quelque chose était arrivé.

Alex et Conner n'oublieraient jamais le visage de leur mère quand elle avait répondu au téléphone... un visage qui, sans un mot, leur signifiait que leur vie ne serait plus jamais comme avant. Ils n'avaient jamais vu leur mère pleurer comme cette nuit-là.

Les choses s'étaient ensuite enchaînées très vite. Les jumeaux avaient du mal à se souvenir de l'ordre dans lequel s'était déroulée la suite.

Ils se souvenaient de leur mère passant une quantité de coups de fil et s'occupant de nombreuses formalités. Ils se souvenaient que leur grand-mère était venue pour s'occuper d'eux pendant que leur mère organisait l'enterrement.

Ils se souvenaient que leur mère leur avait tenu la main lorsqu'ils avaient descendu l'allée de l'église pendant l'enterrement. Ils se souvenaient des fleurs blanches, des bougies et des expressions tristes sur les visages qu'ils rencontraient. Ils se souvenaient de toute la nourriture que les gens leur avaient apportée. Ils se souvenaient du nombre de personnes leur disant combien ils étaient désolés.

Mais ils ne se souvenaient pas de leur onzième anniversaire, parce que personne ne s'en était souvenu.

Les jumeaux se rappelaient combien leur grand-mère et leur mère avaient su rester fortes pendant les mois qui avaient suivi. Ils se souvenaient de leur mère leur expliquant pourquoi ils devaient vendre la librairie. Ils se souvenaient qu'un jour elle n'avait plus eu les moyens d'entretenir leur ravissante maison bleue et qu'ils avaient dû déménager dans une location deux fois plus loin de l'école.

Ils se souvenaient encore que leur grand-mère était repartie une fois qu'ils s'étaient installés dans leur nouvelle et plus petite maison et qu'ils étaient retournés à l'école alors que ce retour à la normale leur semblait si faux. Mais, plus que tout, les jumeaux se souvenaient qu'ils n'avaient pas compris pourquoi cela leur arrivait.

Toute une année s'était écoulée depuis, et ils ne comprenaient toujours pas. Les gens disaient que les choses s'amélioreraient avec le temps, mais combien en fallait-il ? Chaque jour passé sans leur père augmentait leur peine. Parfois leur père leur manquait tant qu'ils avaient l'impression que leur tristesse allait les submerger.

Son sourire, son rire, ses histoires... tout cela leur manquait.

Quand Alex avait eu une journée particulièrement difficile à l'école, la première chose qu'elle faisait en rentrant était de sauter sur son vélo et de pédaler jusqu'à la librairie de son père. Elle faisait alors irruption dans la boutique, trouvait son père et disait:

– Papa, il faut que je te parle.

Peu importait qu'il fût en train de renseigner un client ou de disposer des livres neufs sur les étagères: M. Bailey arrêtait aussitôt ce qu'il faisait, emmenait sa fille dans la remise de l'arrière-boutique et écoutait ce qui lui était arrivé.

– Qu'est-ce qu'il y a, ma chérie ? demandait-il, ses grands yeux pleins d'inquiétude.

– J'ai vraiment eu une sale journée, papa, lui avait un jour dit Alex.

– Les autres enfants continuent de t'embêter ? Je peux appeler l'école et demander à ton professeur de leur parler.

– Ça ne résoudrait rien, avait-elle répondu en pleurnichant. En me persécutant publiquement, ils cherchent seulement à remplir un vide affectif dû à un abandon social et domestique.

M. Bailey s'était gratté la tête.

– Si j'ai bien compris ce que tu me dis, ma chérie, ils sont juste *jaloux* ?

– Exactement ! J'ai lu un livre de psychologie ce midi, à la bibliothèque, qui expliquait tout ça.

M. Bailey avait éclaté de rire. Sa fille était si intelligente qu'elle l'étonnait sans cesse.

– Je crois que tu es trop maligne, Alex.

– Parfois j'aimerais être comme tout le monde, lui avait avoué sa fille. J'en ai assez d'être seule, papa. Si être intelligente et bonne élève signifie que je n'aurai jamais d'amis, alors je préférerais être comme Conner.

– Alex, t'ai-je déjà raconté l'histoire de l'Arbre courbé ?

– Non.

Les yeux de M. Bailey s'étaient illuminés. Ils brillaient toujours quand il commençait une histoire.

– Eh bien, un jour, quand j'étais très jeune, je marchais dans les bois quand j'ai vu quelque chose de curieux : il s'agissait d'un conifère, mais il ne ressemblait à aucun de ceux que j'avais pu voir. Au lieu de pousser bien droit, son tronc s'enroulait sur lui-même comme une grosse vigne.

– Comment ? l'avait interrompu Alex, sous le charme. Ce n'est pas possible. Les conifères ne poussent pas comme ça.

– Peut-être que quelqu'un avait oublié d'en informer cet arbre-là. Quoi qu'il en soit, des bûcherons vinrent un jour et coupèrent *tous* les arbres des alentours, excepté l'Arbre courbé.

– Pourquoi ?

– Parce qu'il était inexploitable, lui avait expliqué son père. On n'aurait pu en faire ni une table, ni une chaise, ni une commode. Tu vois, l'Arbre courbé se sentait peut-être différent des autres arbres, mais c'est sa particularité qui l'a sauvé.

– Qu'est-il devenu ?

– Il est toujours là, avait répondu M. Bailey avec un sourire. Il est de plus en plus grand et de plus en plus courbé chaque jour.

Un petit sourire était apparu sur les lèvres d'Alex.

– Je crois que je vois où tu veux en venir, papa.

– C'est bien. Tout ce que tu dois faire à présent est d'attendre que les bûcherons viennent pour découper tous tes camarades en petites rondelles.

Alex avait ri pour la première fois de la journée. Son père avait toujours su la mettre de bonne humeur.

Il fallait aux jumeaux deux fois plus de temps pour rentrer chez eux depuis qu'ils avaient déménagé. Leur nouvelle maison était sans intérêt, avec un toit plat et des murs marron. Elle avait peu de fenêtres et seul un maigre gazon poussait dans le jardin, car le système d'arrosage ne fonctionnait pas.

Bien que douillette, la demeure des Bailey était encombrée. Ils avaient en effet plus de meubles que d'espace, et aucun n'allait vraiment avec cette maison. Même si cela faisait plus de six mois qu'ils vivaient là, des cartons étaient encore empilés contre les murs.

Que personne ne voulait déballer. Aucun des habitants ne voulait admettre qu'ils resteraient dans cette maison bien plus longtemps qu'ils ne l'avaient déjà fait.

À peine rentrés, les jumeaux grimpèrent l'escalier pour rejoindre chacun sa chambre. Alex s'assit à son bureau et se mit à faire ses devoirs. Conner se coucha sur son lit et commença à faire une sieste.

La chambre d'Alex aurait pu être prise pour une bibliothèque, s'il n'y avait eu son lit jaune vif dans un coin. Des étagères de toutes les tailles et de toutes les longueurs occupaient la pièce, remplies de livres allant de recueils de nouvelles aux encyclopédies.

La chambre de Conner ressemblait plutôt à une caverne dans laquelle il hibernait dès qu'il en avait l'occasion. On apercevait un bout de tapis entre deux tas de linge sale et un croque-monsieur entamé traînait par terre depuis bien trop longtemps pour ne pas présenter un risque sanitaire majeur.

Une heure ou deux plus tard, les jumeaux entendirent un bruit indiquant que leur mère rentrait du travail. Ils descendirent l'escalier pour la retrouver dans la cuisine. Elle était assise à table, parlant au téléphone et triant les enveloppes qu'elle venait de prendre dans la boîte aux lettres.

Charlotte Bailey était une très belle femme aux cheveux roux et à la peau parsemée de taches de rousseur qu'elle avait manifestement transmises à ses jumeaux. Elle avait un cœur d'or et aimait ses enfants plus que tout au monde. Malheureusement, elle ne les voyait plus beaucoup.

Elle était infirmière dans l'hôpital pour enfants de la région et, depuis la mort de son mari, devait faire des heures supplémentaires afin de subvenir à leurs besoins. Le matin, elle était déjà partie quand les jumeaux se levaient, et ils dormaient lorsqu'elle avait fini sa journée. Les seuls moments où elle arrivait à les voir étaient les pauses-déjeuner ou dîner durant lesquels elle passait rapidement chez elle.

Mme Bailey aimait son travail et soigner des enfants, mais détestait que cela l'empêche de voir les siens. D'une certaine façon, les jumeaux avaient l'impression d'avoir perdu leurs deux parents à la mort de leur père.

– Bonjour mes chéris, sourit Mme Bailey en couvrant le combiné d'une main. Tout s'est bien passé aujourd'hui à l'école ?

Alex hocha la tête. Conner leva le pouce d'une manière un peu trop enthousiaste.

– Oui, je peux faire une double tournée lundi, dit-elle au téléphone à quelqu'un de l'hôpital. Non, ce n'est pas un problème, mentit-elle.

La plupart des enveloppes qu'elle triait portaient les avertissements DERNIER DÉLAI ou PREMIÈRE RELANCE en rouge. Même avec toutes ses heures supplémentaires, Mme Bailey devait parfois faire preuve d'imagination avec l'argent. Elle retourna les enveloppes sur la table, les soustrayant au regard des jumeaux.

– Merci, dit enfin Mme Bailey, puis elle raccrocha. Comment ça va ? demanda-t-elle en se tournant vers ses enfants.

– Bien, répondirent-ils l'air absent.

L'intuition maternelle de Mme Bailey s'alarma. Elle avait deviné que quelque chose les troublait.

– Que se passe-t-il ? les questionna-t-elle en étudiant leurs visages. Vous m'avez l'air bien tristounets.

Alex et Conner échangèrent un regard, ne sachant pas quoi dire. Leur mère était-elle au courant pour leur ancienne maison ? Fallait-il l'en informer ?

– Allez... reprit leur mère. Qu'est-ce qu'il y a ? Vous pouvez tout me dire.

– On n'est pas tristes, commença Conner. On savait que ça arriverait un jour.

– Quoi donc ? demanda Mme Bailey.

– La maison a été vendue, expliqua Alex. On l'a vu aujourd'hui en revenant de l'école.

Pendant un moment, ils demeurèrent silencieux. Mme Bailey était au courant, mais les jumeaux pouvaient voir qu'elle était tout aussi déçue qu'eux, même si elle ne voulait pas que ses enfants s'en aperçoivent.

– Ah, *ça*... dit-elle avec un petit signe de la main. Oui, je sais. Vous ne devriez pas être tristes pour ça, vous savez. On trouvera une maison plus grande et plus belle dès qu'on aura repris les choses en main.

C'était tout. Mme Bailey ne mentait pas très bien, et les jumeaux non plus. Alex et Conner continuèrent néanmoins de sourire et de hocher la tête devant leur mère.

– Qu'avez-vous appris à l'école aujourd'hui ?

– Beaucoup de choses ! s'exclama Alex avec un grand sourire.

– Pas grand-chose, marmonna Conner en grimaçant.

– C'est parce que tu t'es encore endormi en cours !

Conner lança un regard noir à sa rapporteuse de sœur.

– Oh non, Conner, encore ? fit Mme Bailey en secouant la tête. Que vais-je faire de toi ?

– C'est pas ma faute ! s'écria-t-il. Les cours de Mme Peters me bercent. J'y peux rien ! C'est comme si mon cerveau se déconnectait, je sais pas. Parfois, même mon truc de l'élastique ne marche pas.

– Ton truc de l'élastique ? s'étonna sa mère.

– Je mets un élastique autour de mon poignet et je le fais claquer dès que j'ai envie de dormir, expliqua Conner. Je croyais que ça marchait à tous les coups !

Mme Bailey secoua la tête, plutôt amusée.

– Bon, mais n'oublie pas la chance que tu as d'être en classe, reprit-elle avec un regard maternel censé attiser le sentiment de culpabilité de son garçon. Tous les enfants de l'hôpital ne demanderaient pas mieux que d'échanger leur place avec toi et d'aller à l'école tous les jours.

– Ils changeraient d'avis s'ils voyaient Mme Peters, marmonna Conner.

Le téléphone retentit avant que Mme Bailey n'ait fini de gronder son fils.

– Allô ? répondit-elle.

Les rides d'inquiétude se creusèrent sur son front.

– Demain ? Non, il doit y avoir une erreur. Je leur ai dit que je ne pouvais absolument pas travailler demain. C'est le douzième anniversaire des jumeaux et j'ai prévu de passer la soirée avec eux.

Alex et Conner échangèrent un regard surpris. Ils avaient presque oublié qu'ils allaient avoir douze ans le lendemain. Presque...

– Êtes-vous sûr que personne ne peut s'en charger ? insista Mme Bailey, la voix plus angoissée qu'elle ne voulait le laisser entendre. Non, je comprends... Oui, bien sûr... Je sais que nous manquons de personnel... À demain.

Mme Bailey raccrocha, ferma les yeux et, dépitée, soupira longuement.

– J'ai de mauvaises nouvelles, les enfants, dit-elle. On dirait que je vais devoir travailler demain soir... je ne serai pas là pour votre anniversaire. Mais je me rattraperai! On le fêtera après-demain, quand je rentrerai, d'accord?

– Bien sûr, maman, dit Alex avec entrain pour essayer de la rassurer. On comprend.

– Ce n'est pas grave, ajouta Conner. On ne s'attendait pas à quelque chose de spécial de toute façon.

Mme Bailey eut l'impression d'être la pire mère du monde, et leur compréhension la faisait se sentir plus mal encore. Elle aurait de loin préféré qu'ils fassent une scène, qu'ils soient en colère ou qu'ils réagissent comme des enfants de leur âge. Ils étaient trop jeunes pour être *habitués* à la déception.

– Ah... dit Mme Bailey, cherchant à lutter contre le sentiment de tristesse qui l'envahissait. C'est super. Alors on dînera... on achètera un gâteau... et on passera une bonne soirée... Je vais monter un peu avant de retourner au travail.

Elle quitta la cuisine et grimpa rapidement l'escalier pour se réfugier dans sa chambre. Les jumeaux attendirent un bref instant avant de monter vérifier si tout allait bien. Ils jetèrent un coup d'œil dans la chambre de leur mère. Elle était assise sur le lit et pleurait, tenant des mouchoirs écrasés entre ses mains; elle parlait à une photo encadrée de son défunt mari.

– Oh, John, disait-elle, j'essaie d'être forte et de faire en sorte que la vie continue, mais c'est vraiment dur sans toi. Ce sont des enfants formidables. Ils ne méritent pas ça.

Elle sécha rapidement ses larmes quand elle sentit que les jumeaux étaient en train de l'observer. Alex et Conner pénétrèrent lentement dans la chambre et s'assirent de part et d'autre de leur mère.

– Je suis tellement désolée, pour tout, leur dit-elle. Ce n'est vraiment pas juste que vous ayez à subir tout ça à un si jeune âge.

– Ça va aller, maman, dit Alex. On n'a besoin de rien de particulier pour notre anniversaire.

– On fait trop de foin autour des anniversaires de toute façon, ajouta Conner. On sait que les temps sont durs pour nous en ce moment.

Mme Bailey prit ses enfants dans ses bras.

– Depuis quand êtes-vous devenus grands, tous les deux ? demanda-t-elle les yeux emplis de larmes. Je suis la mère la plus chanceuse du monde !

Tous trois tournèrent leur regard vers la photo encadrée.

– Savez-vous ce que papa aurait dit s'il était là ? leur demanda leur mère. Il aurait dit : « En ce moment, nous traversons un mauvais chapitre de notre vie, mais les livres s'améliorent à mesure qu'on les lit ! »

Les jumeaux lui sourirent, espérant qu'elle avait raison.

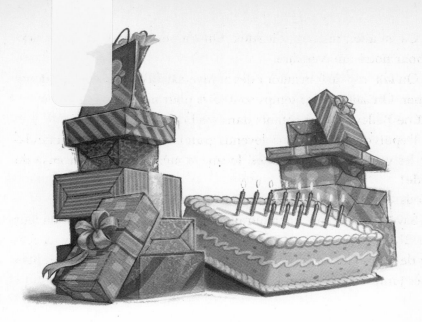

## CHAPITRE 3

# UNE SURPRISE D'ANNIVERSAIRE

– **P**osez vos crayons, ordonna Mme Peters.

Ses élèves venaient de faire un contrôle de maths et elle les avait surveillés comme un gardien de prison durant toute l'interro.

– Faites passer vos copies vers l'avant, commanda-t-elle.

Conner scruta son énoncé comme s'il était écrit en hiéroglyphes. La plupart des questions avaient été laissées en blanc et il avait un peu gribouillé autour des autres pour faire semblant d'avoir fait un effort. Il murmura une petite prière pour lui-même et passa sa feuille.

Alex récupéra tous les contrôles et les disposa en une pile bien ordonnée devant Mme Peters. Elle se sentait toujours revigorée après un contrôle, surtout quand elle l'avait trouvé aussi facile.

Son œil fut attiré par la copie de son frère, car c'était celle où il y avait le moins de choses écrites. Alex savait que Conner faisait toujours de son mieux à l'école, mais son mieux n'était apparemment jamais suffisant. Elle se tourna vers lui, se demandant comment elle pouvait l'aider... puis l'idée lui vint. Peut-être qu'elle *pouvait* faire quelque chose pour lui.

Elle regarda en direction de Mme Peters et vit qu'elle était occupée à relire ses notes pour sa prochaine leçon. Est-ce que l'enseignante remarquerait si elle écrivait rapidement quelques réponses sur le contrôle de son frère ? Était-elle capable de faire quelque chose de si clairement répréhensible ?

Est-ce que c'était encore de la triche si on le faisait pour quelqu'un d'autre ? Est-ce que la noblesse du geste compenserait l'infraction si l'on considérait les choses avec un peu de recul ?

Alex avait tendance à trop se casser la tête, alors elle fit le grand plongeon, remplit rapidement une partie de la copie de son frère en gauchissant son écriture, et donna la pile à Mme Peters.

Elle n'avait jamais fait une chose aussi irréfléchie.

– Merci, mademoiselle Bailey, dit Mme Peters en croisant brièvement son regard.

Alex eut l'impression qu'on lui avait donné un coup à l'estomac. L'excitation qu'elle avait ressentie en suivant son impulsion était à présent éclipsée par un sentiment de culpabilité.

Mme Peters avait toujours eu confiance en elle. Comment avait-elle pu agir de façon si puérile ? Fallait-il avouer ce qu'elle avait fait ? Quelle serait la punition pour ce crime ? Se sentirait-elle aussi coupable jusqu'à la fin de ses jours ?

Elle se retourna vers son frère. Conner poussa un lourd soupir silencieux et Alex perçut sa tristesse et sa honte. Elle ressentait son désespoir comme si c'était le sien.

La petite voix dans la tête d'Alex se tut. Elle savait qu'elle avait bien agi, non pas en tant qu'élève mais en tant que sœur.

– Sortez vos devoirs d'hier, ordonna Mme Peters. J'aimerais que vous présentiez rapidement votre travail devant la classe.

Pour maintenir ses élèves sur leurs gardes, l'enseignante organisait régulièrement des présentations orales surprises. Elle s'assit sur un tabouret au fond de la classe, trop près de Conner au goût de ce dernier, pour s'assurer qu'il restât éveillé.

L'un après l'autre, les élèves passèrent devant la classe. À part un enfant qui croyait que *Jack et le haricot magique* parlait d'un enlèvement par les extra-terrestres, et une fille qui affirmait que *Le Chat botté* était un vieil exemple de cruauté envers les animaux, tous les élèves semblaient avoir interprété les contes correctement.

– Ça a été très dur de choisir un seul conte de fées sur lequel travailler, commença Alex en présentant avec enthousiasme son devoir de sept pages devant ses camarades. Alors j'ai pris celui dont le thème apparaît dans presque tous les contes et toutes les histoires jamais écrites : *Cendrillon* !

Les autres élèves ne partageaient pas son enthousiasme.

– Beaucoup de gens n'aiment pas *Cendrillon*, car ils disent que le conte contient des éléments antiféministes, poursuivit Alex, mais je trouve ça ridicule ! *Cendrillon* n'est pas l'histoire d'un homme qui sauve une femme, mais une histoire qui parle du *karma* !

La plupart des élèves commencèrent à rêvasser et à penser à autre chose. Mme Peters était la seule personne dans la salle qui semblait un tant soit peu intéressée par ce qu'Alex avait à dire.

– Réfléchissez-y, dit Alex. Même après des années de mauvais traitements aux mains de sa belle-mère et de ses demi-sœurs, Cendrillon est encore pleine de bonté et d'espoir en l'avenir. Elle n'a jamais cessé de croire en elle-même et en la bienveillance du monde. Même si elle épouse le prince à la fin, Cendrillon a toujours été heureuse *intérieu-rement*. Son histoire montre que même dans les pires situations, *même quand il semble que personne au monde ne vous apprécie*, si vous gardez l'espoir, tout peut s'améliorer...

Alex réfléchit un moment à ce qu'elle venait de dire. Elle se posait des questions sur la conclusion de sa présentation. Était-ce vraiment la morale de *Cendrillon*, ou était-ce la morale dont elle avait *besoin* ?

– Merci, mademoiselle Bailey ! Très bien formulé, dit Mme Peters en esquissant, du mieux que son visage le lui permettait, un sourire.

– Merci de votre attention, dit Alex en faisant un signe de tête à la classe.

– À votre tour, monsieur Bailey, dit la maîtresse.

Elle était assise si près de lui qu'il pouvait sentir son souffle tiède sur son cou.

Conner alla au tableau, traînant des pieds comme s'ils avaient été pris dans du ciment. Il n'avait jamais de mal à parler devant la classe, mais il aurait préféré être n'importe où plutôt que face à un professeur. Alex l'encouragea d'un signe de tête.

– J'ai choisi *Le Garçon qui criait au loup*, dit Conner, allant à l'encontre du conseil de sa sœur la veille.

Alex s'affaissa dans sa chaise et Mme Peters leva les yeux au ciel. Quelle déception !

– Je sais que vous pensez tous que j'ai choisi le conte le plus facile, dit Conner. Seulement, en le relisant, je ne pense pas que l'histoire parle de l'importance de l'honnêteté. Je pense qu'elle parle plutôt du fait d'avoir *trop d'attentes*.

Alex et Mme Peters levèrent un sourcil. Où voulait-il en venir ?

– Bien sûr, le gamin était un morveux. On ne peut pas le nier, poursuivit Conner en montrant la demi-page qu'il avait écrite. Mais pouvez-vous lui en vouloir de chercher à s'amuser un peu ? Manifestement, son village avait un problème avec un loup, et ça stressait tout le monde. Il n'était qu'un gamin. Est-ce qu'on s'attendait vraiment à ce qu'il soit tout le temps sage comme une image ?

Sa présentation n'était peut-être pas la meilleure, mais il avait su captiver son auditoire.

– Alors je me suis demandé : pourquoi personne ne surveillait ce gamin ? continua-t-il. Si ses parents avaient gardé un œil sur lui, il n'aurait peut-être pas été dévoré. Je crois que l'histoire nous dit qu'il faut garder un œil sur nos enfants, surtout s'ils sont des menteurs éhontés. Merci de votre attention.

Conner n'essayait jamais d'être drôle. Il était juste terriblement franc et disait tout haut ce qu'il pensait. Cette franchise amusait toujours ses camarades, mais jamais son enseignante.

– Merci, monsieur Bailey, dit cette dernière d'un ton sec. Vous pouvez vous rasseoir.

Conner savait qu'il avait tout raté. Il regagna son siège sous le regard glaçant et l'haleine tiède de Mme Peters. Pourquoi se donnait-il encore la peine de faire des efforts ?

Il ne se passait pas un jour sans que Conner en arrivât à la conclusion qu'il était bon à rien. Il n'y avait qu'une seule personne capable de le remettre d'aplomb quand il se sentait ainsi. Mais Conner ne pouvait que rêver qu'il fût encore en vie...

M. Bailey savait toujours quand son fils avait besoin de parler avec lui. Ce n'était pas une question d'observation ou d'intuition mais de lieu. Parfois, il rentrait du travail et trouvait son fils assis sur une branche du chêne du jardin devant la maison, l'air pensif.

– Conner ? demandait M. Bailey en s'approchant de l'arbre. Tout va bien, mon petit ?

– Mmh... oui, marmonnait-il.

– Tu es sûr ? insistait son père.

– Ouaip, disait Conner sans conviction.

Il n'exprimait pas ses problèmes aussi bien que sa sœur, mais son visage était tout aussi expressif. M. Bailey grimpait dans l'arbre et s'asseyait sur une branche à côté de son fils pour essayer de lui faire dire ce qui le tracassait.

– Tu es sûr que tu ne veux pas en parler ? disait encore M. Bailey. Quelque chose t'est arrivé à l'école aujourd'hui ?

Alors Conner hochait la tête.

– J'ai eu une sale note à un contrôle, avoua-t-il une fois.

– Avais-tu révisé ?

– Oui. J'ai vraiment beaucoup étudié, papa. Mais ça ne sert à rien. Je ne serai jamais aussi intelligent qu'Alex.

Ses joues étaient rouges de honte.

– Conner, laisse-moi te dire quelque chose que j'ai mis du temps à comprendre, avait alors dit M. Bailey. Les femmes que tu rencontreras dans ta vie auront toujours l'air d'être plus intelligentes. C'est comme ça. Ça fait treize ans que j'ai épousé ta mère, et j'ai toujours du mal à la suivre. Tu ne peux pas te comparer aux autres.

– Mais je suis stupide, papa, répondit Conner, les larmes aux yeux.

– J'ai du mal à le croire, rassura son père. Il faut être intelligent pour savoir raconter une histoire drôle, et tu es le garçon le plus drôle que je connaisse !

– L'humour ne sert à rien en histoire ou en maths, reprit Conner. J'ai beau faire le maximum à l'école, je serai toujours l'idiot de la classe...

Le visage de Conner devint blême et impassible. Il fixait le vide, tellement honteux que cela lui faisait mal. Heureusement pour lui, son père avait une histoire encourageante pour tous les cas de figure.

– Conner, t'ai-je jamais raconté la légende du Poisson qui marchait ?

– Le Poisson qui marchait ? répéta le garçon en relevant la tête. Papa, ne te fâche pas, mais je ne crois pas que tu arriveras à me consoler avec une de tes histoires cette fois.

– D'accord, comme tu voudras, acquiesça son père.

Quelques moments plus tard, la curiosité de Conner eut le dessus.

– D'accord, raconte-moi l'histoire du Poisson qui marchait.

Les yeux de M. Bailey brillèrent comme chaque fois qu'il allait raconter une histoire. Conner devinait que celle-ci allait être intéressante.

– Il était une fois un gros poisson qui vivait seul dans un lac, commença son père. Tous les jours, il regardait avec envie un enfant du village voisin qui jouait avec les chevaux, les chiens et les écureuils sur la terre ferme...

– Est-ce qu'un chien va mourir dans cette histoire, papa ? interrompit Conner. Tu sais que je déteste les histoires où un chien meurt...

– Laisse-moi terminer, continua son père. Un jour, une fée s'approcha du lac et lui accorda un vœu...

– Comme par hasard ! Pourquoi est-ce qu'une fée arrive toujours comme ça et fait un truc sympa pour quelqu'un qu'elle ne connaît pas ?

– Parce que c'est son boulot ? suggéra M. Bailey en haussant les épaules. Soit, disons qu'elle avait fait tomber sa baguette magique dans le lac, que le poisson l'avait récupérée et que, pour le remercier, elle lui proposa de lui accorder un vœu. Ça te va ?

– Oui, c'est mieux, dit Conner. Continue.

– Le poisson, comme on pouvait s'y attendre, fit le vœu d'avoir des pattes, pour pouvoir jouer avec le garçon du village. Alors la fée transforma ses nageoires en pattes et il devint le Poisson qui marchait.

– Laisse-moi deviner, intervint Conner : le poisson avait l'air tellement bizarre que le garçon n'a jamais voulu jouer avec lui ?

– Eh bien non, ils devinrent meilleurs amis et jouaient ensemble avec les autres animaux terrestres, répondit son père. Mais un jour, le garçon tomba dans le lac et il ne savait pas nager ! Le Poisson qui marchait tenta de le sauver, mais c'était peine perdue : il n'avait plus de nageoires ! Malheureusement, le garçon se noya.

La bouche de Conner tomba comme une boîte à gants qui ne ferme plus.

– Tu vois, si le poisson était resté dans le lac et n'avait pas fait le vœu d'être quelqu'un d'autre, il aurait pu sauver la vie du garçon, conclut M. Bailey.

– Papa, ton histoire est horrible ! Pourquoi est-ce qu'un enfant qui vit près d'un lac n'apprend-il pas à nager ? Les chiens savent nager ! Est-ce qu'un des chiens ne pouvait pas venir le sauver ? Où était la fée quand le garçon était en train de se noyer ?

– Je crois que tu n'as pas compris la morale de l'histoire, répondit son père. Parfois, on oublie nos propres qualités parce qu'on ne pense qu'à celles qu'on ne possède pas. Ce n'est pas parce que tu dois travailler plus dur que d'autres pour certaines choses que tu n'as pas un talent qui t'est propre.

Conner réfléchit un moment.

– Je crois que j'ai compris, papa, dit-il enfin.

M. Bailey lui sourit.

– Et si on descendait de cet arbre et que je t'aidais à réviser ton prochain contrôle ?

– Je te l'ai déjà dit, ça ne sert à rien d'étudier, reprit Conner. J'ai essayé, encore et toujours. Ça ne sert jamais à rien.

– Alors il faut trouver une technique. On va regarder les images des gens célèbres dans ton livre d'histoire et on va inventer des blagues sur eux pour que tu te souviennes de leurs noms. Et on va imaginer des scénarios amusants pour t'aider à retenir toutes les formules de maths.

Conner hocha la tête lentement mais sûrement et descendit.

– D'accord, dit-il avec un sourire en coin. Mais sache que j'ai préféré ton histoire sur l'Arbre courbé.

Ce jour-là, le chemin du retour de l'école fut très silencieux. Alex sentait que la présentation de son frère l'avait un peu stressé. Elle tenta de rompre le silence tous les dix pas avec des encouragements, ou du moins c'est ce qu'elle croyait.

– J'ai trouvé que tu avais fait de bonnes remarques, dit-elle avec beaucoup de gentillesse. Même s'il est vrai que je n'aurais jamais dit des choses pareilles.

– Merci, répondit Conner.

Elle ne l'aidait pas.

– Mais tu as peut-être trop réfléchi à l'histoire, reprit Alex. Je le fais tout le temps. Parfois, j'en lis une et je l'interprète à ma manière plutôt que de la façon voulue par l'auteur. C'est une question d'entraînement.

Il ne répondit pas. Elle ne l'aidait toujours pas.

– Bon. C'est notre anniversaire aujourd'hui, lui rappela Alex. Tu n'es pas content d'avoir douze ans ?

– Pas vraiment, avoua son frère. Je me sens pareil que quand j'avais onze ans. On n'est pas censé avoir de nouvelles molaires bientôt ?

– Allez, essayons de voir le bon côté des choses ! Même si on ne fait rien d'amusant pour notre anniversaire, il ne faut pas perdre espoir. Il y a plein de choses qu'on peut attendre avec impatience ! Dans un an, on sera des adolescents !

– Il paraît, dit Conner. Encore quatre ans et on pourra conduire !

– Et dans six ans, on pourra voter et aller à l'université ! ajouta Alex.

Ils ne trouvaient pas d'autres raisons de se réjouir. Leur bonne humeur n'était qu'une façade et ils le savaient. Alors ils firent le reste du chemin en silence. Même si la fête la plus extravagante du monde les attendait à la maison, leur anniversaire serait toujours un moment difficile pour eux.

La journée à l'école s'était déroulée de façon prévisible. Le chemin du retour également. Toute la journée avait été normale. Il n'y avait rien eu de particulier qui pouvait rendre spécial le jour de leur anniversaire... jusqu'à ce qu'ils atteignent la maison et voient une voiture bleu vif se garer dans l'allée.

– *Grand-mère ?* s'exclamèrent les jumeaux à l'unisson.

– *Surprise !* cria celle-ci en sortant de la voiture.

Elle parlait si fort que tout le voisinage pouvait l'entendre.

Les jumeaux coururent jusqu'à elle avec un énorme sourire aux lèvres. Ils ne voyaient leur grand-mère qu'une ou deux fois par an et n'en revenaient pas de la trouver devant chez eux de façon inopinée.

À son habitude, leur aïeule les embrassa tellement fort qu'ils crurent qu'ils allaient éclater.

– Regardez-moi ça ! Vous avez tous deux poussé de trois têtes depuis la dernière fois que je vous ai vus !

Leur grand-mère était une femme de petite taille, avec une longue natte serrée de cheveux bruns teintés de gris. Elle avait le plus doux sourire du monde et les yeux les plus gentils qui se plissaient joliment quand elle souriait, comme ceux de son fils. Elle était pleine d'énergie et de bonne humeur, et était tout ce dont les jumeaux avaient besoin.

Elle portait toujours des robes aux couleurs vives et les mêmes chaussures avec des lacets blancs et des talons marron. Elle n'était jamais loin de sa grosse valise verte et de son sac à main bleu. Bien que leur grand-père fût décédé depuis de nombreuses années, elle portait toujours son alliance.

– Je ne savais pas que tu venais, dit Conner.

– Cela aurait gâché la surprise, répondit-elle.

– Qu'est-ce que tu fais là, grand-mère ? demanda Alex.

– Votre maman m'a appelée et m'a demandé de rester avec vous pendant qu'elle était au travail, expliqua-t-elle. Je ne pouvais pas vous laisser passer votre anniversaire tout seuls, quand même ! Heureusement, je n'étais pas à l'étranger.

Leur grand-mère passait la plupart de son temps à voyager dans le monde avec des personnes retraitées comme elle. Ils allaient généralement dans des pays du tiers-monde, où ils lisaient des histoires à des enfants malades dans les hôpitaux, et apprenaient à lire et à écrire aux enfants de la région.

– Venez m'aider avec les courses, leur dit-elle.

Elle ouvrit le coffre et les jumeaux commencèrent à sortir des tas de sacs remplis de nourriture qu'ils ramenèrent à la maison. Il y avait de quoi manger pendant des semaines.

Mme Bailey était assise à la table de la cuisine et triait une autre pile d'enveloppes comportant elles aussi des étiquettes d'avertissement rouge vif. Elle les mit rapidement de côté quand les jumeaux et leur grand-mère défilèrent dans la cuisine avec les courses.

– Qu'est-ce que c'est que tout ça ? demanda-t-elle.

– Bonjour, ma fille, lui dit sa belle-mère. J'ai prévu de préparer un festin d'anniversaire pour les jumeaux, et comme je ne savais pas ce que tu avais à la maison, je suis allée faire quelques emplettes.

Elle savait s'y prendre pour enjoliver la vérité.

– Vous n'aviez pas besoin de vous donner tout ce mal, dit Mme Bailey en secouant la tête, prise au dépourvu devant une telle générosité.

– Oh, ce n'est rien, dit sa belle-mère avec un petit sourire réconfortant. Alex, Conner, pourquoi n'allez-vous pas chercher vos cadeaux d'anniversaire sur le siège avant de ma voiture, pour me laisser le temps de prendre des nouvelles de votre maman ? Mais pas question de les ouvrir avant ce soir !

Ils s'exécutèrent de bonne grâce. «Cadeaux» était un mot qu'ils n'avaient pas entendu depuis bien longtemps.

– Tu vois, je te l'avais dit ! dit Alex à Conner en allant vers la voiture de leur grand-mère. On gagne toujours à être optimiste !

– Ouais, ouais, ouais... maugréa-t-il.

Une demi-douzaine de cadeaux emballés avec du papier aux couleurs vives, chacun avec une étiquette à leur nom, étaient posés sur le siège avant de la voiture.

Les jumeaux revinrent les bras chargés. Leur grand-mère et leur mère étaient toujours en train de parler de choses qu'ils n'étaient sans doute pas censés écouter.

– La situation est encore difficile, disait Mme Bailey. Même après la vente de la librairie et la saisie de la maison, il reste des dettes, et des factures de l'enterrement qui ne sont pas payées. Mais on s'en sort quand même. Dans quelques mois, on sera de nouveau à flot.

La grand-mère prit les mains de sa belle-fille dans les siennes.

– Si tu as besoin de quoi que ce soit, mon enfant, et j'insiste bien : quoi que ce soit, tu sais qu'il suffit de me passer un coup de fil, dit-elle.

– Vous m'avez déjà tant aidée! Je ne sais pas où nous serions sans vous. Je ne peux pas vous en demander davantage.

– Tu ne demandes rien, c'est moi qui te propose.

Les jumeaux savaient que, s'ils continuaient à écouter derrière la porte plus longtemps, ils allaient être découverts, alors ils entrèrent dans la cuisine avec leurs cadeaux.

– Bon, je dois retourner travailler, dit Mme Bailey en déposant un baiser sur la tête des jumeaux. Amusez-vous bien ce soir, les enfants! Je vous verrai demain. Gardez un bout de la fête pour moi!

Elle prit ses affaires et, en sortant de la maison, lança un regard empli d'émotion et de gratitude à sa belle-mère.

Celle-ci déposa ses affaires dans la chambre d'amis et retourna dans la cuisine, où elle trouva la pile de factures mise de côté. Elle la laissa tomber d'un petit geste dans son sac à main, avec un sourire. L'affaire était réglée. Grand-mère adorait aider les gens, surtout quand c'était contre leur gré.

– Si nous commencions à préparer le dîner? Qu'en pensez-vous? dit-elle en se frottant les mains.

Alex et Conner s'assirent à table et conversèrent avec leur grand-mère pendant qu'elle cuisinait avec énergie. Elle leur raconta ses derniers voyages, les difficultés auxquelles elle et ses amis avaient été confrontés en allant ou en quittant certains endroits, et parla de tous les gens intéressants qu'elle avait été amenée à connaître.

– Je n'ai jamais rencontré personne qui ne m'ait pas appris quelque chose! leur dit-elle. Même les gens les plus ennuyeux peuvent vous surprendre. Souvenez-vous de ça.

Elle préparait tant de plats différents en même temps qu'il était impossible de savoir où allaient les différents ingrédients. Elle faisait tout tellement vite et utilisait presque toutes les assiettes et les poêles qu'ils possédaient. À chaque seconde qui passait, l'estomac des jumeaux gargouillait davantage et ils salivaient de plus en plus.

Enfin, après quelques heures de torture à humer des odeurs délicieuses, ils se mirent à table. Alex et Conner étaient tellement habitués à manger des plats surgelés ou à emporter qu'ils avaient oublié combien la nourriture pouvait être bonne.

Il y avait une purée de pommes de terre, un gratin de pâtes, un poulet rôti avec des carottes et des petits pois, ainsi que des petits pains faits maison. La table de la cuisine ressemblait à la couverture d'un livre de recettes.

Quand ils crurent qu'ils ne pouvaient plus rien avaler, leur grand-mère sortit du four un gigantesque gâteau d'anniversaire sur lequel elle planta douze grosses bougies. Les jumeaux étaient stupéfaits. Ils ne s'étaient même pas aperçus qu'elle en avait préparé un. Elle chanta *Joyeux anniversaire* et les jumeaux soufflèrent leurs bougies.

– À présent, ouvrez vos cadeaux! J'ai passé toute l'année à les collecter!

Ils ouvrirent les paquets et furent inondés de souvenirs de tous les pays que leur grand-mère avait visités.

Alex reçut des exemplaires de ses livres préférés dans d'autres langues: *Alice au pays des merveilles* en français, *Le Magicien d'Oz* en allemand et *Les Quatre Filles du Docteur March* en hollandais. Conner, une multitude de bonbons et des tee-shirts bon marché qui disaient des choses comme «Ma mémé timbrée est allée en Inde et elle m'a ramené ce tee-shirt pourri».

Tous deux eurent plusieurs statuettes de monuments célèbres, comme la tour Eiffel, la tour de Pise ou le Taj Mahal.

– C'est fou de penser qu'il y a des endroits comme ça dans le monde, dit Alex en tenant une tour Eiffel dans la main.

– Vous seriez étonnés de tout ce qu'il reste à découvrir, dit leur grand-mère avec un sourire et les yeux pétillants.

Cette journée qui s'annonçait sans intérêt était devenue un des plus beaux anniversaires qu'ils avaient jamais eus.

À mesure que la soirée avançait, la présence de leur grand-mère prenait un goût doux-amer. Depuis la mort de leur père, ses visites ne duraient qu'une journée, espacées de plusieurs mois. Elle était toujours très occupée avec ses voyages.

– Quand est-ce que tu repars ? lui demanda Alex.

– Demain. Après vous avoir déposés à l'école.

Les jumeaux s'affalèrent un peu.

– Que se passe-t-il ? demanda leur grand-mère qui sentait qu'ils avaient le cœur serré.

– On aimerait bien que tu restes plus longtemps, c'est tout, expliqua Conner.

– Tu nous manques beaucoup, ajouta Alex. Tout est si morose ici sans papa, mais avec toi on a l'impression que tout ira bien.

Le sourire habituel de leur grand-mère s'estompa légèrement et son regard se tourna vers la fenêtre. Elle fixa le ciel nocturne, l'air absent, puis respira profondément.

– Oh, mes pitchounets, si je pouvais passer tous les jours avec vous, je le ferais, dit-elle avec envie et aussi un peu plus de dépit qu'elle ne voulait le laisser transparaître. Mais parfois on vous confie certaines responsabilités dans la vie. Pas parce qu'on veut en avoir, mais parce qu'on est fait pour ça, et on doit répondre à l'appel. Quand je suis loin d'ici, je ne peux m'empêcher de penser à quel point vous me manquez tous les deux, ainsi que votre père.

Alex et Conner avaient du mal à comprendre. N'aimait-elle pas voyager ?

Leur grand-mère se tourna vers eux. Elle avait eu une nouvelle idée et ses yeux brillaient.

– J'ai presque oublié. J'ai encore un cadeau pour vous! dit-elle en se relevant d'un bond et en sautillant jusqu'à la pièce d'à côté.

Elle revint avec un grand et vieux livre à la couverture d'émeraude portant le titre *Le Pays des contes* écrit en lettres dorées. Alex et Conner le reconnurent aussitôt. Si leur enfance pouvait être représentée par un objet, c'était par cet ouvrage.

– C'est ton vieux livre de contes de fées! s'écria Alex. Ça fait des années que je ne l'avais pas vu!

Leur grand-mère hocha la tête.

– Il est très ancien et appartient à notre famille depuis très long-temps. Je le prends avec moi partout où je vais et je le lis à des enfants du monde entier. Mais à présent je veux vous l'offrir à tous les deux.

Les jumeaux étaient stupéfaits.

– Comment? dit Conner. On ne peut pas te prendre ton livre, grand-mère! C'est *Le Pays des contes*. C'est *ton* livre. Il a toujours telle-ment compté pour toi.

Leur grand-mère le feuilleta. La pièce tout entière s'emplit de l'odeur du vieux papier.

– C'est vrai, répondit-elle. Ce livre et moi avons passé beaucoup de temps ensemble au fil des années, mais les meilleurs moments étaient quand je vous le lisais. Alors j'aimerais vous en faire cadeau aujourd'hui. Je n'en ai plus besoin. De toute façon, je connais toutes les histoires par cœur.

Elle leur tendit le livre. Alex hésita puis l'accepta finalement. Mais elle et son frère étaient gênés. C'était comme s'ils recevaient un bijou de famille d'un parent qui était encore en vie.

– Si jamais vous vous sentez tristes, ou les jours où votre père vous manque le plus ou que vous aimeriez que je sois là, il vous suffira d'ouvrir le livre et nous serons tous ensemble en pensée, dit leur grand-mère. Maintenant, il se fait tard et vous avez école demain. Préparez-vous à aller vous coucher.

Ils s'exécutèrent. Même s'ils avaient passé l'âge, leur grand-mère insista pour les border dans leur lit comme quand ils étaient petits.

Alex prit *Le Pays des contes* avec elle dans son lit ce soir-là. Elle parcourut lentement les vieilles pages, en prenant garde de ne pas les déchirer.

Revoir toutes ces illustrations colorées lui donna l'impression de feuilleter une espèce de vieil album. Elle adorait lire des contes plus que toute autre chose. Ces personnages avaient toujours été si vrais et accessibles à ses yeux. Ils étaient les meilleurs amis qu'elle ait jamais eus.

– J'aurais aimé qu'on puisse choisir le monde dans lequel on vit, murmura Alex en parcourant les illustrations du doigt.

Elles étaient si attrayantes.

Elle tenait dans ses mains un monde différent de celui dans lequel elle vivait. C'était un monde qui n'avait pas été touché par la corruption en politique ou par la technologie, un monde où le bien arrivait aux gens bons, un monde duquel elle voulait faire partie de tout cœur.

Alex se mit à s'imaginer dans son propre conte de fées : les forêts qu'elle traverserait en courant, les châteaux dans lesquels elle habiterait et les créatures dont elle deviendrait l'amie.

Au bout d'un moment, elle sentit qu'elle avait les paupières lourdes. Elle ferma *Le Pays des contes*, le posa sur sa table de chevet, éteignit la lumière et s'endormit. Elle allait sombrer dans l'inconscience quand elle entendit un bruit bizarre.

Un bourdonnement sourd emplissait sa chambre.

*Mais que se passe-t-il ?* se demanda Alex. Elle rouvrit les yeux mais ne vit rien. *C'est bizarre*, pensa-t-elle.

Elle ferma à nouveau les paupières et allait sombrer à nouveau dans le sommeil quand le bourdonnement reprit dans la chambre.

Alex se releva et regarda autour d'elle, puis découvrit finalement ce qui causait ce bruit. Il provenait de l'intérieur du *Pays des contes* sur sa table de chevet et, à sa grande surprise, les pages brillaient. Cela ne faisait pas de doute.

## CHAPITRE 4

## LE PAYS DES CONTES

A lex s'était comportée bizarrement toute la semaine. Conner l'avait très vite remarqué, car elle n'était pas aussi bavarde et pleine d'énergie que d'habitude. Au contraire, elle était taciturne et semblait plongée dans un état de grande confusion.

Quand ils prenaient leur petit déjeuner, elle répondait à peine à son frère. À l'école, elle ne levait plus la main aussi souvent. Après l'école, sur le chemin du retour, elle ne disait pratiquement plus rien à Conner. Et dès qu'ils arrivaient à la maison, elle grimpait l'escalier à toute vitesse et s'enfermait dans sa chambre jusqu'au lendemain.

– Est-ce que ça va ? lui demanda son frère après quelque temps. Tu m'as l'air changée.

– Oui, ça va. Juste un peu fatiguée, répondit-elle.

Conner comprenait qu'elle soit fatiguée, elle ne semblait plus beaucoup dormir. Cette semaine-là, chaque fois qu'il s'était levé au milieu de la nuit pour aller chercher un verre d'eau ou se rendre aux toilettes, la lumière de la chambre de sa sœur était encore allumée, et on pouvait l'entendre remuer à l'intérieur.

Il n'avait pas besoin d'être très malin pour voir qu'elle n'était pas affectée seulement par l'insomnie. À l'école, il avait vu assez de documentaires pour savoir que les filles de leur âge commencent à avoir des sautes d'humeur et changent physiquement. Mais Alex avait carrément changé de personnalité. Quelque chose de très grave l'inquiétait et elle ne se confiait à personne.

– Je peux t'emprunter quelques-uns de tes crayons ? lui demanda-t-elle un soir tard, bien réveillée, les yeux grands ouverts.

C'était comme si un paon demandait à emprunter quelques plumes. Il se demandait quoi lui répondre. Elle n'était quand même pas en train de faire ses devoirs à cette heure ?

– Mais t'en as pas déjà des centaines ? demanda-t-il.

– Si... mais je les ai tous perdus.

Il lui prêta les quelques crayons qu'il possédait. Alex les prit et disparut aussitôt dans sa chambre. Elle ne fit même pas de réflexion sur le fait que certains avaient été mâchouillés ou n'avaient plus de gomme.

La nuit suivante, Conner se réveilla régulièrement en entendant un curieux bourdonnement venant de la chambre d'Alex. C'était un bruit léger, mais la vibration était assez forte pour qu'il puisse non seulement l'entendre mais aussi la sentir.

– Alex ? demanda-t-il en frappant à la porte de sa sœur. C'est quoi, ce bruit ? Ça m'empêche de dormir et ça me rend fou !

– C'est juste une abeille. C'est bon, je l'ai chassée ! répondit Alex affolée de l'autre côté de la porte.

– Une abeille ?

– Oui, une très grosse abeille. C'est la saison où elles se reproduisent, tu sais, alors elles sont plutôt agressives à cette époque de l'année, expliqua sa sœur.

– Ah, bon... dit Conner.

Puis il retourna se coucher.

Mais cet incident n'était en rien comparable à ce qui se passa le lendemain à l'école.

– Qui peut me donner les noms des fleuves de l'ancienne Mésopotamie ? demanda Mme Peters pendant la leçon d'histoire.

Comme d'habitude, personne ne levait la main.

– Quelqu'un le sait ? répéta l'enseignante.

Tout le monde regardait Alex, s'attendant à la voir lever la main à tout moment, mais elle fixait le sol. Elle n'écoutait rien.

– Le Tigre et l'Euphrate, répondit Mme Peters. Qui peut me dire ce que représente l'espace entre ces deux fleuves ?

Elle regardait en direction d'Alex, mais c'était inutile : l'élève était perdue dans ses pensées.

– Mademoiselle Bailey, peut-être connaissez-vous la réponse ? suggéra l'enseignante.

– À quoi ? demanda Alex en sortant de sa rêverie.

– À ma question, reprit Mme Peters.

– Ah... Non, je ne la connais pas.

Elle posa la tête sur la main et se remit à fixer le sol.

Mme Peters et les autres élèves ne comprenaient pas ce qui lui arrivait. Alex connaissait *toujours* la réponse. Comment la classe allait-elle fonctionner sans elle ?

– Le berceau de la civilisation... répondit Mme Peters à la classe. Beaucoup de personnes croient que c'est là qu'est née l'humanité... *Mademoiselle Bailey !*

Alex se redressa sur son siège. Quelque chose d'extraordinaire venait de se produire : *Alex Bailey s'était endormie en plein cours !*

– Je... je... je suis vraiment désolée, madame Peters, bredouilla-t-elle. Je ne sais pas ce qui m'a pris ! Je ne dors pas très bien ces derniers temps.

L'enseignante la dévisageait comme si elle venait d'assister à la naissance dégoûtante d'un animal de ferme.

– Ce n'est pas grave, répondit-elle. Avez-vous besoin d'aller à l'infirmerie ?

– Non, ça va. Je suis juste un peu endormie, s'excusa Alex. Je vous assure que cela ne se reproduira plus !

Conner avait observé la catastrophe de loin. Il ne pouvait que secouer la tête. Qu'est-ce qui lui arrivait ? Où était passée sa vraie sœur ? *Elle commençait à lui ressembler !*

Le bourdonnement bizarre que Conner avait entendu la veille emplit soudain la salle. Alex se redressa sur son siège, inquiète. Ses yeux s'écarquillèrent encore davantage. Quelques élèves commencèrent à regarder autour d'eux, cherchant d'où venait le bruit.

– Qui peut me dire quelles techniques naquirent en Mésopotamie à l'âge de bronze ? demanda Mme Peters, insensible au bourdonnement. Quelqu'un le sait ?

Alex leva aussitôt la main.

– Oui, mademoiselle Bailey ? répondit l'enseignante avec plaisir.

– Puis-je aller aux toilettes ? bredouilla-t-elle.

Mme Peters soupira, déçue.

– Oui, allez-y.

Avant même d'avoir attendu l'autorisation de quitter la salle, Alex avait bondi de sa chaise, pris son cartable et se dirigeait vers la porte.

Conner observa sa sœur d'un œil particulièrement suspicieux. Pourquoi avait-elle pris son cartable pour aller aux toilettes ?

Il fallait qu'il comprenne ce qui se tramait. Il allait interroger sa sœur ici, à l'école, où elle n'aurait pas de chambre où s'enfermer.

– Madame Peters ? demanda Conner.

– Oui, monsieur Bailey ?

– Puis-je voir l'infirmière ?

– Pourquoi ?

Il n'avait pas réfléchi à son excuse jusque-là.

– Euh... j'ai mal au coude, expliqua Conner.

Mme Peters le regarda un moment interloquée. Elle l'aurait peut-être cru davantage s'il lui avait dit qu'il était un dinosaure.

– Vous avez mal au coude ? répéta-t-elle.

– Oui, vraiment mal. Je me suis cogné avec mon pupitre, et maintenant j'ai super mal, dit Conner en s'agrippant un coude qui n'avait rien du tout.

Mme Peters plissa les yeux puis les leva au ciel, deux de ses expressions signalant son agacement.

– D'accord, dit-elle. Mais je vais devoir vous donner un mot pour...

Conner était sorti de la salle avait qu'elle n'ait eu le temps de terminer sa phrase.

Pendant ce temps-là, Alex avait fait irruption dans les toilettes des filles et regardé rapidement dans toutes les cabines pour s'assurer qu'elle était seule. Puis elle ouvrit son cartable, sortit *Le Pays des contes* et le posa sur un lavabo. Il n'avait jamais autant brillé et bourdonné.

– Arrête ! Arrête, je t'en prie ! supplia-t-elle. Je suis à l'école ! Il ne faut pas qu'on m'attrape avec ça ici !

Le bruit et la lueur disparurent peu à peu jusqu'à ce que *Le Pays des contes* redevînt un livre normal. Alex soupira de soulagement mais fut de nouveau affolée en entendant quelqu'un surgir dans les toilettes. C'était son frère.

– Il n'y a pas de saison de reproduction chez les abeilles, Alex, dit Conner l'œil sévère et les mains sur les hanches. J'ai vérifié. Elles vivent en colonies, comme les fourmis, même les grosses abeilles. Elles n'ont pas d'horaires.

– Conner, qu'est-ce que tu fais là ? Tu ne peux pas être dans les toilettes des filles ! s'écria-t-elle.

– Je ne partirai pas tant que tu ne m'auras pas expliqué ce qu'il se passe, prévint-il. Tu m'as menti toute la semaine. Je sais que tu couves quelque chose. C'est mon intuition de jumeau.

– Ton «intuition de jumeau» ? reprit moqueusement Alex.

– Oui, c'est comme ça que je l'appelle. Ça veut dire que je sais quand tu as quelque chose sur le cœur, même si tu me dis qu'il n'y a rien. Au début, j'ai juste cru que tu avais un *problème de fille...*

– Oh, Conner, je t'en prie ! s'agaça Alex.

– Puis, après tous les bourdonnements bizarres et les longues nuits, j'ai cru que maman t'avait offert un téléphone portable et qu'elle ne voulait pas que je sois au courant. Mais je me suis souvenu que tu n'avais pas d'amis, alors je ne voyais pas qui pouvait t'appeler ou t'envoyer des textos.

Alex grogna. Son frère était accusateur *et* grossier par-dessus le marché !

– Mais je te connais suffisamment pour savoir qu'il faut quelque chose de bien plus grave pour que tu te comportes comme tu le fais, reprit Conner. Tu ne parles plus, tu ne connais pas les réponses aux questions de Mme Peters et tu t'endors en cours ! On dirait moi ! Donc dis-moi : c'est quoi ton problème ?

Alex ne pipait mot et fixait ses pieds. Elle avait tellement honte de son comportement des derniers jours, mais savait que personne ne la croirait si elle expliquait pourquoi elle agissait de la sorte, excepté peut-être son frère.

Conner regarda autour de lui.

– Eh bien, c'est pas mal ici. Les toilettes des garçons ressemblent au fond d'un tonneau de déchets toxiques... Mais... qu'est-ce que tu fais avec le livre de grand-mère ici?

– Je ne sais plus ce qu'il se passe! s'exclama Alex en sanglotant comme on le fait quand on est trop stressé et épuisé.

Conner fit un pas en arrière pour se protéger. Il n'avait jamais vu sa sœur dans un tel état.

– Au début, j'ai cru que j'avais des hallucinations! continua-t-elle. J'ai cru que j'avais peut-être eu une réaction allergique à quelque chose que nous avait préparé grand-mère. C'est ce soir-là que c'est arrivé la première fois. Mais ça ne s'est pas arrêté, alors j'ai compris que ce n'était pas une allergie.

– Alex, de quoi tu parles?

– Le livre, *Le Pays des contes*! hurla Alex. Il brille! Il bourdonne! Chaque jour, c'est de plus en plus fort et de plus en plus brillant! J'ai passé tant de nuits blanches à essayer de comprendre pourquoi il fait ça. Ça n'obéit à aucune loi scientifique!

– Ah... répondit Conner en levant un sourcil. Alex, je crois qu'on devrait aller à l'infirmerie...

– Tu me prends pour une folle! répondit sa sœur. N'importe qui en viendrait à la même conclusion s'ils ne voyaient pas ça d'eux-mêmes. Mais je te jure que je dis vrai!

– Je ne te prends pas pour une folle, mentit Conner en pensant qu'elle était *vraiment* en train de perdre la tête.

– Ça arrive une ou deux fois par jour, reprit Alex. J'ai eu peur que maman le trouve, alors je l'ai apporté à l'école. La dernière chose dont elle a besoin en ce moment, c'est d'avoir un livre possédé qui traîne à la maison.

Conner ne savait pas quoi dire. Il s'imagina un instant avec sa mère en train de rendre visite à sa sœur dans l'asile du coin, et les boutades qu'il ferait sur sa « camisole blanche dernier cri »...

Manifestement, elle avait perdu la tête, mais, après tout ce qu'ils avaient vécu, il ne pouvait pas lui en vouloir. Il repensait à comment son père aurait réagi. Quelle histoire aurait-il pu imaginer pour la réconforter ?

– Alex, dit-il d'un ton compatissant. On en a bavé cette année. C'est normal de se sentir un peu dépassé et...

Le bourdonnement reprit. Ils se tournèrent vers *Le Pays des contes* sur le lavabo. Il luisait, à la stupéfaction de Conner et au soulagement d'Alex.

Conner se plaqua contre le mur comme pour s'éloigner le plus possible d'un engin explosif.

– *Le Pays des contes* ! hurla-t-il. *Il brille ! Il bourdonne !*

– Je te l'avais dit ! répondit Alex.

Conner ouvrit la bouche si grand que sa mâchoire touchait presque sa poitrine.

– C'est radioactif ? demanda-t-il.

– Sans doute pas, estima sa sœur.

Elle alla chercher le livre.

– Alex, n'y touche pas ! cria-t-il.

– Ne t'inquiète pas, Conner, dit-elle pour le rassurer. Ça fait une semaine que je gère.

Elle ouvrit le livre d'un doigt et toute la pièce s'illumina. Les illustrations et le texte avaient disparu, et on aurait cru que les pages étaient faites de lumière pure.

Alex approcha son oreille du livre.

– Écoute, tu entends ça ? demanda-t-elle. Ce sont des oiseaux et des bruissements de feuilles. Je n'avais encore jamais entendu le livre émettre des sons !

Conner se détacha du mur et se pencha sur les pages au côté de sa sœur. Le bruit des gazouillis d'oiseaux et du vent dans les arbres résonnait dans les toilettes, amplifié par le carrelage.

– Comment est-ce possible ? demanda Conner. Tu es sûre qu'il n'y a pas de batteries ou un truc de ce genre ?

– D'après mon analyse, qui tient compte de toutes les données de la science et de la technologie, ce doit être de la magie, conclut-elle. Il n'y a pas d'autre explication !

– Tu crois que grand-mère est au courant ? demanda Conner. Elle a eu le livre pendant des années avant de nous le donner. Tu penses que c'est déjà arrivé ?

– Grand-mère ne nous l'aurait sans doute pas offert si elle avait su ce qu'il était capable de faire.

– Tu as raison. Elle continue de me découper ma viande quand elle vient dîner à la maison, de peur que je me blesse avec le couteau, se rappela son frère.

– Ce n'est pas tout, prévint Alex.

Elle plongea le bras dans son cartable et sortit un crayon. Elle le posa doucement sur le livre ouvert. Le crayon s'enfonça rapidement dans la page illuminée et disparut.

– M-m-mais... où est-il passé ? bredouilla Conner totalement ébahi.

– Je ne sais pas ! Ça fait une semaine que je mets des trucs ! Des crayons, des livres, des chaussettes sales, et tout ce que j'ai pu trouver dont je pouvais me passer. Je crois que ça doit être une espèce de portail.

– Un portail vers *quoi* ?

Alex n'avait pas de réponse. Bien sûr, elle espérait qu'il pouvait mener vers un lieu bien précis.

Les jumeaux se penchèrent encore davantage, le nez touchant presque la feuille. Ils devaient plisser les yeux tant le livre était éblouissant.

Tout d'un coup, un oiseau rouge vif en sortit. Les jumeaux crièrent et se mirent à courir dans tous les sens, pris de panique. Ils se rentrèrent dedans, se heurtèrent contre les murs et les lavabos pendant que l'oiseau virevoltait dans la pièce, aussi alarmé qu'eux. Conner ouvrit enfin la porte des toilettes et l'oiseau sortit.

– Tu ne m'avais pas dit que des trucs sortaient aussi du livre ! hurla Conner.

– Je ne savais pas ! C'est la première fois que ça arrive ! hurla Alex à son tour.

Le livre s'éteignit peu à peu et redevint normal. Conner avait le tournis. Il n'en revenait pas. Ce n'était pas étonnant qu'Alex ait eu une semaine si difficile. C'était à son tour d'avoir l'impression de perdre la tête.

– On doit se débarrasser de ce livre ! s'écria-t-il. Après l'école, on devrait prendre nos vélos, aller jusqu'à la rivière et le jeter dedans pour que personne ne le trouve jamais.

– On ne peut pas s'en débarrasser ! rétorqua Alex. C'est le livre de grand-mère ! Il a toujours appartenu à notre famille !

– Mais il y a des oiseaux qui en sortent, Alex ! Je suis sûr qu'elle comprendra. Que se passera-t-il si la prochaine fois c'est un lion ou un requin qui surgit du livre ? Je sais que tu ne supportes pas de ne pas tout savoir, mais je crois que, là, tu dois t'y résigner. Il est peut-être plus dangereux qu'on ne le croit. Qui sait ce qui peut arriver ?

Elle savait que son frère n'avait pas tort, mais il y avait quelque chose dans toute cette histoire qui l'intriguait plus que de raison.

– Je crois que tu exagères, dit Alex. Je ne veux pas m'en débarrasser avant d'en savoir plus.

Elle ferma le livre, le remit dans son cartable et sortit des toilettes.

– Alex, ne pars pas comme ça! Alex! cria Conner en cherchant à la rattraper.

Les jumeaux retournèrent en classe. Tous les élèves étaient en train de lire leur livre d'Histoire en silence.

– Alex, il faut qu'on parle, chuchota Conner.

– Monsieur et mademoiselle Bailey, asseyez-vous et lisez le chapitre sur la Mésopotamie, ordonna Mme Peters, assise derrière son bureau.

– Oui, madame Peters, dit Alex.

Puis elle se retourna vers son frère et chuchota :

– On parlera tout à l'heure, Conner!

Celui-ci émit le genre de bruit que ferait un ours.

– Monsieur Bailey, que vous a dit l'infirmière? demanda Mme Peters.

– Ce n'était plus la peine. Mon coude allait beaucoup mieux avant que j'arrive à l'infirmerie, dit Conner en se tenant le mauvais coude.

Mme Peters leva un sourcil si haut qu'il atteignit presque le haut de son crâne.

Les jumeaux rejoignirent leur pupitre et ouvrirent leur livre d'histoire, mais ni l'un ni l'autre ne parvenait vraiment à lire, incapables de se concentrer sur quoi que ce soit.

Conner ne cessait de lever les yeux pour regarder sa sœur, espérant qu'elle se retournerait pour qu'il lui fasse un signe destiné à lui signifier combien la situation était grave. Alex sentait que son frère l'observait, c'est pourquoi elle continua de se tenir droite, décidée à l'ignorer.

C'est alors que la pire chose qui pouvait advenir advint: *Le Pays des Contes* se mit à bourdonner dans le cartable d'Alex alors que la salle était plongée dans le silence.

Alex se retourna vers son frère, croisant enfin son regard. Qu'allaient-ils faire? Mme Peters avait été si concentrée sur son plan de cours qu'elle n'y avait pas prêté attention tout à l'heure. Mais était-il possible qu'elle ne le remarque pas une deuxième fois?

– Quel est ce bruit? demanda l'enseignante.

Tous les élèves promenaient leur regard dans la salle, la même question en tête. Alex et Conner étaient tétanisés. Ils avaient l'impression que leur cœur allait exploser.

Mme Peters se leva de son bureau et commença à chercher dans la pièce, comme un coyote flairant sa proie. Elle parcourait les allées des pupitres, s'approchant de plus en plus d'Alex.

– Si quelqu'un sait ce que c'est, il a intérêt à me le dire avant que je ne le trouve, prévint-elle.

Alex avait la gorge serrée. Qui sait ce qui allait arriver si Mme Peters mettait la main sur le livre? Elle pouvait imaginer le scandale que ferait l'école en faisant cette découverte... Ils allaient peut-être appeler les télés locales... Peut-être que des agents de l'État viendraient prendre le livre pour faire des expériences... Peut-être que sa famille allait être mise en quarantaine parce qu'elle avait été en contact avec lui...

L'enseignante atteignit le pupitre d'Alex.

– Mademoiselle Bailey, y a-t-il quelque chose dans votre cartable? demanda-t-elle.

Le visage d'Alex devint blême. Il lui fallait un miracle!

Tout d'un coup, un épais livre d'Histoire vola depuis le fond de la classe et heurta Mme Peters en pleine tête. Tout le monde se retourna et découvrit Conner, le bras tendu. *Il venait de jeter un livre sur la prof!*

Le visage de Mme Peters devint rouge vif. Un taureau qui charge aurait semblé inoffensif en comparaison avec la façon dont elle fusillait Conner du regard.

– *Monsieur Bailey ! Mais quelle mouche vous a piqué ?* hurla-t-elle.

Toute l'école avait dû entendre ce hurlement. L'atmosphère de la salle était si lourde qu'il était difficile de respirer.

L'espace d'un instant, Conner vit sa vie défiler devant ses yeux. Il croyait vraiment qu'il était sur le point de mourir. Son visage était si pâle qu'il était presque transparent.

– Je suis désolé, madame Peters ! dit-il en gémissant. Il y avait une abeille ! Je ne voulais pas vous toucher !

De la fumée sortait pratiquement des oreilles et des narines de l'enseignante.

– Vous serez collé, monsieur Bailey ! Pour tout le reste de la semaine, la semaine prochaine et la suivante ! rugit Mme Peters.

Elle retourna à son bureau et commença aussitôt à remplir toutes les feuilles de retenue qu'elle avait en sa possession.

Heureusement, le geste de Conner avait tellement surpris que tout le monde avait oublié le bourdonnement et, ce qui était encore mieux, personne ne s'était aperçu qu'il avait peu à peu disparu. La mission de Conner était accomplie. Il savait qu'il avait agi comme il fallait, sinon en tant qu'élève, du moins en tant que frère.

La cloche retentit bientôt et tous les élèves quittèrent leur pupitre pour sortir de la salle à la queue leu leu, excepté Conner, qui demeura assis. Alex alla le voir.

– Merci, dit-elle.

– Tu me dois une fière chandelle, répondit son frère.

Elle hocha la tête et quitta la salle. Conner resta assis jusqu'à ce que Mme Peters ait terminé de remplir tous les bulletins de colle.

– Approchez, monsieur Bailey, dit-elle.

Conner s'avança jusqu'au bureau comme un condamné.

– Je ne tolérerai jamais qu'on jette des objets dans mon cours. Comprenez-vous, monsieur Bailey ? dit-elle en articulant chaque syllabe. Encore un incident comme celui-là et vous serez expulsé !

Conner déglutit et hocha la tête. Mme Peters lui donna un paquet de feuilles de colle.

– Votre mère va devoir signer tout ça, ajouta-t-elle.

Il hocha la tête à nouveau.

– Je suis vraiment désolé, dit-il. J'espère que je ne vous ai pas fait mal.

Il était si sincère que même Mme Peters pouvait deviner qu'il regrettait son geste. Elle savait qu'au fond Conner avait toujours été un bon garçon. Un très mauvais élève, mais un bon garçon.

– Ça ira, monsieur Bailey, dit-elle. Je crois que je n'ai pas mesuré à quel point votre situation familiale vous a affectés, vous et votre sœur. Je vais prendre contact avec votre mère pour lui donner une liste d'activités extrascolaires auxquelles vous et votre sœur pourriez participer, ainsi qu'une liste d'ouvrages qui pourraient être de bon conseil.

Conner hocha la tête.

– Je pense que si vous aviez un endroit où vous échapper de temps en temps, cela vous aiderait à traverser cette mauvaise passe.

Conner continua de hocher la tête. Si jamais il y avait eu un moment dans sa vie où il avait eu besoin d'un moyen d'échapper à la réalité, c'était maintenant, et il était sûr que sa sœur aurait été d'accord avec lui.

Puis, comme frappé par la foudre, l'idée lui vint.

*Oh mon Dieu... Alex !* pensa Conner. *Elle va voyager dans le livre ! C'est pour ça qu'elle veut le garder ! C'est pour ça qu'elle a refusé de s'en débarrasser !*

Conner laissa tomber tous les bulletins de colle et se lança vers la sortie.

– Je suis désolé, madame Peters, je ne peux pas être collé aujourd'hui! Quelque chose est arrivé!

– Monsieur Bailey! Revenez ici immédiatement! vociféra-t-elle.

Mais c'était trop tard. Il était déjà parti.

Conner courut aussi vite que possible. Alex avait pris une bonne longueur d'avance. Arriverait-il à la maison à temps pour l'arrêter? Que se passerait-il si elle était déjà partie? N'allait-il plus jamais la revoir? Il commençait à avoir mal aux pieds, un point de côté et l'impression que son cœur allait éclater, mais il continua de courir. Il ne pouvait que prier pour ne pas arriver trop tard...

Cela ne faisait pas plus de cinq minutes qu'Alex était arrivée à la maison quand *Le Pays des contes* recommença à faire des siennes. Elle monta l'escalier, alla dans sa chambre et ferma aussitôt la porte derrière elle.

Elle sortit le livre de son cartable et le posa par terre. Elle ouvrit la couverture et sa chambre fut illuminée par la lumière dorée. Alex se sourit à elle-même. Elle avait toujours espéré que quelque chose de magique allait un jour lui arriver, et c'était enfin le cas.

Elle sortit un crayon de son cartable, le posa sur le livre et le vit disparaître. Alex regarda autour d'elle pour trouver d'autres objets dont elle pouvait se passer qu'elle pourrait mettre dans le livre. Elle n'avait plus de crayons, et les livres qui restaient sur ses étagères étaient ceux qu'elle voulait garder. Ses yeux se posèrent sur son cartable. C'est vrai qu'elle avait beaucoup de cartables.

Elle posa le cartable sur le livre et observa comment, lui aussi, s'enfonçait lentement dans les pages. Où allaient donc tous ces objets ? Étaient-ils transportés vers une autre partie du globe ? Retrouverait-elle une pile de ses affaires d'école en Inde ou en Chine ?

Ou le livre envoyait-il ces objets dans un tout autre lieu ? Était-ce possible qu'ils aillent vers un autre monde ? Était-ce le monde auquel Alex rêvait secrètement ?

Il n'y avait qu'une seule façon de le vérifier.

C'était une idée qu'elle avait réussi à réprimer toute la semaine. Que se passerait-il si elle allait *dans* le livre ? Non, elle ne pouvait pas faire une chose aussi stupide. Et si elle ne pouvait jamais en ressortir ?

Si elle y mettait une main ? Que se passerait-il ? Cela ferait-il mal ? Tout son bras allait-il disparaître ? La curiosité d'Alex l'emporta sur la prudence. Elle s'agenouilla et se pencha avec précaution sur les pages.

Elle commença avec le bout des doigts. Jusque-là, tout allait bien. Cela ne faisait pas mal. Elle ne sentait qu'une chaleur et un picotement. Alex alla plus loin. Elle plongea la main dans le livre jusqu'au poignet et il ne se passait toujours rien d'inquiétant. Elle alla plus loin. Son bras était maintenant enfoncé jusqu'au coude. Si le livre n'avait pas été là, sa main aurait traversé le plafond de l'étage d'en-dessous.

Alex se pencha encore davantage, allant pratiquement jusqu'à mettre l'épaule dans le livre. Elle bougea le bras à l'intérieur pour voir si elle pouvait s'accrocher à quelque chose.

Tout d'un coup, la porte de sa chambre s'ouvrit et Conner surgit en courant, transpirant et à bout de souffle.

– Alex, ne fais pas ça ! cria-t-il.

Cela surprit sa sœur au point de lui faire perdre l'équilibre. Elle tomba, tête la première, dans le livre!

– AAALLLEEEXXX! hurla Conner.

Il se jeta par terre pour essayer d'attraper le pied de sa sœur avant qu'elle ne disparaisse complètement, mais c'était trop tard. Alex était tombée dans *Le Pays des contes*.

## CHAPITRE 5

# PAROLE DE GRENOUILLE

**A**lex n'était plus dans sa chambre. Elle était en train de tomber dans un monde de lumière.

Elle tombait de plus en plus loin, de plus en plus vite. Elle avait le tournis et la peur commença à l'envahir. Elle cria pour demander de l'aide, mais elle ne pouvait entendre sa propre voix. Allait-elle cesser de tomber un jour ? Allait-elle mourir ? Était-elle morte ? Elle se demanda si elle allait jamais revoir sa famille.

Elle entendait le gazouillis des oiseaux et le vent qui soufflait dans les arbres. Le bruit semblait s'approcher, mais elle continuait de tomber, sans savoir où elle allait atterrir...

– Aïe ! cria-t-elle soudain en heurtant le sol.

La chute avait été suffisamment rude pour lui faire mal, mais pas assez pour la blesser sérieusement. Alex aurait pu croire qu'elle était en train de rêver s'il n'y avait eu ce brusque atterrissage.

Elle se releva rapidement et chercha son pouls pour vérifier que son cœur battait toujours. Elle était encore en vie, apparemment. Elle était tellement contente d'avoir cessé de tomber... mais où, au juste, avait-elle donc atterri ?

Elle se tenait au milieu d'un chemin de terre, au cœur d'une épaisse forêt. Les arbres étaient hauts et sombres, leurs troncs couverts d'une mousse vert vif. Les rayons du soleil brillaient à travers une légère brume. Des oiseaux pépiaient au sommet des arbres et, si elle tendait l'oreille, elle entendait un petit ruisseau au loin.

Alex regarda autour d'elle. Elle commençait à s'habituer à ce nouveau lieu, et se remit à respirer normalement. Avait-elle la bonne réaction ou, justement, ne réagissait-elle pas assez ? Que s'était-il donc *vraiment* passé ?

Elle leva les yeux pour voir si elle était tombée d'une porte, espérant apercevoir une sorte de fenêtre menant vers sa chambre, mais elle ne voyait que des branches d'arbres et le ciel au-dessus d'elle.

– Où suis-je ? se demanda-t-elle.

– AAAAAAAAAAHHHHHHHH !

Comme s'il était tombé de nulle part, Conner atterrit durement à ses côtés. Il était pâle et hurlait, ses membres gigotant dans toutes les directions.

– Je suis vivant ? Je suis en train de mourir ? Je suis mort ? demanda-t-il les yeux fermés.

– Tu es vivant ! répondit Alex qui n'avait jamais été aussi heureuse de voir son frère.

– Alex, c'est toi ?

Il ouvrit lentement un œil, l'autre, puis regarda autour de lui.

– Où sommes-nous ? demanda-t-il pendant qu'elle l'aidait à se relever.

– On dirait une espèce de... de forêt, dit-elle.

Ils n'avaient jamais vu une forêt comme celle-là, du moins jamais dans la vraie vie. Les couleurs étaient si vives et l'air si frais. On aurait dit qu'ils étaient tombés dans un tableau... un tableau qu'Alex était sûre d'avoir déjà vu quelque part.

– Regarde, dit Conner en pointant le doigt par terre, tous nos crayons !

Le chemin était parsemé des crayons qu'Alex avait laissés tomber dans le livre toute la semaine. Elle retrouva également son cartable et quelques-unes de ses chaussettes sales au milieu du désordre. Mais où étaient passés tous les livres que *Le Pays des contes* avait engloutis ?

– C'est donc ici que tout est tombé ! s'écria-t-elle.

– Oui, mais ici... *où* ? reprit Conner. Sommes-nous loin de la maison ?

Alex ne pouvait pas lui répondre. Elle commençait à se rendre compte de la situation et à s'inquiéter autant que lui. C'était pire que s'ils s'étaient perdus.

– Tout ça, c'est ta faute, Alex ! maugréa-t-il.

– Ma faute ? aboya sa sœur. On ne serait pas là si tu avais frappé à ma porte au lieu de rentrer comme si la maison était en feu !

– Je *savais* que tu étais en train de manigancer un coup comme ça, rétorqua Conner. Je devais t'en empêcher !

– Je n'avais pas prévu de rentrer dans le livre. Je faisais juste un test ! Tu n'avais pas besoin de me suivre jusqu'ici.

– Oh, bien sûr ! Je devais te laisser toute seule dans le livre ? s'écriat-il. Qu'allais-je dire à maman quand elle allait rentrer ? «Bonjour maman, j'espère que ta journée au travail s'est bien passée. Alex est tombée dans un livre. Au fait, qu'y a-t-il pour le dîner ?» Tu plaisantes, ou quoi ?

Conner commença à sauter le plus haut possible.

– Que fais-tu ? demanda sa sœur.

– Nous sommes. Tombés. De quelque part. Là-haut. Doit. Y avoir. Façon. Retourner, dit-il.

Mais tous ses sauts étaient inutiles. Conner finit par se fatiguer et s'assit par terre contre un tronc d'arbre.

– Et si on avait été transportés vers un autre pays ou quelque chose comme ça ? demanda-t-il, le front se plissant de plus en plus à mesure qu'il réfléchissait. S'il nous avait amenés jusqu'au Canada, la Mongolie ou ailleurs ? Combien de temps faudra-t-il pour que maman ou quelqu'un nous trouve ?

Soudain, la terre commença à frémir. Un tremblement puissant résonnait à travers la forêt. Les branches des arbres frissonnaient et les cailloux se mirent à sautiller à mesure que s'approchait quelque chose d'énorme.

– Que se passe-t-il ? cria Conner.

– Cachons-nous ! répondit sa sœur.

Elle ramassa son cartable et les jumeaux quittèrent le chemin pour s'enfoncer de quelques mètres dans la forêt, se réfugiant derrière un arbre particulièrement épais.

Ils furent stupéfaits par ce qu'ils virent alors. Des soldats montés sur des chevaux blancs passèrent en trombe. Leurs armures étaient étincelantes. Ils portaient des boucliers vert et argent ornés de grosses pommes rouges, et brandissaient des drapeaux arborant le même motif.

– Alex, avons-nous voyagé dans le temps ? demanda Conner avec inquiétude à sa sœur. On se croirait au Moyen Âge !

Les crayons furent réduits en miettes sous les sabots des chevaux. Ils avançaient à une allure si vive et forcenée qu'aucun des soldats n'aperçut les jumeaux tétanisés qui les observaient derrière un arbre.

Alex regardait fixement les boucliers. Il était curieux d'y voir des pommes rouges, cependant ce motif lui rappelait quelque chose, sans qu'elle parvienne à mettre le doigt dessus.

Le grondement s'estompait à mesure que les soldats s'éloignaient sur le chemin de terre. Les jumeaux demeurèrent un temps derrière l'arbre, pour s'assurer qu'il n'y avait plus personne.

– Je ne sais pas ce que tu en penses, mais j'ai eu assez d'aventures pour aujourd'hui, dit Conner à sa sœur.

Une affiche accrochée à un arbre attira l'œil d'Alex. Elle s'approcha et l'arracha du tronc pour l'examiner de plus près. L'affiche semblait vieille et portait des lettres délavées et le dessin d'une petite fille boudeuse, avec des cheveux blonds et bouclés. On pouvait y lire :

# AVIS DE RECHERCHE
## ~ MORTE OU VIVE ~
## BOUCLE D'OR
### POUR CAMBRIOLAGE, VOL,
### ET POUR S'ÊTRE SOUSTRAITE À LA JUSTICE

Le visage d'Alex pâlit d'un coup et elle cessa de respirer pendant un moment. Elle venait de comprendre où ils se trouvaient. Ce n'était pas un hasard si les arbres lui paraissaient si familiers. Elle en avait vu l'illustration si souvent quand elle était petite. Le livre l'avait menée exactement là où elle l'avait espéré.

– Est-ce possible ? se demanda-t-elle.

Les rouages dans son cerveau n'avaient jamais tourné si vite.

– Qu'est-ce qui est possible ? demanda Conner. Tu sais où nous sommes ?

– Je crois que oui.

– Où ça ? insista son frère, craignant d'entendre la réponse.

– Conner, nous avons pénétré *dans* le livre, lui expliqua-t-elle, mais il n'arrivait pas à la suivre. Je crois que nous sommes *dans* le Pays des contes.

Elle lui tendit l'affiche avec l'avis de recherche. Il le parcourut et ses yeux s'écarquillèrent comme ceux d'un lémurien.

– Non, non, non ! Ce n'est pas possible ! C'est du délire ! dit-il en secouant la tête.

Il rendit l'affiche à sa sœur comme si elle lui brûlait les doigts. Il n'arrivait pas à croire ce qu'elle disait. Il ne voulait pas la croire.

– Es-tu en train de me dire que nous sommes dans le monde des contes de fées ? dit-il interloqué.

– J'aurais reconnu cette forêt n'importe où ! Elle vient tout droit du livre de grand-mère, reprit Alex en souriant involontairement. C'est logique ! Où donc pouvait-il nous mener ?

– Nous sommes tombés dans un livre ! *Rien* n'est logique ! s'écria Conner. Alors, on est coincés ici ou non ? Comment allons-nous rentrer à la maison ?

– Je n'ai aucune réponse, répondit sa sœur. N'oublie pas que tout ça m'arrive à moi aussi !

Conner commença à faire les cent pas parmi les arbres, les mains sur les hanches.

– Je n'arrive pas à croire que j'ai séché une colle pour me retrouver dans une autre dimension, grogna-t-il.

Alex était plutôt reconnaissante qu'il l'ait suivie. Ils avaient toujours vécu ensemble et étaient dans la même classe depuis la maternelle. Elle ne savait pas si elle aurait pu supporter d'être dans une autre dimension toute seule.

– J'espère que tu es contente, Alex, pesta Conner. Je t'avais dit qu'on aurait dû balancer le livre dans la rivière !

– Cesse donc de rejeter la faute sur moi, répliqua-t-elle. Peu importe comment nous sommes arrivés jusqu'ici. Nous y sommes, à présent. Ce qui compte, c'est de trouver quelqu'un qui puisse nous aider à rentrer à la maison !

– Excusez-moi, puis-je vous aider ? demanda poliment une voix derrière eux.

Ils sursautèrent et se retournèrent pour voir à qui elle appartenait et, en découvrant son détenteur, se dirent qu'ils auraient mieux fait de s'abstenir de regarder.

Face à Alex et Conner se tenait ce que l'on pourrait appeler, faute de mieux, un homme en forme de grenouille. Il était grand, son visage était large, ses yeux globuleux et luisants, et sa peau verte et visqueuse. Il était vêtu d'un pimpant costume trois-pièces et tenait un gros bocal rempli de nénuphars.

– Je vous prie de m'excuser d'avoir surpris votre conversation, mais je suis plutôt doué quand il s'agit d'indiquer la route, si c'est de cela dont vous avez besoin, ajouta-t-il en faisant un très large sourire.

Alex et Conner étaient si pétrifiés qu'ils ne pouvaient bouger. S'ils avaient eu besoin d'une preuve supplémentaire pour comprendre qu'ils étaient bien dans le monde des contes de fées, elle était là, sous leurs yeux.

– Vous me semblez vraiment très jeunes pour être tout seuls dans la forêt, ajouta l'homme grenouille. Vous vous êtes perdus ?

Conner poussa un petit cri perçant qui dura plus longtemps que nécessaire.

– Je vous en supplie ! Ne nous mangez pas ! implora-t-il en se jetant par terre et en se recroquevillant.

L'homme grenouille le regarda en fronçant des sourcils.

– Jeune homme, je n'ai aucune intention de vous dévorer, dit-il. Est-il toujours comme ça ? demanda-t-il en se tournant vers Alex.

Alex répondit par un cri perçant presque identique à celui de son frère.

– Je sais, je sais. Ne vous inquiétez pas. J'ai l'habitude que les gens crient quand ils me voient, répondit l'homme grenouille. Exprimez-vous, allez-y. Vous vous remettrez du choc en moins d'une minute.

– Excusez-nous, dit Alex en prenant sur elle. C'est juste que, là où nous vivons, il n'y a pas beaucoup de... personnes grenouilles ? Pardonnez-moi si ce n'est pas le terme politiquement correct pour vous désigner !

Conner émit un autre bruit perçant. Ce n'était pas un cri cette fois, mais c'était quand même gênant.

L'homme grenouille examina leur visage et surtout leurs vêtements.

– D'où venez-vous précisément ?

– D'assez loin d'ici, répondit Alex.

Des hurlements de loups résonnèrent au loin. Les trois tressaillirent en les entendant. L'homme grenouille regarda les arbres autour d'eux, la peur dans ses yeux globuleux et luisants.

– Il se fait tard, dit-il. Il vaudrait mieux rentrer. Suivez-moi jusque chez moi, je vous prie. C'est à quelques minutes de marche d'ici.

– C'est ça, oui ! dit Conner.

Les hurlements se firent entendre à nouveau. Cette fois, ils étaient beaucoup plus forts. Où qu'ils se trouvent, les loups s'approchaient.

– Je sais que je vous fais peur, dit l'homme grenouille aux jumeaux, mais je ne suis rien comparé à quelques-unes des bestioles qui rôdent la nuit dans cette forêt. Je vous jure que je ne vous ferai aucun mal.

On pouvait voir tant de sollicitude dans ses yeux qu'il était difficile de ne pas lui faire confiance. D'un pas vif, l'homme grenouille s'enfonça davantage dans la forêt.

– On ferait mieux de le suivre, dit Alex en donnant un petit coup de coude à Conner.

– Ça va pas la tête ? Je n'irai pas chez une grenouille géante ! répondit son frère en chuchotant.

– Qu'avons-nous à perdre ?

– Tu veux dire à part notre vie ?

Malgré ses protestations, Conner fut entraîné par sa sœur.

Les jumeaux pressèrent le pas pour suivre l'homme grenouille. Ils zigzaguaient entre les arbres et sautaient par-dessus des rochers et des souches qui jonchaient le sol. Plus ils s'enfonçaient dans la forêt, plus les arbres étaient gros. La nuit tomba très rapidement et il faisait presque nuit noire quand ils arrivèrent enfin chez l'homme grenouille.

Alex et Conner restaient l'un près de l'autre. À chaque pas, ils se demandaient s'ils avaient bien fait de suivre cette créature étrange.

– Par ici, dit l'homme grenouille en écartant quelques vignes mortes qui dissimulaient une grosse porte en bois posée sur le flanc d'une petite colline.

Il ouvrit la porte secrète et fit entrer les jumeaux, dubitatifs. Il se retourna vers la forêt, s'assurant qu'ils n'avaient pas été suivis, puis referma la porte derrière lui.

Il faisait très noir sous terre. Alex et Conner étaient si collés l'un à l'autre qu'on aurait pu croire qu'ils étaient siamois.

– Pardonnez-moi pour le désordre. Je ne m'attendais pas à avoir de la visite, dit l'homme grenouille en allumant une lampe avec une allumette.

Alex et Conner ne savaient pas à quoi s'attendre en pénétrant dans la maison d'un homme grenouille, mais ils ne s'attendaient certainement pas à ce qu'ils virent.

Ils étaient dans une grande salle avec des murs en terre et un plafond bas. Les racines d'un arbre au-dessus d'eux descendaient comme un chandelier. Plusieurs grandes chaises confortables et des sofas se trouvaient au centre de la pièce et étaient tournés vers une petite cheminée. Près de là, des pots et des tasses à thé étaient suspendus à des crochets au-dessus d'une kitchenette minuscule.

Alex fut enchantée en voyant des livres partout. Les murs en terre étaient recouverts d'étagères qui débordaient d'ouvrages. Des piles de livres étaient disposées partout, sur les meubles ou par terre. On aurait cru que la pièce était un sanctuaire dédié à la littérature.

– Conner, chuchota Alex à l'oreille de son frère, regarde cet endroit! C'est comme si on était dans *Narnia,* avec Lucy et M. Tumnus!

Conner regarda autour de lui et comprit ce qu'elle voulait dire.

– S'il nous offre un loukoum, je me fiche de ce que tu répondras, on s'en va! répondit-il en chuchotant.

– C'est un peu sale, mais c'est douillet, dit l'homme grenouille. Il est difficile de trouver un propriétaire prêt à louer une maison à une grenouille, alors j'ai fait de mon mieux avec ce que j'avais.

Il posa son bocal de nénuphars sur le manteau de la cheminée et se mit aussitôt à allumer un feu. Il remplit une bouilloire avec l'eau d'un pichet, la mit sur le feu et s'assit sur une grande chaise blanche près du feu. Il croisa les jambes et posa délicatement les mains sur les cuisses. C'était une grenouille très comme il faut.

– Je vous en prie, asseyez-vous, dit-il en faisant un signe vers le sofa en face de lui.

Les jumeaux obéirent à contrecœur. Le sofa était plutôt bosselé et ils durent remuer un peu pour s'installer confortablement.

– Vous êtes quoi? demanda Conner à la grenouille.

– Conner, ne soit pas malpoli! s'indigna sa sœur en lui donnant un coup de coude dans les côtes.

– Ce n'est rien, répondit leur hôte avec un sourire énigmatique. Je comprends qu'on puisse avoir besoin de temps pour s'habituer à mon apparence. Même moi, j'ai encore du mal à m'y faire.

– Vous voulez dire que vous n'avez pas toujours été... euh... une personne grenouille ? demanda Alex aussi poliment que possible.

– Grands dieux, non ! Une sorcière très énervée m'a jeté un mauvais sort il y a des années.

– Pourquoi ? demanda Alex, surprise par la simplicité avec laquelle il avait répondu.

– Pour me donner une leçon, je suppose, expliqua-t-il. J'étais autrefois un jeune homme très vaniteux. La sorcière a changé mon apparence pour que je perde toutes les choses que je tenais pour acquises.

Son large sourire disparut peu à peu. Manifestement, cela représentait une expérience longue et douloureuse, et on pouvait deviner son sentiment de perte et sa nostalgie. Les jumeaux n'avaient jamais vu une grenouille aussi triste.

– J'ai peine à imaginer ce que vous avez dû ressentir, dit Alex, débordant de compassion.

– On peut vous appeler Grenouille ? demanda Conner avec un sourire en coin.

– *Conner, voyons !* gronda Alex.

– Ce n'est rien, dit la créature en hochant la tête, puis en souriant à nouveau. J'ai appris que plus les gens prennent en compte leurs désavantages, moins ils sont désavantagés ! Si vous le souhaitez, appelez-moi Grenouille. Ça me va.

Conner haussa les épaules et sourit.

– Puis-je vous proposer un peu de thé de nénuphar ? demanda Grenouille aux jumeaux.

Ces derniers hochèrent la tête. Ils ne voulaient pas être mal élevés. Leur hôte retira la bouilloire du feu et fit un bond – littéralement

– vers la kitchenette, puis versa de l'eau dans trois tasses. Il ouvrit le bocal sur le manteau de la cheminée, mit un petit nénuphar dans chaque tasse et remua.

– L'un de vous aimerait des mouches avec son thé ? demanda-t-il en prenant un autre bocal plein d'insectes morts.

– Non merci, dit Conner. J'essaie d'arrêter.

– Comme vous voudrez, dit Grenouille en mettant quelques mouches dans son thé.

Puis il tendit à chacun une tasse et reprit sa place en face d'eux. Les jumeaux regardèrent un moment leur thé avant de décider de faire au moins semblant de le boire.

– Comment vous appelez-vous ? demanda Grenouille.

– Je m'appelle Alex et voici mon frère, Conner.

Un large sourire heureux apparut sur les lèvres de Grenouille.

– Êtes-vous par hasard Alex Bailey ? demanda-t-il, souriant jusqu'à ce qui équivaudrait à ses oreilles.

– Euh... oui.

Alex était stupéfaite. Comment cet amphibien pouvait-il la connaître ?

– Comme dans « Ce livre appartient à Alex Bailey » ? insista Grenouille.

Il se pencha depuis sa chaise, ramassa une pile de livres, ouvrit l'un d'eux et leur montra la phrase en question.

– Ce sont mes livres ! s'écria Alex en reconnaissant les ouvrages qui avaient disparu dans *Le Pays des contes*. Je me demandais ce qu'ils étaient devenus.

– C'était très curieux, expliqua Grenouille. J'étais sorti pour collecter des mouches, je marchais le long du chemin en direction du marais quand l'un d'eux m'est tombé sur la tête. J'en ai trouvé d'autres au même endroit le lendemain. C'est la chose la plus étrange qui me soit jamais arrivée !

– Vous voulez dire, à part le fait d'avoir été transformé en grenouille, non ? demanda Conner. Parce qu'à votre place ce serait plutôt en haut de ma liste – aïe !

Alex venait de lui enfoncer un coude dans les côtes.

Grenouille ignora Conner et poursuivit son explication.

– Comme vous pouvez voir mes étagères, j'aime collectionner les livres, surtout ceux qui semblent tomber du ciel. Ces livres ne ressemblent à aucun de ceux que j'ai lus ! Ils décrivent des gens et des lieux que je n'ai jamais vus et dont je n'ai jamais entendu parler, moi qui croyais pourtant avoir tout vu ! Les auteurs ont écrit sur des lieux si passionnants. Pouvez-vous imaginer un monde sans sorcières, ni trolls ni géants ? Quelle imagination !

Grenouille gloussa en y repensant. Les jumeaux s'efforcèrent de rire à leur tour de la manière la plus naturelle possible pour ne pas le vexer.

– Je vous en prie, gardez-les. J'ai des copies à la maison, proposa Alex.

Grenouille fut très heureux de l'apprendre.

– Ouais... euh... commença Conner en s'éclaircissant la gorge. En parlant de maison, je ne veux pas interrompre ce petit club de lecture, mais nous sommes sacrément perdus et nous aimerions savoir où nous sommes.

Les yeux luisants de leur hôte se tournèrent vers chacun des jumeaux tour à tour, pour les observer attentivement.

– Oh, les enfants, vous ne seriez pas ici si vous saviez où vous étiez. Vous êtes dans la Forêt des Nains.

Il s'attendait à ce que ses invités se montrent inquiets, mais ceux-ci le fixaient, presque impassibles.

– La Forêt des Nains ? répéta Alex. De quoi s'agit-il ?

– Vous n'en avez jamais entendu parler ? s'étonna Grenouille d'un air catastrophé.

Les jumeaux secouèrent la tête.

– C'est un endroit très dangereux, prévint-il. C'est le seul lieu où il n'y a aucun souverain ni gouvernement. C'est un royaume où chacun est son propre roi. Auparavant, il était peuplé de nains qui travaillaient dans les mines, mais maintenant il est surtout un repaire de criminels et de fugitifs. C'est là que se réfugient tous ceux qui ne veulent pas être retrouvés.

Apprendre qu'ils n'avaient pas seulement voyagé vers un autre monde, mais qu'ils étaient dans l'endroit le plus dangereux de ce monde, ne fit rien pour calmer les nerfs des jumeaux.

– Il y a d'autres royaumes ? demanda Alex.

Grenouille était stupéfait. C'était comme si elle lui avait demandé la couleur du ciel. Pourtant, il semblait amusé par leur méconnaissance.

– Bien sûr. Il y a le Royaume du Nord, le Royaume endormi, le Royaume charmant, le Royaume du coin, le Royaume des fées, le Royaume du Petit Chaperon rouge, l'Empire des elfes, la Forêt des Nains, et le Territoire des trolls et des gobelins. Comment pouvez-vous ignorer cela ?

Il était difficile pour les jumeaux de tout saisir. Quelle était l'étendue du monde des contes de fées ?

En voyant la perplexité sur leur visage, Grenouille sauta de sa chaise, alla vers une des étagères et rapporta un grand rouleau. Il le tendit aux jumeaux qui le déroulèrent.

C'était une grande carte du monde dans lequel ils se trouvaient. Il s'agissait d'un grand continent entouré de chaînes de montagnes et couvert de forêts, avec des châteaux, des palais et des villages partout.

Le Royaume du Nord était le plus grand des royaumes ; il occupait l'essentiel du haut de la carte. Le deuxième plus grand était le Royaume charmant, dans le Sud. Le troisième était le Royaume endormi, vers l'est. La Forêt des Nains couvraient l'essentiel de l'Ouest.

Le minuscule Royaume du coin était tassé dans le sud-ouest du continent ; l'Empire des elfes se trouvait dans l'angle nord-ouest. Entre le Royaume charmant et le Royaume endormi se trouvait le Royaume des fées, et juste au-dessus de lui, il y avait le Territoire des trolls et des gobelins.

Le Royaume des fées avait l'air très beau, plein de couleurs, et semblait étinceler sur la carte. Le Territoire des trolls et des gobelins, au contraire, paraissait effrayant, apparemment entouré de grands rochers et de pierres, empêchant quoi que ce soit d'y pénétrer ou d'en sortir.

Le Royaume du Petit Chaperon rouge était au milieu de tout cela, entouré d'une gigantesque muraille de briques rouges.

Alex et Conner n'en revenaient pas. Le monde dont ils avaient entendu parler quand ils étaient petits existait. Il existait *vraiment*, et ils n'auraient pas pu l'imaginer plus grand ni plus beau.

Alex ne put s'empêcher d'être émue. Ses yeux s'emplirent de larmes.

– Tous ces royaumes forment l'Assemblée de ceux qui vécurent heureux et eurent beaucoup d'enfants, poursuivit Grenouille.

– L'Assemblée de ceux qui vécurent heureux et eurent beaucoup d'enfants ? répéta Conner avec un brin d'ironie.

– C'est l'organisation créée pour faire respecter le traité que tous les rois ont signé afin que les royaumes puissent vivre dans la paix et la prospérité.

– Un peu comme l'ONU, dit Alex à son frère à voix basse.

– Tous les royaumes ont leurs propres traditions et leurs histoires célèbres, continua Grenouille.

– J'imagine qu'il y a des rois et des reines ? demanda Conner.

– Oh, bien sûr ! La reine Blanche-Neige règne dans le Royaume du Nord. La reine Raiponce trône dans le Royaume du coin. Le Royaume endormi, autrefois connu comme le Royaume de l'Est mais renommé après l'affreux sortilège dans lequel il fut plongé, est gouverné par la reine Belle au bois dormant. Et bien sûr, le roi Charmant et sa femme, la reine Cendrillon, règnent dans le Royaume charmant.

– Attendez... ce sont les monarques actuellement sur le trône ? demanda Alex avec une étincelle d'excitation dans l'œil. Vous voulez dire que Cendrillon, Blanche-Neige, la Belle au bois dormant... elles sont toutes encore en vie ?

– Bien sûr !

– Oh mon Dieu, c'est merveilleux ! s'enthousiasma Alex. N'est-ce pas merveilleux, Conner ?

– Si tu veux, marmonna son frère.

– Quel âge pensiez-vous qu'elles avaient ? demanda Grenouille. La reine Blanche-Neige et le roi Charmant ne se sont mariés qu'il y a quelques années. La reine Cendrillon et le roi Charmant attendent la naissance de leur premier enfant. La reine Belle au bois dormant et le roi Charmant sont malheureusement toujours en train d'essayer de réveiller leur royaume après cet affreux sortilège de sommeil dans lequel il a été plongé.

– Attendez, l'interrompit Conner. Vous êtes en train de dire que toutes ces reines ont épousé le même gars ?

– Bien sûr que non. Il y a trois rois Charmant. Ce sont des frères.

– Mais c'est bien sûr ! s'écria Alex. Blanche-Neige, Cendrillon et la Belle au bois dormant ont toutes épousé le *Prince charmant* ! Il y en avait plus d'un ! Pourquoi n'y avais-je pas pensé plus tôt ?

Conner continuait de fixer la carte. Il cherchait une route ou un pont qui les ramènerait chez eux, mais il ne trouvait rien.

– Pourquoi y a-t-il ce tas de pierres autour du Territoire des trolls et des gobelins ? demanda-t-il.

– C'est une punition, répondit Grenouille. Les trolls et les gobelins sont de méchantes créatures qui ont coutume d'enlever les gens pour en faire des esclaves. Le Conseil des fées a forcé les trolls et les gobelins à se regrouper dans un territoire, et aucun n'a le droit de le quitter sans autorisation.

– Un Conseil des fées ? répéta Alex.

Ce monde était presque trop beau pour être vrai.

– Oui, c'est un groupe qui réunit les plus puissantes fées des royaumes. La Bonne Fée de Cendrillon en est une, de même que la Mère L'Oie. Toutes les fées qui ont béni la Belle au bois dormant quand elle était enfant en font aussi partie. Elles règnent sur le Royaume des fées et sont les dirigeantes de l'Assemblée de ceux qui vécurent heureux et eurent beaucoup d'enfants.

– Le Royaume du Petit Chaperon rouge est aussi puni ? demanda Conner. Pourquoi est-il entouré par une énorme muraille ?

Alex regarda la carte, puis leva les yeux vers Grenouille, se posant la même question.

– C'est le résultat de la Révolution des P.O.U.L.L., expliqua leur hôte.

– La révolution des poules ? répéta Alex.

– Pleuples Opprimés Ultracontre les Loups Libres. Le Royaume du Petit Chaperon rouge était auparavant un groupe de villages du Royaume du Nord, mais ils étaient sans cesse attaqués par les loups. Ils supplièrent la Méchante Reine – la marâtre de Blanche-Neige, qui était sur le trône à cette époque – de les aider. Mais la reine était trop obnubilée par sa beauté, alors ils se révoltèrent et créèrent leur propre royaume. Ils ont construit une énorme muraille pour empêcher les loups d'entrer.

– Le Petit Chaperon rouge est la reine à présent ? demanda Alex.

– Oui, c'est la seule reine dans l'histoire à avoir été élue. Les villageois pensaient que son histoire symbolisait le mieux leur lutte, et ils l'ont choisie pour les diriger.

– Mais n'est-elle pas une petite fille ?

– Non, c'est une jeune femme à présent. Une jeune femme plutôt égocentrique, d'après ce qu'on dit. Après tout, elle a donné son nom au royaume ! C'est sa grand-mère qui prend la plupart des décisions, mais sa petite-fille s'en attribue le mérite. Malheureusement, la Révolution des P.O.U.L.L. n'a abouti qu'à l'avènement de la Meute du Grand Méchant Loup.

– La Meute du Grand Méchant Loup ? répéta Conner.

– Oui, ce sont les descendants du premier Grand Méchant Loup. Ils vont de village en village pour terroriser les gens et attaquer des voyageurs qui ne se doutent de rien.

– Oh, super ! conclut Conner avec sarcasme. J'aurais mieux fait de ne pas poser la question.

– Mais à part ça, les choses sont plutôt calmes dans les royaumes, affirma Grenouille, même si ses mots devinrent distants et que son visage exprimait des doutes. Ou plutôt... c'était encore le cas il y a une semaine.

Les jumeaux se penchèrent vers Grenouille.

– Que s'est-il passé il y a une semaine ? demanda Alex.

– La Méchante Reine s'est évadée du donjon du palais de Blanche-Neige. Je croyais que tout le monde était au courant.

– C'est la première fois qu'on entend parler de ça, dit Conner.

– Cela n'augure rien de bon, ajouta Alex. Comment s'est-elle évadée ?

– Personne ne le sait, dit Grenouille. Elle a juste disparu, avec son Miroir Magique. L'armée de Blanche-Neige a cherché dans tous les royaumes pour l'appréhender. Ils traversent cette forêt au moins deux fois par jour. Ils n'ont rien trouvé jusqu'à maintenant, pas même une empreinte de pas, qui puisse les mener jusqu'à elle.

– Croyez-vous qu'ils la retrouveront ? demanda Conner.

– Je l'espère. C'est une femme très dangereuse. C'est la seule reine dans l'histoire à avoir perdu son trône. J'ai peine à imaginer quelle vengeance elle doit préparer. Qui sait ce qu'elle compte faire maintenant ?

Soudain, Alex se raidit. Elle venait de se rendre compte que, outre tous les personnages qu'elle avait aimés en grandissant, ceux qu'elle haïssait et craignait existaient aussi. Cela l'inquiétait beaucoup et elle ne se sentait pas du tout en sécurité.

Le feu dans la cheminée commençait à mourir, alors Grenouille se leva et ajouta une autre bûche. Les jumeaux avaient les yeux et la bouche grands ouverts, et ils ressentaient une sorte de vertige devant toutes les informations qu'ils avaient entendues.

– À quelle distance d'ici vivez-vous précisément ? demanda leur hôte en se rasseyant.

Les jumeaux échangèrent un regard, se tournèrent vers Grenouille, puis se regardèrent à nouveau. Ils ne savaient pas quoi lui répondre. Allait-il les croire s'ils disaient la vérité ?

– C'est pratiquement un autre monde, tenta Conner.

Alex lui lança un regard noir et rit nerveusement, faisant mine de prendre à la légère ce que son frère venait de dire.

Leur hôte ne trouvait pas cela drôle. Il se redressa sur son siège et son visage s'immobilisa, les yeux brillants avec intensité, comme s'il avait trouvé la réponse à un mystère.

– Voilà qui est intéressant, dit-il enfin en regardant les jumeaux. Parce que j'aurais pu croire, rien qu'à voir vos vêtements, votre façon de parler et votre surprise en entendant des épisodes si connus de l'histoire, qu'il y a de bonnes chances que vous soyez, en effet, d'un autre monde.

Les jumeaux ne comprenaient pas où il voulait en venir. Savait-il quelque chose qu'ils ignoraient ?

– Juste par curiosité : avez-vous jamais entendu parler d'un autre monde ? demanda Alex.

– Ou, plutôt, comment y retourner ? ajouta son frère.

Grenouille les dévisagea encore davantage pendant quelques instants. Puis il se leva et se dirigea vers une étagère de l'autre côté de la pièce. Il fouilla parmi les livres, à la recherche de quelque chose. Il le trouva enfin : c'était un journal intime de petite taille, avec une couverture en cuir et un élastique rouge pour le fermer.

– L'un de vous a-t-il jamais entendu parler du Sortilège des Vœux ? demanda-t-il aux jumeaux.

Alex et Conner secouèrent la tête. Grenouille parcourut les pages du journal.

– C'est ce qu'il me semblait, reprit-il. Selon la légende, il existe une liste d'éléments qui, tous réunis, permettent d'exaucer un vœu. Le souhait peut être tout à fait extravagant, il sera quand même exaucé par ce sortilège. De nombreuses personnes pensent qu'il s'agit d'un mythe, et je le croyais aussi jusqu'au moment où j'ai trouvé ce journal.

– Qu'est-ce que ce journal a à voir avec cette histoire ? demanda Conner.

– Il a été écrit par un homme du Royaume charmant, expliqua Grenouille. Il est parvenu à découvrir quels étaient ces éléments, et il a raconté son périple pour les obtenir. Son seul souhait était de retrouver la femme qu'il aimait et, dans le journal, il prétendait qu'elle vivait «dans un autre monde».

Alex et Conner se redressèrent. Ils s'étaient avancés sur le bord du sofa sans même s'en rendre compte.

– Je pensais que l'homme qui avait écrit le journal avait perdu la tête. Je ne croyais pas qu'un autre monde puisse exister, jusqu'au jour où j'ai commencé à trouver vos livres, Alex. Et puis je vous ai vus tous deux en train de vous disputer dans la forêt, et j'ai tout de suite vu que vous étiez différents. J'ai compris que vous deviez venir de l'endroit dont avait parlé cet homme.

Les jumeaux étaient soulagés que leur hôte sache la vérité. Et ce dernier semblait vraiment enthousiasmé par toute cette histoire.

– A-t-il réussi ? demanda Alex. L'homme est-il parvenu à atteindre l'autre monde ?

– Il a dû y parvenir. Le journal s'arrête quand il a trouvé le dernier élément, dit Grenouille en leur tendant le journal et en regagnant sa chaise. Je ne sais pas d'où vous venez, mais si vous voulez retourner chez vous, je crois que suivre ces instructions est votre meilleure option.

Les jumeaux devinrent silencieux et fixèrent le journal avec espoir.

– Quelle sorte d'éléments faut-il pour ce sortilège ? demanda Alex.

– De plusieurs sortes, de plusieurs lieux. Mais le journal donne de bonnes instructions sur où et comment les trouver. Certains éléments sont très dangereux à obtenir.

– Évidemment, dit Conner. Fallait s'y attendre.

– Si le sortilège exauce n'importe quel vœu, pourquoi n'avez-vous pas cherché les éléments vous-même et souhaité redevenir un homme ? demanda Alex.

Grenouille réfléchit un moment. Il s'était posé la question plusieurs fois et la réponse lui faisait honte.

– J'ai gardé ce journal toutes ces années dans le cas où je me déciderais à le faire, dit-il avec difficulté. Mais pour chercher tous ces éléments, il faudrait que je me présente au monde sous ma forme actuelle et, pour être honnête, les enfants, c'est quelque chose que je ne suis pas prêt à affronter. Je crois que je ne parviendrai jamais à le faire.

Ses mots étaient emplis d'une profonde tristesse. Il était évident qu'il n'avait pas encore assimilé la leçon de la sorcière.

– Il se fait tard. Pourquoi ne pas dormir et réfléchir à tête reposée demain ? Vous pouvez rester aussi longtemps que vous voudrez.

– Merci, dit Alex. J'espère qu'on ne vous dérange pas.

– Vous ne me dérangez pas du tout, répondit Grenouille en souriant avec sincérité.

Il sortit une grande couverture que les enfants allaient partager. Puis il souffla sur toutes les lampes et éteignit le feu dans la cheminée.

Alex et Conner tournèrent et se retournèrent toute la nuit, repensant au Sortilège des Vœux. Mais il n'y avait pas de dilemme. Si le journal proposait une façon de rentrer à la maison, il fallait suivre toutes ses indications. Ils n'avaient pas le choix.

Ils allaient commencer la plus grande chasse au trésor de leur vie.

## CHAPITRE 6

# LA FORÊT DES NAINS

— Je vous ai préparé de la nourriture, deux couvertures et quelques pièces d'or que j'avais mises de côté, dit Grenouille en tendant à Conner une sacoche en peau de mouton.

— Merci beaucoup, dit Alex. C'est vraiment gentil à vous !

— Quand vous parlez de *nourriture*, à quoi faites-vous allusion au juste ? demanda son frère en tenant la sacoche à une distance de sécurité.

— Des gâteaux et des pommes.

— Ah, très bien, reprit Conner, soulagé.

Grenouille donna à Alex la carte et le journal qu'ils avaient étudiés la veille au soir.

– Êtes-vous sûrs d'être prêts pour vous lancer dans cette aventure ? Vous êtes tous deux vraiment très jeunes pour une telle quête.

Alex et Conner se regardèrent et pensèrent la même chose. Il était assez difficile de s'en sortir dans leur propre monde à leur âge. Allaient-ils vraiment pouvoir voyager dans une dimension totalement différente sans l'aide d'un adulte ? Mais ils se rassurèrent l'un l'autre. Ils savaient que, quoi qu'il arrive, au moins ils seraient ensemble.

– Nous n'avons pas vraiment le choix, répondit Alex. Merci beaucoup pour votre aide, Grenouille. Sans vous, on serait encore perdus dans la forêt.

Leur hôte fit un large sourire et hocha la tête.

– C'est moi qui devrait vous remercier, dit-il. J'ai rarement l'occasion de me sentir aussi utile.

– Êtes-vous sûr de ne pas vouloir nous accompagner ? demanda Alex. Une carte, c'est très bien, mais un guide, c'est encore mieux.

Au début, Grenouille sourit avec enthousiasme à l'idée de les accompagner. Voyager à travers le monde et quitter sa maison enfouie était très tentant. On pouvait voir combien tout son être était tenté par cette idée. Mais ses craintes et sa gêne à l'idée qu'on voît ce qu'il était devenu s'insinuaient de nouveau en lui et lui firent rejeter toute envie de les suivre.

– Je ne peux pas, les enfants, répondit-il le cœur lourd. Mais je vous souhaite bonne chance.

Les jumeaux étaient déçus, mais ils comprenaient. Eux-mêmes avaient du mal à aller à l'école avec un bouton sur le visage. Ils ne pouvaient pas imaginer l'angoisse de se présenter transformé en amphibien géant.

– Il est très important que vous arriviez à quitter la Forêt des Nains avant le coucher du soleil, prévint Grenouille. Allez jusqu'au chemin et dirigez-vous vers le sud jusqu'au Royaume du coin. Il vous faudra quelques heures de marche, mais vous serez plus en sécurité là-bas. Voyagez aussi vite et aussi silencieusement que possible. Jurez-moi que vous le ferez.

Les jumeaux le lui promirent. Alex prit Grenouille chaleureusement dans ses bras et l'embrassa sur la joue. Conner lui serra la main puis s'essuya sur son pantalon.

– J'espère qu'on se reverra, dit Alex.

– Ce serait avec plaisir, mais j'espère pour vous qu'on ne se reverra pas, répondit Grenouille en lui faisant un clin d'œil.

Conner frappa des mains.

– Bon, eh bien, les éléments du Sortilège des Vœux vont pas se trouver tout seuls, hein. Allons-y !

Les jumeaux ouvrirent la porte et sortirent de la maison enfouie. Leur hôte les salua de la main jusqu'à ce qu'ils disparurent dans la forêt. Ils rejoignirent bientôt le chemin où ils avaient atterri et se dirigèrent vers le sud comme indiqué.

Ils étaient assez troublés à l'idée de se retrouver seuls sur le chemin, maintenant qu'ils connaissaient les dangers des environs. Ils regrettèrent de ne pas avoir fait plus d'efforts pour convaincre Grenouille de les accompagner. Ils sursautaient à chaque bruit infime dans la forêt.

Alex et Conner demeurèrent silencieux la première heure de marche, de peur que le son de leurs voix n'attire l'attention de certaines des créatures contre lesquelles on les avait mis en garde.

– Nous sommes très courageux, dit au bout d'un moment Alex à son frère, rompant le silence.

– Ou très stupides, corrigea Conner.

Le chemin faisait une courbe à travers la forêt, révélant de nouveaux arbres et buissons à chaque pas. Au bout d'un certain temps, les jumeaux se sentirent plus calmes, moins nerveux et ils ralentirent l'allure.

Conner soupira longuement.

– Pourquoi ce soupir ? demanda sa sœur.

– Je repensais à quelque chose. Alice s'est retrouvée dans le pays des merveilles après être tombée dans un terrier de lapin. La maison de Dorothée s'est envolée dans une tornade qui l'a déposée dans la terre d'Oz. Les gamins dans *Narnia* ont traversé une veille armoire... Quant à nous, nous nous sommes retrouvés dans le pays des contes de fées *en tombant dans un livre*.

– Où veux-tu en venir, Conner ?

– C'est juste que je trouve ça un peu nul, comparé aux autres, répondit-il en soupirant à nouveau. Je me demande s'il y a un groupe de soutien pour des gens comme nous. Tu sais, des gens qui voyagent par accident dans d'autres dimensions, ou un truc comme ça.

Alex était consternée.

– Tu ne te rends donc pas compte à quel point nous avons de la chance ? répliqua-t-elle. Pense à toutes les choses que l'on va voir ! Pense à tous ceux qu'on va rencontrer ! On va voir des choses que *personne* n'a jamais vues dans notre monde !

Conner leva les yeux au ciel.

– Je me sentirai chanceux quand nous serons rentrés à la maison.

Alex fouilla dans son sac et sortit la carte. Elle la consulta avec attention, et ne levait les yeux que de temps à autre pour s'assurer de ne pas rentrer dans un arbre. Toutes les deux secondes, elle souriait ou ricanait en découvrant quelque chose de nouveau. Elle ressemblait à une *touriste*.

– Ne devrait-on pas être en train de lire le journal ? demanda Conner. On doit faire une liste des éléments du Sortilège des Vœux et voir où on peut les trouver.

– On le fera, dit Alex tranquillement. On aura plein de temps pour ça.

Sa sœur commençait à l'agacer. Ne se rendait-elle pas compte de la gravité de la situation ?

– On doit rentrer à la maison, insista-t-il. Qu'est-ce qu'on attend ?

– Il y a juste quelques petites choses que j'aimerais voir avant de rentrer, répondit Alex.

– Comment ? demanda Conner en élevant la voix et en s'échauffant l'esprit.

– Nous sommes dans le monde des contes de fées, Conner, il faut en profiter ! protesta-t-elle. Qui d'autre a l'occasion de visiter le palais de Cendrillon, le haricot magique de Jack ou la tour de Raiponce ?

Conner avait la bouche et les yeux grands ouverts. Il n'arrivait pas à croire ce que sa sœur venait de dire.

– Nous sommes coincés dans un autre monde et tu veux aller *faire du tourisme* ? dit-il interloqué. Non mais tu t'es écoutée ? Te rends-tu compte à quel point ce que tu dis est insensé ?

Elle s'arrêta et se retourna vers son frère, les yeux graves et pleins de désespoir.

– Conner, l'année qui vient de s'écouler a été affreuse pour nous. Nous avons tout perdu excepté maman. Toutes les nuits, j'ai voulu qu'une bonne fée apparaisse par magie pour tout arranger, et maintenant on est dans un endroit où cette possibilité existe ! Je n'ai pas d'amis que je pourrais revoir. Les seuls que j'aie jamais connus vivent ici, et je ne rentrerai pas à la maison avant de les avoir rencontrés !

Alex reprit son chemin. Conner était sans voix.

– Pourquoi suis-je celui qui est raisonnable ? demanda-t-il. Tu réfléchis toujours trop aux choses ! Comment fais-tu pour ne pas devenir folle d'inquiétude ?

– Pourquoi s'inquiéter ? demanda Alex avec un petit rire.

– Pour commencer, que va faire maman quand elle s'apercevra que nous avons disparu ? fit remarquer Conner. Elle va croire qu'on s'est fait kidnapper! Comme si elle n'avait pas déjà suffisamment de soucis!

Alex savait qu'il avait raison, mais son désir de voir le monde des contes de fées était plus fort que tout.

– Je n'ai besoin que d'un jour ou deux, promit-elle. Ça suffira amplement.

– Comment peux-tu être sûre que ce monde vit selon le même calendrier que nous? demanda son frère, angoissé. Réfléchis. Les histoires de Cendrillon et du Petit Chaperon rouge existent depuis des centaines d'années chez nous, mais il semblerait qu'ici seulement une dizaine d'années se soient écoulées! Deux jours ici et maman aura peut-être quatre-vingts ans quand on rentrera à la maison!

Conner se frotta la tête. Réfléchir tant lui faisait mal. Alex l'écoutait plus qu'elle ne le voulait. Il était pratiquement en train de répéter mot pour mot ce que la voix de la raison lui disait dans sa tête.

– Et si quelque chose arrivait pendant notre absence? continua Conner. Si, lorsque nous rentrerons, des singes ou des extraterrestres ont pris le contrôle de notre planète? Si je rate *ça*, je ne te le pardonnerai jamais!

Alex s'arrêta et leva les yeux de la carte. Une très curieuse expression apparut sur son visage.

– Tu n'y avais pas pensé, n'est-ce pas? ajouta Conner, mais Alex ne l'écoutait pas.

Autre chose avait capté toute son attention.

– Tu sens cette odeur? demanda-t-elle.

– Quoi? Je ne sens que les arbres et la poussière.

Alex fit quelques pas.

– Non, il y a autre chose. C'est sucré, comme si quelque chose était en train de cuire dans un four.

Conner renifla. Effectivement, une odeur délicieuse flottait dans l'air.

– On dirait... *du pain d'épice* !

– Oh, non, dit Conner.

Avant qu'il puisse l'en empêcher, Alex commença à courir entre les arbres, s'éloignant du chemin pour se diriger vers là d'où venait l'odeur.

– Attends ! Reviens ! ordonna son frère. Tu ne sais pas où tu vas !

Alex courait à travers les arbres, enjambant pierres et buissons. L'odeur était de plus en plus prononcée à mesure qu'elle s'enfonçait dans la forêt. Conner était juste derrière elle, l'intimant de rebrousser chemin. Enfin, Alex fit halte et son frère lui rentra dedans. Elle avait trouvé exactement ce qu'elle espérait voir.

Une petite maison en pain d'épice se dressait entre deux grands arbres. Le toit pointu était couvert de glaçage blanc, des boules de gomme composaient des arbustes, et des bâtons de sucre d'orge formaient une palissade menant jusqu'à la porte d'entrée.

– Regarde, Conner ! dit Alex en reprenant son souffle. C'est une maison en pain d'épice, une *vraie* maison en pain d'épice ! Regarde comme elle est mignonne !

– Hou là là... dit Conner. J'ai l'impression que je vais avoir du diabète rien qu'à la regarder.

– Entrons ! proposa sa sœur en se dirigeant vers la maison.

Conner l'agrippa par le bras.

– Tu as perdu la tête ? Les mots « l'incident cannibale de Hansel et Gretel » n'ont donc aucun sens pour toi ?

– Je veux juste jeter un coup d'œil à l'intérieur. Rien qu'une seconde...

À ce moment-là, la porte de la maison en pain d'épice s'ouvrit lentement. Alex et Conner se figèrent. Une large silhouette encapuchonnée apparut, levant la tête pour les dévisager.

C'était, à n'en pas douter, une sorcière. Même s'ils n'avaient jamais vu de vraie sorcière et ne pouvaient de fait pas comparer, elle était encore plus caricaturale qu'ils n'auraient pu l'imaginer. Sa peau était ridée et pâle, son teint, jaunâtre, ses yeux, injectés de sang et exorbités. Elle se tenait voûtée, avec une énorme bosse dans le dos.

– Bonjour, les enfants, dit-elle avec une voix aiguë et chevrotante. Voulez-vous vous joindre à moi pour un petit goûter ?

Il était impossible pour les jumeaux de cacher leur peur. Ils demeuraient immobiles et la regardaient fixement, comme si elle avait été un tyrannosaure enragé prêt à bondir sur eux à tout moment.

– Non, merci, répondit Alex. Nous ne faisions que passer. *Vous avez une belle maison !*

Ils reculèrent lentement, un pied après l'autre.

– Vous ne voulez pas voir l'intérieur ? demanda la sorcière.

– L'intérieur de qui ? dit Conner, et Alex lui donna un coup de coude.

– Ne soyez pas ridicules, mes petits, *venez à l'intérieur*, reprit la sorcière en perdant patience.

Elle tendit une main tremblante pour les inviter à entrer. Ils remarquèrent qu'elle était recouverte de marques de brûlures, peut-être causées par ses derniers visiteurs.

– Je croyais que la sorcière était morte à la fin de *Hansel et Gretel*, susurra Alex à son frère.

– Peut-être qu'elle a réussi à trouver un extincteur après leur départ, murmura Conner.

Ils continuaient de reculer lentement.

– Merci beaucoup pour votre invitation, mais il faut vraiment que nous repartions, dit Alex.

– On est plutôt pressés, ajouta son frère. On doit prendre le café avec un couple de nains dans une demi-heure, alors on a intérêt à se dépêcher !

Ils repartirent à vive allure en rebroussant chemin, puis s'arrêtèrent brusquement lorsque la sorcière apparut devant eux dans un *pouf !* Ils essayèrent de courir dans l'autre sens, mais elle apparut encore une fois devant eux dans un *crac !* Ils étaient coincés.

– Vous n'irez nulle part, leur dit-elle.

Elle semblait devenir de plus en plus grande, et ses yeux étaient de plus en plus exorbités à mesure qu'elle perdait patience.

– Alors maintenant, reprit-elle, soyez de gentils petits poulets et suivez-moi *à l'intérieur.*

– Alex, ça ressemble à une de ces mauvaises vidéos qu'on nous montre à l'école sur les inconnus, dit Conner en chuchotant. Tu as toujours ton sifflet antienlèvement sur toi ?

– Vous ne voulez pas nous dévorer ! dit Alex à la sorcière. Nous venons de marcher longtemps, du coup nous sommes complètement déshydratés ! Et nous n'avons pratiquement que la peau sur les os !

La sorcière grandit encore. Sa bosse diminua et son corps s'allongea.

– Votre ami semble plutôt rondelet, dit-elle en regardant Conner comme une mante religieuse prête à frapper. Il est bien suffisant !

Elle était pratiquement en train de saliver.

– *Pardon ?* s'offusqua Conner qui en oublia combien elle était terrifiante. Figurez-vous que je suis sur le point de pousser à nouveau de quelques centimètres, et je prends toujours un petit peu de poids avant !

– Conner, je t'en prie, ne... avertit Alex, mais c'était trop tard.

– Pourquoi voulez-vous que vos victimes soient grassouillettes ? continua son frère. Ne vaut-il pas mieux qu'elles soient en bonne santé, le corps musclé ?

La sorcière tourna la tête et leva un sourcil. Elle n'y avait jamais pensé. Sa réflexion avait dû détourner son attention des jumeaux, car elle commença à rétrécir et à reprendre sa silhouette voûtée.

– Si on me demandait mon avis, poursuivit Conner, vous devriez convertir votre maison en pain d'épice en un club de gym et de santé en pain d'épice !

Alex se demandait souvent où son frère puisait ses idées pour sortir de telles absurdités, mais celle-ci était comme la cerise sur le gâteau.

– Quelle *succulente* idée ! gloussa la sorcière. Je la réaménagerai dès que j'en aurai terminé avec *vous*.

Elle se remit à grandir et, cette fois, sa bouche s'ouvrit et des dents acérées apparurent. Elle allait les attaquer.

– *Attendez !* hurla Alex, les mains sur le visage. *Vous lui devez quelque chose !*

La sorcière reprit son ancienne silhouette.

– Je lui dois quelque chose ? s'étonna-t-elle.

– Oui ! N'est-ce pas comme ça que ça marche ? Il vous a donné une idée, et maintenant vous lui devez un *vœu*.

– Un vœu ? répéta la sorcière.

– Un vœu ? demanda Conner à son tour.

Alex hocha la tête avec conviction. La sorcière grogna.

– Oui, l'Assemblée de ceux qui vécurent heureux et eurent beaucoup d'enfants vient d'adopter une nouvelle loi, improvisa Alex. Toute sorcière à qui l'on soumet une bonne idée doit renvoyer l'ascenseur en exauçant un vœu.

– Euh... ouais, c'est ça, dit Conner en prenant le train en marche. N'obligez pas la Mère L'Oie à venir ici. Elle va lâcher ses oies sur vous, et certaines d'entre elles pondent des œufs en or, et ça doit faire mal. Qui sait à quel point elles seront agressives ?

– Bon, d'accord, dit la sorcière. J'exaucerai *un* vœu. Mais seulement parce que je ne veux pas revoir ces bestioles à plumes... *une fois m'a suffi.*

Conner se pencha vers sa sœur.

– Que dois-je souhaiter ? De rentrer à la maison ?

– Non, elle va essayer de nous embobiner quel que soit notre souhait ! Il faut être vraiment très précis ! pensa Alex.

– Dépêche-toi, gamin ! J'ai faim ! tonna la sorcière.

– D'accord... reprit Conner en réfléchissant le plus vite possible.

Il fallait faire un bon vœu, un vœu qui les sorte de cette impasse.

– Je souhaite que vous deveniez *végétarienne* ! dit-il.

– C'est ça, ton vœu ? demanda Alex en se tournant vivement vers son frère.

– Très bien ! dit la sorcière avec un cri perçant.

Les jumeaux n'étaient pas sûrs qu'elle sache ce que cela voulait dire. Elle leva les bras au ciel et frappa des mains, provoquant un bruit de tonnerre.

Les jumeaux baissèrent la tête, mais le vœu sembla avoir été exaucé. La bosse de la sorcière s'estompa peu à peu, le teint jaunâtre disparut et ses yeux injectés de sang reprirent un aspect normal.

– J'ai perdu l'appétit, dit la sorcière.

Elle haussa les épaules et retourna vers sa maison en pain d'épice, claquant la porte derrière elle.

Alex et Conner respirèrent profondément. Ils ne s'étaient jamais sentis si tendus.

– On l'a échappé belle ! s'exclama Alex.

– De rien ! dit Conner.

– Comment as-tu pensé à souhaiter qu'elle devienne végétarienne ? demanda sa sœur.

Conner se gratta la tête.

– C'était la seule façon de l'empêcher de nous manger.

Alex lui sourit. Elle n'avait pas souvent l'occasion d'être fière de son frère, alors quand elle se présentait, elle ne la manquait pas.

– Bien joué, mais allons-nous-en, au cas où les effets de ton vœu s'estompent.

Les jumeaux se dépêchèrent de sortir de la forêt pour regagner le chemin qu'ils avaient quitté. Ils poursuivirent leur route en direction du sud, cette fois en marchant d'un pas rapide. Ils avaient fait leur première rencontre dangereuse dans le monde des contes de fées et ils n'étaient pas pressés de recommencer.

Ils allaient bon train depuis un moment lorsque Conner dit à sa sœur :

– Alex, je dois m'asseoir ! J'ai l'impression que mes jambes vont tomber !

– Conner, il faut qu'on continue ! Il est déjà midi passé, et Grenouille nous a dit qu'il fallait qu'on atteigne le Royaume du coin avant la tombée de la nuit !

– Facile à dire pour lui : il a des jambes de grenouille ! se plaignit son frère en respirant bruyamment. Juste quelques minutes, après on repartira, je le jure !

– D'accord, mais cherchons un endroit sûr, proposa sa sœur.

Ils trouvèrent une clairière agréable entre quelques arbres. Pour reprendre son souffle, Conner s'assit sur un arbre couché.

Alex regarda les arbres de la forêt autour d'elle, remarquant qu'ils étaient de toutes les tailles et nuances de vert. Elle était encore déconcertée par tout ce qui leur était arrivé.

– C'est incroyable, n'est-ce pas ? dit-elle. Tout ceci était à notre portée à tout moment et nous ne le savions pas, ajouta-t-elle en s'asseyant tout sourire à côté de son frère. Que crois-tu que papa et grand-mère penseraient ? Que diraient-ils s'ils savaient que tout ceci existe vraiment ?

– Vu la façon dont ils parlaient toujours des contes de fées, on aurait dit qu'ils le savaient, dit Conner, qui ne put s'empêcher de sourire à cette idée.

– J'ai mille raisons de souhaiter que papa soit encore en vie, dit sa sœur. Mais maintenant je le souhaite plus que tout, juste pour qu'on puisse revenir ici avec lui et lui montrer tout ça, ainsi qu'à grand-mère.

– Il faut qu'on rentre d'abord, rappela Conner. Et pendant qu'on parle de ça, on devrait jeter un coup d'œil au journal. Plus vite on le lira, plus vite on pourra rentrer à la maison.

– Je sais, lui dit-elle. Mais on devrait d'abord au moins voir un château ou un palais! Papa et grand-mère auraient voulu qu'on fasse ça!

Conner grogna.

– Alex, on a failli servir de déjeuner à une sorcière. On ne doit plus perdre de temps...

Soudain, ils entendirent des brindilles craquer dans la clairière. Quelque chose approchait. Alex et Conner s'accroupirent derrière l'arbre pour se cacher.

Un cheval à la robe couleur crème s'approcha lentement. Il avançait en levant ses sabots bizarrement, comme s'il avait appris à marcher sur la pointe des pieds. Une femme le montait et regardait autour d'elle avec précaution.

Elle était jeune et jolie. Elle avait de grands yeux bleus, et ses cheveux attachés derrière la tête tombaient en cascade de longues boucles dorées. Elle portait un long manteau brun-rouge tricoté, avec des jambières noires et de très hautes bottes.

La femme et sa monture s'approchaient à pas de loup du centre de la clairière.

– Du calme, Porridge, dit la cavalière en caressant l'animal. Sois tranquille, tu es une bonne fille.

Elle descendit du cheval et s'avança vers un arbre. Alex vit qu'un papier y était accroché et elle reconnut l'avis de recherche de Boucle d'or qu'elle avait vu la veille.

La femme secoua la tête en le lisant. Elle l'arracha du tronc et le froissa en boule.

– Qui est-ce ? Que fait-elle ? demanda Conner à sa sœur en chuchotant.

– J'ai l'air d'être une voyante ? répliqua Alex.

À ce moment, la femme tourna vivement la tête dans leur direction. Qui qu'elle soit, elle avait une ouïe remarquable. Elle tira une longue épée de son manteau et la brandit haut dans les airs.

Le regard grave et déterminé, elle avait manifestement l'air de quelqu'un qu'on ne devait pas sous-estimer. Elle s'approcha plus près de la cachette des jumeaux.

Un hurlement aigu de loup résonna à travers la forêt. Il était si fort qu'Alex et Conner durent se couvrir les oreilles. La femme se retourna et pointa son épée dans la direction opposée.

– Porridge, prépare-toi ! On va avoir de la compagnie, prévint-elle.

*Qui ça ?* se demandèrent Alex et Conner en s'échangeant un regard.

Une demi-douzaine de loups s'avançaient lentement parmi les arbres. Mais ils ne ressemblaient à aucun des loups que les jumeaux avaient pu voir. Ils étaient quatre fois plus grands que ceux de leur monde. Leur fourrure était emmêlée et noire comme du jais. Ils avaient les yeux rouges et de grands museaux. Ces loups étaient prêts à tuer à tout instant. Il ne faisait aucun doute qu'ils composaient la Meute du Grand Méchant Loup.

Alex et Conner s'agrippèrent l'un l'autre, tremblant de peur. La femme avec le manteau grenat ne trahit jamais son inquiétude. Elle braquait son épée sur le loup le plus imposant, au milieu de la meute. Les monstres grognaient et serraient les dents.

– Bonjour *Malgriffe*, dit la femme.

– Bonjour *Boucle d'or*, grogna le loup.

Les jumeaux s'agitèrent frénétiquement en veillant à ne pas faire de bruit.

– *C'est Boucle d'or ! C'est Boucle d'or !* articula silencieusement Alex à Conner.

– *Le Loup parle ! Il parle !* répondit Conner de la même façon.

– Je suis surpris qu'on ne t'ait pas déjà écrouée et enchaînée dans le Royaume du Petit Chaperon rouge, dit Malgriffe à Boucle d'or.

– Je suis surprise qu'on ne t'ait pas encore transformé en descente de lit, rétorqua Boucle d'or. Qu'est-ce qui t'amène dans ce coin de la forêt ? Il n'y a aucun village inoffensif que ta meute puisse tourmenter à des lieues à la ronde.

Boucle d'or ne baissait pas son épée. Les autres loups les encerclaient progressivement, elle et Porridge.

– Ma meute est affamée. Nous nous sommes arrêtés pour un petit goûter, répondit le loup.

– Vous êtes vraiment venus pour me manger ? dit Boucle d'or. J'avais cru que vous aviez retenu la leçon, depuis le temps. Moi aussi, je mords.

Elle resserra son emprise sur son épée.

Malgriffe ricana.

– *Le loup peut ricaner ! Il ricane !* dit Conner à sa sœur sans faire de bruit.

– Tu es une portion bien mince, répondit le chef de meute avec un sourire de loup maléfique. Ton cheval, en revanche, pourra en rassasier plus d'un.

Alex et Conner n'avaient jamais vu un cheval aussi effrayé que Porridge. Si elle n'avait pas déjà été d'une couleur claire, ils auraient juré que la jument avait pâli.

– Si vous lui faites ne serait-ce qu'une égratignure, je vous transforme en manteau, c'est clair ? menaça Boucle d'or.

– Dans ce monde, tout le monde essaie de manger tout le monde ! chuchota Conner à sa sœur.

Il sut aussitôt qu'il aurait mieux fait de se taire.

Un loup se tourna dans leur direction.

– Malgriffe, je crois que j'ai entendu quelque chose, grogna-t-il.

Alex se couvrit la bouche pour ne pas crier.

Le loup commença à renifler vigoureusement l'air.

– Je sens deux enfants ! Un garçon et une fille.

Boucle d'or semblait aussi surprise de l'apprendre que les autres loups. C'était donc *ça* qu'elle avait perçu derrière elle quelques minutes plus tôt ?

Les jumeaux pouvaient entendre leur cœur tambouriner dans leur poitrine. Qu'allait-il se passer ? Boucle d'or allait-elle les dénoncer pour sauver son cheval ? Avaient-ils réussi à éviter de justesse de se faire avaler par une sorcière pour se faire dévorer par une meute de loups démesurés ?

– Je crains que vous ne les ayez ratés de peu, dit Boucle d'or. Je les ai effrayés, tout comme je vous ai effrayés la dernière fois que nos chemins se sont croisés.

– Va pour le cheval, alors, décida Malgriffe.

Tous les loups hurlèrent en même temps. Le bruit était assourdissant. Ils commencèrent à tourner autour de Boucle d'or et de Porridge, avançant lentement. Les loups tentaient de les mordre avec leurs grandes gueules, et Boucle d'or portait des coups avec son épée.

Un loup tenta de sauter sur Porridge, mais le cheval lui donna un coup de sabot de ses antérieurs. Un autre essaya de mordre Boucle d'or, mais elle le blessa avec son épée, et il recula en gémissant.

Boucle d'or était la meilleure escrimeuse que les jumeaux aient jamais vue. Chaque fois qu'un des loups s'avançait ne serait-ce que d'une griffe en direction d'elle ou de son cheval, elle était prompte à le contrer. Porridge s'en sortait aussi plutôt bien, n'hésitant pas à ruer pour éloigner tout prédateur qui s'approchait d'un peu trop près.

Un loup bondit et enfonça ses griffes dans le dos de Porridge qui tenta de s'en défaire en faisant une ruade. D'un coup d'épée, Boucle d'or coupa l'une des pattes de l'attaquant, qui recula en hurlant de douleur.

Deux loups attaquèrent Boucle d'or de concert. L'un bondit vers elle et l'autre la fit trébucher. Son épée vola dans les airs et retomba près de là où se cachaient les jumeaux. Boucle d'or était à terre, désarmée.

Les loups se rapprochèrent d'elle et du cheval, prêts à l'achever.

– Attrape ! cria Conner en lui lançant l'épée.

Boucle d'or la fit tournoyer avec force en direction des loups qui s'approchaient, laissant d'énormes balafres sur leurs museaux.

– Repliez-vous ! ordonna Malgriffe à la meute. Aucun goûter ne mérite tous ces efforts !

Les loups partirent en débandade dans la forêt, grognant et hurlant de colère, prévenant le reste de la forêt qu'ils étaient en chemin.

– À la prochaine, Boucle d'or ! lança Malgriffe en disparaissant parmi les arbres avec les autres loups.

La jeune femme se releva et rengaina son épée. Elle était essoufflée et, maintenant que l'ennemi était parti, semblait beaucoup plus vulnérable que ce qu'elle avait laissé paraître pendant le combat. Elle caressa le nez de sa jument et tamponna ses blessures avec son manteau.

– C'est bien, Porridge, dit-elle.

Puis elle se retourna en direction de l'arbre derrière lequel Alex et Conner étaient cachés.

– Vous pouvez sortir, maintenant.

Les jumeaux hésitaient. Puis Conner apparut et s'écria :

– *C'était génial !*

– Conner ! le gronda Alex, sortant elle aussi.

– C'était une sacrée bataille ! continua son frère. Vous savez, au début, j'ai vraiment cru que vous étiez finie ! J'aurais jamais pensé qu'une fille et son cheval pouvaient battre sept loups affamés, mais vous m'avez trop impressionné ! Où avez-vous appris à vous battre comme ça ?

Boucle d'or ne trouvait pas ces remarques enthousiastes de son goût.

– Quand vous êtes en cavale depuis si longtemps comme moi, vous apprenez des choses ici et là.

Elle se retourna et remonta sur son cheval en un bond.

– Alors c'est vraiment vous ? demanda Alex. Vous êtes vraiment Boucle d'or ? La femme que l'on cherche morte ou vive pour tous ses crimes ?

– Ne croyez pas tout ce que vous lisez, répondit-elle d'une voix sévère.

Puis elle tira sur les rênes et partit au galop. Mais, après quelques mètres, elle fit pivoter Porridge vers les jumeaux et ajouta :

– Merci pour votre aide.

Conner hocha la tête.

– Tenez, prenez ça, au cas où vous en auriez besoin, ajouta-t-elle en se baissant vers une de ses bottes pour en sortir un poignard en argent qu'elle leur lança par terre. Maintenant, éloignez-vous le plus possible d'ici. Les loups reviendront plus vite que vous ne le pensez.

Après cet avertissement, Porridge repartit au galop à travers la forêt.

Alex et Conner demeurèrent immobiles jusqu'à ce que le cheval et sa cavalière eurent disparus.

– C'était incroyable ! s'écria Conner en ramassant le poignard pour le mettre dans leur sacoche. Même si c'était terrifiant, c'était plutôt sympa de voir un autre humain, pour une fois !

– On ferait mieux de partir d'ici, avertit Alex. Cette fois on ne s'arrêtera que lorsqu'on sera sûr d'avoir quitté la Forêt des Nains !

Conner était entièrement d'accord. Les jumeaux poursuivirent leur route sur le chemin en terre, cette fois au pas de course.

Ils avaient traversé plus de dangers en un jour qu'au cours de toute leur vie. Malheureusement pour eux, ce n'était pas la dernière fois qu'ils voyaient Boucle d'or, la Meute du Grand Méchant Loup ou la Forêt des Nains...

## CHAPITRE 7

—•—◦✦◦—•—

# LA TOUR DE RAIPONCE

Cela faisait presque une heure que les jumeaux couraient sans s'arrêter et ils commençaient à fatiguer. L'effet de l'adrénaline s'estompait et leurs points de côté s'intensifiaient à chaque pas. Mais comme un danger surgissait chaque fois qu'ils s'arrêtaient, ils étaient résolus à ne pas ralentir.

— On devrait pouvoir passer notre examen d'EPS les doigts dans le nez, maintenant, dit Conner entre deux râles.

— Nous y sommes presque, dit Alex sans beaucoup de conviction. Encore un petit effort!

La forêt avait changé au fil de leur course. Les troncs n'étaient plus aussi épais, et il y avait plus d'espace et d'herbe entre chaque arbre.

Le chemin s'était élargi. Davantage de rayons de soleil perçaient entre les branches, augmentant la visibilité.

Les jumeaux ne se sentaient plus aussi menacés par l'environnement. La forêt devenuait presque plus *amicale* à mesure qu'ils se rapprochaient du Royaume du coin.

Conner s'effondra par terre. Il respirait avec plus de difficultés qu'un poisson hors de l'eau.

– Je n'en peux plus ! Je ne peux pas faire un pas de plus ! dit-il les bras et les jambes écartés comme s'il faisait un ange de neige dans la poussière.

– On ne doit pas s'arrêter avant d'avoir atteint le Royaume du coin, lui rappela Alex entre deux respirations tout aussi pénibles.

– Je crois que nous y sommes, dit Conner.

– Comment le sais-tu ?

– À cause de ça, dit son frère en pointant le doigt vers le ciel.

Au loin, une haute tour dépassait de la cime des arbres. Circulaire et construite avec des pierres carrées, elle ne possédait qu'une seule fenêtre juste en dessous d'un toit pointu en paille. Elle était en partie recouverte de gros rameaux de lierre.

– C'est la tour de Raiponce ! s'écria Alex, la voix hachée et les mains jointes, visiblement très émue.

– Ne me dis pas que tu es en train de pleurer ! dit Conner, qui était toujours par terre.

– Elle est exactement comme je me l'imaginais ! Lève-toi ! On va se rapprocher !

Alex tira le bras de son frère pour l'aider à se relever, puis tous deux marchèrent entre les arbres jusqu'à ce qu'ils atteignissent le pied de la tour.

Elle était encore plus haute qu'on ne l'aurait cru et devait bien mesurer cent mètres. Les jumeaux commençaient à avoir mal au cou à force de la regarder. Une grande plaque dorée annonçait :

## TOUR DE LA REINE RAIPONCE

– Ça a dû être tellement dur pour elle, dit Alex. De voir des gens et des lieux si éloignés sans jamais pouvoir leur rendre visite.

– Au moins elle n'a jamais eu à craindre d'être cambriolée, dit Conner.

– Je dois monter là-haut, décida sa sœur.

– Tu as un propulseur ou un grappin et tu ne me l'avais pas dit ?

– Non, je vais l'escalader, dit-elle, surprise elle-même par cette affirmation.

– Tu as maintenant officiellement perdu la tête ! s'exclama son frère. Nous avons failli mourir deux fois déjà, et nous n'avons même pas passé une journée entière ici ! *Il faut arrêter de faire les malins et trouver une façon de rentrer à la maison, Alex !* C'est pourtant clair !

– Écoute, je vais grimper juste quelques minutes, et dès que je serai redescendue, on lira le journal pour savoir quels éléments composent le Sortilège des Vœux, d'accord ?

– *Alex...* reprit Conner, le sang lui montant à la tête.

– Je t'en prie, je dois le faire ou je le regretterai jusqu'à la fin de mes jours !

Il secoua la tête ; elle l'agaçait comme seuls peuvent s'agacer des frères et sœurs. Il voulait la sermonner sur la puérilité de son comportement. Mais elle le regardait d'une telle façon, les yeux écarquillés, suppliants, qu'il ne put s'y résoudre. Il était si rare qu'Alex ait *besoin* de quelque chose, il pensa qu'une dernière halte ne pouvait pas leur faire de mal.

– Ne va pas te tuer, prévint-il. Pendant que tu seras là-haut, je vais commencer à lire le journal et dresser la liste de tous les éléments nécessaires pour le Sortilège des Vœux.

Alex hocha la tête avec gaieté et posa son sac par terre. Elle entreprit des étirements.

Conner s'assit par terre et commença à feuilleter le journal.

Escalader la tour était plus facile à dire qu'à faire. Après en avoir fait le tour pour trouver un premier point d'appui, Alex comprit pourquoi une longue natte de cheveux dorés était nécessaire pour arriver jusqu'au sommet. Au bout d'un certain temps, elle trouva une entaille suffisamment profonde pour y mettre un pied et commencer l'ascension.

– J'y vais, dit Alex. Oh, comme j'aurais aimé avoir un appareil photo !

– Crois-moi, fit Conner, la *véritable* Alex ne voudrait pas avoir de preuve de ça.

C'était comme si elle grimpait le mur d'escalade le plus difficile du monde. Elle dépendait de fissures, d'entailles et de briques inégales qui dépassaient juste assez pour y poser pieds et mains. Elle allait lentement mais sûrement. Si elle avait été plus grande, elle n'aurait jamais réussi.

– Tu es encore tout en bas ? dit Conner en levant les yeux du journal au bout de quelques minutes.

– Tais-toi ! répliqua sa sœur.

– Je dis ça, je dis rien. Mais à l'allure où tu vas, maman aura quatre-vingts ans quand on rentrera à la maison, même s'il n'y a pas de différence temporelle entre les deux mondes, ajouta-t-il.

Au bout d'un moment, Alex commença à s'habituer à grimper et elle put accélérer l'allure, en s'aidant du lierre. Plus elle montait, moins elle regardait vers le bas, de peur que cela ne la décourage.

Elle était tellement décidée à arriver au sommet, à se tenir dans la pièce où Raiponce avait vécu, à voir ce que Raiponce avait vu par sa fenêtre jour après jour... Elle voulait être là où quelqu'un d'autre avait vécu les années les plus solitaires de sa vie.

Alex avait toujours pu facilement s'identifier à Raiponce. Elle avait elle-même l'impression d'être dans une tour et de regarder le monde d'un lieu inatteignable.

Elle avait presque atteint la moitié de la tour et dépassait maintenant la cime des arbres de la forêt. Un seul faux pas lui causerait non pas une blessure, mais la mort.

– La sorcière avait une raison de mettre Raiponce là-haut, tu sais! cria Conner. Pour que personne ne puisse l'atteindre!

– Je ne t'écoute pas, dit Alex puis, bêtement, elle regarda vers le bas.

Des gouttes de sueur perlèrent sur son front. Elle avait l'impression que son cœur s'était arrêté de battre. Qu'était-elle en train de faire? Il n'y avait pas moyen de redescendre. Était-elle vraiment en train de risquer sa vie pour regarder à l'intérieur d'une tour? Si jamais elle arrivait jusqu'au sommet, arriverait-elle à redescendre? Allait-elle devoir attendre que ses cheveux poussent suffisamment pour revoir quiconque?

Qu'allait faire Conner si elle se retrouvait coincée là-haut? Allait-il essayer de trouver l'équivalent des pompiers dans le pays des contes de fées, pour qu'ils apportent une échelle suffisamment grande? Ou allait-il chercher les éléments nécessaires pour le Sortilège des Vœux et rentrer à la maison sans elle?

Plus Alex s'inquiétait, plus elle grimpait. Elle savait que cela ne servait à rien de se faire du souci et de rester immobile, alors elle poursuivit son escalade. Il lui semblait que des heures s'étaient écoulées.

Elle leva les yeux. Elle n'était plus qu'à quelques mètres de la fenêtre! Enfin, elle sentit le rebord sous ses doigts et s'y agrippa pour se hisser puis passer par l'encadrement... elle y était presque...

Alex bascula le haut de son corps par la fenêtre et se retrouva dans la tour.

*Dieu merci!* pensa-t-elle. Elle était peut-être coincée dans la tour, mais au moins elle était en sécurité.

Elle regarda autour d'elle. La pièce ne ressemblait pas du tout à ce qu'elle s'était imaginée. Elle était spacieuse et circulaire, sans aucun meuble ni décoration. Elle était même tout à fait vide, excepté un peu de paille et des fientes d'oiseaux sur le plancher.

– Coucou Alex! dit une voix dans la tour.

Alex poussa un cri en sursautant. Elle était complètement abasourdie de retrouver Conner assis contre le mur en face d'elle.

– Tu en as mis du temps pour arriver jusqu'ici! dit-il en riant.

Il mangeait une pomme et le journal était ouvert sur ses genoux.

– Comment diable as-tu réussi à monter jusqu'ici? demanda Alex. Elle était encore essoufflée par l'ascension.

– J'ai pris l'escalier, dit Conner en souriant moqueusement. Je lisais le journal. Il dit qu'après que Raiponce est devenue reine, elle a installé un escalier dans la tour pour pouvoir y revenir quand elle le voulait. La porte de l'escalier était de l'autre côté de la tour. On l'avait juste ratée.

– Ah... dit Alex piteusement. Ce n'est pas idiot.

– Apparemment, comme Raiponce était la seule pupille de la sorcière, elle a hérité de toutes ses terres à sa mort. C'est comme ça qu'elle est devenue reine, lui expliqua son frère. Mais tu aurais su tout cela si tu avais lu le journal. Il y a plein d'anecdotes amusantes et de conseils utiles sur comment pénétrer dans des endroits difficiles.

– J'imagine, dit Alex en remettant son serre-tête en place.

Elle n'allait pas laisser quoi que ce soit lui gâcher le sentiment de réussite d'avoir escaladé la tour. Elle se tourna pour regarder par la fenêtre de Raiponce.

La tour était entourée d'arbres. Au loin, Alex apercevait à peine les toits d'un minuscule village. Plus loin encore, elle voyait une grande chaîne de montagnes qui occupait tout l'horizon. Enfin quelque chose qui était exactement comme elle l'avait imaginé !

– Il y a une sacrée vue d'ici, n'est-ce pas ? remarqua son frère.

– Oui, dit-elle pratiquement en murmurant. C'est époustouflant. J'aimerais tellement pouvoir voir tout le Pays des contes. Mais j'ai beaucoup réfléchi en grimpant jusqu'ici, et je sais qu'on doit rentrer à la maison. C'est à ça qu'on doit penser.

– À ce sujet, reprit Conner, tu dois vraiment lire ça, Alex. Je n'ai fait que le feuilleter – j'ai parfois du mal à déchiffrer l'écriture – mais la situation est beaucoup plus grave qu'on ne le pensait.

Il lui tendit le journal. Alex s'assit à côté de lui, l'ouvrit à la première page et commença à le lire.

Chers amis,

Je ne sais pas où, pourquoi ou comment vous avez trouvé ce journal, mais puisqu'il est maintenant en votre possession, j'espère qu'il vous sera utile.

Ce que je vais vous dire va vous sembler insensé, mais laissez-moi vous expliquer. Si je ne l'avais pas vu de mes propres yeux, je ne l'aurais pas cru.

Je ne suis qu'un homme simple d'un village ordinaire du Royaume charmant, mais je suis allé dans un autre monde. J'y ai vu des gens et des techniques dont notre monde ne peut que rêver, et des lieux qu'on ne peut qu'imaginer. Je sais que cela peut vous sembler absurde, mais je vous assure qu'il existe un lieu extraordinaire quelque part. Seulement, nous ne pouvons pas le voir.

Pendant mon séjour là-bas, parmi les nombreuses choses que j'ai pu découvrir, il en est une que je n'attendais pas : l'amour. Je suis tombé amoureux si profondément que cela ne ressemblait à rien que j'aie jamais connu.

Je n'ai jamais cru qu'un amour de ce type pouvait réellement exister. C'est comme si je ne vivais plus pour moi-même, mais pour elle. C'est pourquoi je dois trouver une manière d'y retourner. Je dois trouver une façon de la revoir.

La première fois que j'ai voyagé jusqu'à l'autre monde, c'était très simple. Une fée qui en connaissait l'existence m'a autorisé à voyager avec elle. Elle m'a averti qu'il ne fallait pas que je m'attache à quoi ou qui que ce soit. Bien que mon cerveau ait entendu cet ordre, mon cœur m'a trahi.

Depuis, la fée m'a interdit de voyager avec elle. Cette fois, je dois trouver une manière de retourner dans l'autre monde par moi-même.

Bien entendu, je ne savais pas par où commencer. Comment s'y prend-on pour voyager vers un autre monde ? Qui pouvais-je consulter ? Comment pouvais-je même poser la question sans être pris pour un fou ? La société cendrillonaise est très conservatrice, et j'aurais été sans doute raillé si l'on avait découvert le but de ma mission.

J'en suis arrivé à la conclusion que je devais m'adresser à quelqu'un qui était fou à sa manière, pour que personne ne puisse le croire s'il répétait ce que j'étais venu lui demander.

J'ai pensé qu'une telle personne n'existait pas, et j'ai perdu espoir, jusqu'à ce que je me souvienne du Troqueur ambulant. On disait de lui qu'il trouvait des enfants naïfs dans les bois et qu'il troquait des objets qui avaient de la valeur pour eux en échange d'objets qui, prétendait-il, possédaient des pouvoirs magiques. On disait que c'était lui qui avait donné le haricot magique à Jack.

Si une personne avait entendu parler de l'autre monde, ce devait être lui. Il se déplaçait sans cesse, car il y avait des mandats d'arrêt à son encontre dans tous les royaumes. Il était presque impossible de le retrouver, mais en même temps ma quête tout entière était presque impossible.

Un soir, tard, je me suis arrêté à une taverne en remontant la rivière depuis chez moi. Là-bas, j'ai fait la connaissance de deux fermiers et j'ai commencé à leur offrir à boire.

Après avoir ri de nos aventures d'enfant ou de nos erreurs de jeunesse, je leur ai demandé s'ils avaient jamais entendu parler du Troqueur ambulant.

Ils devinrent tous deux silencieux et furent presque offusqués par ma question. Je leur assurais que c'était juste par curiosité, que je ne les accusais de rien. Je leur ai offert une nouvelle tournée et, après avoir bu leurs verres, les fermiers avouèrent qu'ils avaient fait affaire avec lui quelques années auparavant.

– J'ai échangé deux chèvres contre un arrosoir qui devait prétendument arroser tout seul par magie tous mes champs, dit l'un des fermiers. Ce sale truc n'a jamais fonctionné et il avait même une fuite ! Ça a été la plus grande erreur de ma vie.

– J'ai échangé deux vaches contre une oie qui, m'avait-il dit, pondait des œufs d'or ! prétendit l'autre. Mais c'était un mâle ! Il m'avait donné un jars !

Ils tentèrent de me dissuader de partir à sa recherche mais, après une dernière tournée, ils m'indiquèrent les chemins que le Troqueur empruntait secrètement.

J'ai dû chercher dans chaque endroit boisé du Royaume charmant. Enfin, dans les bois juste au sud de la frontière avec le Royaume du Petit Chaperon rouge, je le trouvai.

Le Troqueur ambulant était un homme âgé, bizarre et échevelé. Il portait plusieurs couches de vêtements usés et avait une longue barbe grise. Il avait des cernes et un de ses yeux avait tendance à loucher vers la gauche, il était donc difficile de voir ce qu'il regardait ou à qui il s'adressait.

Il voyageait dans une grande charrette tirée par une mule. Il était en train de faire affaire avec un petit enfant qui tenait un poulet quand je l'ai aperçu la première fois.

– Porte cette griffe d'ours et tu deviendras le plus fort de ton village quand tu grandiras, dit le Troqueur, puis il lui passa autour du cou un collier avec une grande griffe d'ours et prit le poulet des mains de l'enfant.

Le garçon sourit et s'en alla en sautillant. Le Troqueur mit le poulet à l'arrière de sa charrette. Il avait dû faire d'autres affaires ce jour-là, car il avait déjà collecté deux oies et un cochon.

– Êtes-vous un ami ou un ennemi ? me demanda le Troqueur.

– Un ami, je crois, dis-je.

– Ah, tant mieux ! dit-il en se frottant les mains avec gaieté. Que puis-je faire pour vous, l'ami ? Voulez-vous un sac de galets magiques qui se transforment en rochers ? Cela ne vous en coûtera qu'un canard ! Ou peut-être préférez-vous échanger un porc contre une miche de pain qui vous rassasiera à vie ?

– Non, merci, dis-je avec précaution. Je suis venu pour vous demander conseil.

– Conseil ? répéta le Troqueur en levant le sourcil de son œil fou. C'est quelque chose, mon ami, que personne ne m'avait encore jamais demandé. Que voulez-vous savoir ?

– Je me demandais… commençai-je, sans savoir comment exprimer la chose. Quelle est la plus grande distance que vous ayez jamais parcourue ?

Le Troqueur se gratta la barbe et réfléchit un moment.

– Eh bien, je peux vous dire franchement qu'il n'y a pas un endroit dans ce monde où je ne sois allé, répondit-il. J'ai voyagé du sud-ouest au nord-est, et du sud-est au nord-ouest. Je suis allé du fond du Royaume du coin jusqu'au sommet du Royaume endormi, et du bout de l'Empire des elfes à la côte du Royaume des fées…

– Et plus loin que ça ? dis-je en l'interrompant, de peur qu'il ne continue à faire la liste de chaque voyage qu'il avait entrepris.

– Plus loin que ça ?

Le Troqueur levait à présent les deux sourcils.

– Qu'est-ce qui peut être plus loin que ça ? Il n'y a que l'océan au-delà, c'est tout.

– Et un autre monde ? Avez-vous jamais entendu parler d'un autre monde ou de comment y aller ? demandai-je enfin.

Les yeux du Troqueur, ou plutôt son œil, prirent une expression bizarre.

– Jeune homme, j'ai parcouru toute la terre et je n'ai jamais rien vu qui suggère qu'il en existe une autre, dit-il.

Notre conversation commençait à l'agacer, alors il monta sur sa charrette et prit les rênes de sa mule.

– Attendez ! Ne partez pas ! criai-je.

– Vous, les jeunes, vous prenez toujours plaisir à persécuter un vieil homme. Eh bien, je ne vous laisserai pas faire, dit-il.

Il allait repartir. J'étais si désespéré que je me suis mis devant sa mule, qui faillit me piétiner.

– Je ne vous veux aucun mal, vieillard ! insistai-je. Vous ne comprenez pas ! Je suis allé dans un autre monde, dans un autre espace-temps, et j'ai vu des choses extraordinaires ! Je dois y retourner ! C'est sans doute le vœu le plus important que je formulerai jamais.

J'étais à genoux et écartais les bras. J'avais l'impression d'être un crétin, en train de confesser un besoin ridicule à un homme ridicule.

Le Troqueur resta assis, immobile, me fixant avec son bon œil.

– Est-ce vraiment votre vœu le plus sincère ? dit-il.

– Oui ! m'exclamai-je. De ma vie, je n'ai jamais eu de vœu aussi vif.

– Si c'est un souhait que vous désirez, il n'y a qu'une chose dont vous ayez besoin, dit-il.

– Qu'est-ce donc ? demandai-je.

– Le Sortilège des Vœux, répondit le Troqueur.

Au début, j'ai cru qu'il plaisantait.

– Le Sortilège des Vœux ? répétai-je. Vous voulez parler de cette légende ?

– Elle est aussi vraie que mon nez sur ma figure, me dit-il. Beaucoup de personnes ont passé leur vie à essayer de l'obtenir. D'après ce qu'on dit, si vous collectez une série d'objets et les placez les uns à côté des autres, votre souhait le plus cher sera exaucé.

Je ne savais pas s'il fallait le croire ou non. Peut-être que c'était *lui* qui se moquait de moi à présent. Mon cerveau doutait, mais mon cœur voulait en savoir davantage.

– Et comment faire pour trouver ces objets ? demandai-je.

– Je n'en ai pas la moindre idée.

Je perdis patience. Toutes ces explications pour rien ! Je lui tournai le dos et je m'apprêtai à partir pour rentrer chez moi.

– Mais je connais quelqu'un qui le sait ! cria le Troqueur derrière moi.

– Qui ?

– Je ne commerce jamais gratuitement, dit le Troqueur en tendant la main.

J'ai mis quelques pièces d'or dans sa main. Comme il gardait la
main tendue, j'en ai ajouté jusqu'à ce qu'il soit satisfait.

– Elle s'appelle Hagatha, dit le Troqueur.

– Où puis-je la trouver ? demandai-je.

– Prenez ce chemin vers l'ouest en direction des Forêts des
nains, passez trois rochers, puis suivez la fumée, répondit-il.

Il ne me donna pas plus d'instructions. Il attrapa les rênes de sa
mule et s'en alla.

Si j'avais eu l'esprit clair, j'aurais couru derrière lui pour avoir des
indications plus précises, mais au lieu de cela j'ai couru en direction
des Forêts des nains.

Je n'y avais jamais pénétré jusque-là. On m'avait parlé de ses
dangers depuis mon enfance, et ce n'est qu'une fois dans la forêt que
j'ai compris pourquoi. Les arbres étaient si gros et rapprochés les
uns des autres que vous n'auriez pas pu apercevoir quelqu'un qui se
tenait à un mètre de vous.

Il me fallut deux jours pour trouver les trois rochers dont avait
parlé le Troqueur.

Il s'agissait de trois grosses pierres qui s'élevaient du sol et
penchaient bizarrement. J'ai pensé qu'elles pointaient vers quelque
chose, alors j'ai baissé la tête pour voir leur orientation.

Les rochers pointaient vers deux arbres suffisamment séparés
pour qu'on vît clairement le ciel, et dans ce bout de ciel je pus distin-
guer de la *fumée* !

J'ai couru en direction de la fumée. Je ne savais pas d'où elle provenait, mais c'était hors du chemin, et j'ai failli me blesser sérieusement en enjambant des arbustes et des racines pour m'en
approcher.

De temps en temps, j'arrivais à voir le ciel entre les branches et je pouvais vérifier ma direction. J'ai dû tourner en rond pendant des heures. Chaque fois que je croyais avoir trouvé l'origine de la fumée, le vent la poussait dans une autre direction.

J'étais perdu. Partout où je tournais la tête, tout se ressemblait. J'avais l'impression que la forêt m'avait englouti.

Le soleil allait se coucher et il était de plus en plus difficile de deviner la fumée. J'ai commencé à prendre peur. Je ne voyais nulle part où trouver refuge. J'étais sûr que j'allais servir de festin à une bête féroce à la nuit tombée.

J'ai recommencé à courir. Je n'arrivais pratiquement plus à voir où j'allais. Je pouvais entendre des hurlements au loin. Tout à coup, j'ai trébuché et je suis tombé dans un buisson de ronces.

J'ai atterri durement sur l'herbe de l'autre côté du buisson. J'avais des égratignures et je saignais.

Je me suis relevé et j'ai regardé autour de moi. J'étais dans une grande clairière ceinte d'un épais mur de ronces. Au milieu de cette clairière se trouvait une petite hutte avec un toit de chaume et une cheminée en brique de laquelle sortait de la fumée que j'avais suivie.

C'était donc normal que j'aie eu du mal à la trouver : je lui avais tourné autour sans voir qu'elle était cachée derrière les ronces !

Je me suis approché lentement de la hutte. Il y avait une porte et deux fenêtres, c'était tout. J'allais frapper à la porte, mais elle s'ouvrit soudain.

– Qui êtes-vous ? demanda la femme qui émergea de la hutte.

Je sus aussitôt que c'était Hagatha. Elle ressemblait à une souche d'arbre qui aurait pris forme humaine. Elle était de petite taille et portait un manteau marron avec une capuche. Son visage était cerclé de rides profondes, et un de ses yeux était plissé.

Elle avait un des plus petits nez que j'aie jamais vus, accompagné d'un énorme grain de beauté.

– Êtes-vous Hagatha ? demandai-je.

– Comment m'avez-vous trouvée ? dit-elle sèchement.

– J'ai trébuché dans les ronces, répondis-je.

– Mais comment saviez-vous que j'étais ici ? insista-t-elle.

Son œil plissé se plissa encore davantage.

– Le Troqueur ambulant, expliquai-je. Il m'a dit que vous connaissiez le Sortilège des Vœux.

Hagatha grogna et soupira en même temps. Ses lèvres se pincèrent et elle me regarda des pieds à la tête. À contrecœur, elle me fit signe de la suivre.

– Entrez, entrez ! dit-elle.

L'intérieur de la hutte était un chaos indescriptible. On trouvait partout des fioles avec des liquides bizarres qui pétillaient, luisaient ou encore fumaient. Des dizaines de bocaux en verre contenaient les choses les plus curieuses : des reptiles morts ou vifs, toutes sortes d'insectes, et il y avait même un bocal rempli de globes oculaires. Même si je savais que c'était impossible, j'aurais juré que l'un d'eux venait de me faire un clin d'œil.

J'étais surpris de trouver autant d'animaux dans la hutte : oies, poules, colibris, singes, tous en cage. Ils étaient agités, sans doute parce qu'ils étaient emprisonnés.

– Asseyez-vous, ordonna Hagatha.

Elle m'indiqua une chaise au bout d'une table si large qu'elle occupait presque toute la hutte.

– Je vois que vous êtes une sorte de collectionneuse, dis-je.

Elle n'avait pas envie de faire la causette. Elle ignora ma remarque et chercha quelques éléments dans la pièce, un bol ici, une fiole là.

– C'est une bonne idée d'avoir ces ronces autour de votre maison, continuai-je. Cela doit éloigner la plupart des visiteurs dont on ne veut pas.

– La plupart, répéta-t-elle en me lançant un regard furieux. Ces ronces viennent du Royaume endormi. Je les ai plantées ici et elles ont poussé autour de ma maison en un cercle parfait, tout comme elles poussaient autour du château quand la princesse était plongée dans son sommeil qui dura un siècle. Vous êtes le premier à passer à travers.

– Je vous demande pardon…

– Ça vous coûtera quinze pièces d'or, m'interrompit Hagatha en s'asseyant face à moi.

– Pour faire quoi ? demandai-je.

– Vous voulez savoir quels sont les éléments du Sortilège des Vœux, c'est bien ça ? demanda-t-elle. C'est pour ça que vous êtes là, n'est-ce pas ?

J'ai mis la main à la poche et j'ai posé toutes les pièces qui me restaient sur la table. Malheureusement, après mon affaire avec le Troqueur, je n'avais plus assez d'argent.

– Je n'ai que quatorze pièces, dis-je.

Hagatha n'avait pas l'air contente.

– Les jeunes, quels idiots, avec leurs souhaits. Très bien, dit-elle en ramassant toutes les pièces d'un seul geste.

Elle plaça un bol devant elle et vida le contenu de deux fioles : un liquide rouge, l'autre bleu.

– Un œil d'aigle, des ailes de lutin et un cœur de triton, dit Hagatha en versant ces ingrédients dans le bol. Ajoutez trois gouttes de sang de géant, l'orteil d'un ogre et une paille de foin d'or. La potion est prête.

Le liquide dans le bol commença à fumer et à luire. Hagatha se pencha et huma. Elle ferma les yeux et se perdit un moment dans de profondes pensées.

– Cette potion vous dit-elle ce qu'il y a dans le Sortilège des Vœux ? demandai-je.

– Non, mais elle m'aide à m'en souvenir, dit Hagatha. Vous n'êtes pas le premier, et vous ne serez pas le dernier à me demander la liste des éléments nécessaires. Soyez prévenu : de nombreuses personnes ont trouvé la mort en cherchant à acquérir ces éléments. On ne peut pas les collecter.

– Je préfère mourir en tentant ma chance que de vivre le reste de ma vie en me demandant si j'aurais pu y arriver, répondis-je.

– Alors écoutez bien ce que je vais vous dire, parce que je ne le dirai qu'une fois, dit Hagatha.

Je me suis penché vers elle autant que possible. L'attente était telle que chaque seconde semblait interminable. J'avais fait tout ce chemin pour ça…

– Il y a huit éléments, commença Hagatha.

Elle respira profondément et me donna la liste :

*Le ver qui révéla celle qui fuit, juste avant le dernier coup de minuit.*

*Un sabre des profondeurs, pour d'un fiancé percer le cœur.*

*L'écorce d'un panier pris comme bouclier, contre une gorge enragée.*

*Une lourde couronne de pierre, partagée au fin fond d'une sauvage tanière.*

*L'aiguille du rouet maudit, qui d'une princesse le sang trahit.*

*Une mèche tressée de corde dorée, jadis symbole de liberté.*

*Brillants joyaux plus beaux que l'or, pour préserver d'une fausse mort.*

*Les larmes d'une jeune fée, ni enchantée ni amusée.*


J'ai répété la liste dans ma tête pendant tout le chemin de retour, puis j'ai retranscrit le Sortilège des Vœux et mon périple dans ce journal jusqu'à aujourd'hui. Je ne sais pas si je vais réunir ces éléments, mais mon but est de les trouver et de conter comment j'ai procédé, au cas où il me faille recommencer.

Si vous lisez ceci, j'espère que cela signifie que j'ai réussi. Si vous êtes vous-même sur le point de commencer votre propre quête, je vous souhaite bonne chance.


– Incroyable, dit Alex en relevant la tête.

– Tu l'as dit, ajouta Conner. Tu sais lire super vite.

– Tu as lu la suite? demanda sa sœur. A-t-il trouvé tous les éléments? A-t-il réussi à retourner dans notre monde?

– Je ne sais pas. Il manque beaucoup de pages.

Alex réexamina rapidement la liste des éléments du Sortilège des Vœux. Elle ne s'attendait pas à ce qu'ils soient cachés dans des énigmes.

– La plupart de ces éléments sont plutôt faciles à interpréter, dit-elle. Comme «L'aiguille du rouet maudit, qui d'une princesse le sang trahit». C'est évidemment le fuseau du rouet de la Belle au bois dormant.

– Et «Une mèche tressée de corde dorée jadis symbole de liberté», continua Conner, c'est une mèche des cheveux de Raiponce!

Conner regarda autour de lui. Entre deux planches au sol, il ramassa une longue mèche de cheveux dorés.

– J'ai trouvé une mèche! s'exclama-t-il. L'une des choses que j'ai tout de suite remarquées en montant ici, c'est la quantité de cheveux que perdait cette Raiponce! On a fait un huitième du chemin pour rentrer à la maison!

Alex enveloppa soigneusement la mèche de cheveux dorés dans un mouchoir qu'elle sortit de son cartable.

– À ton avis, que signifie «Le ver qui révéla celle qui fuit, juste avant le dernier coup de minuit»?

– Je sais! s'écria Conner. C'est la pantoufle de Cendrillon!

– Bien sûr! reprit Alex. La liste a été dictée. Hagatha voulait dire «verre» la matière, pas l'animal, l'homme a juste mal entendu! Conner, tu es un génie!

– Ce n'est pas le même mot? demanda Conner, mais Alex poursuivit sa réflexion.

– Je me demande ce que signifie «L'écorce d'un panier pris comme bouclier contre une gorge enragée», reprit-elle en réfléchissant de toutes ses forces. Panier, panier, panier... enragée, enragée, enragée... Le Petit Chaperon rouge! Son panier avait dû être fait en écorce! Et la «gorge enragée» fait référence au Grand Méchant Loup!

– D'accord, dit Conner. Ça a du sens.

Alex se leva et commença à faire les cent pas dans la tour.

– «Brillants joyaux plus beaux que l'or pour préserver d'une fausse mort.» Celle-là n'est pas facile. Quelle était cette *fausse mort*?

– Les gens ne croyaient-ils pas que Blanche-Neige était morte après avoir croqué la pomme empoisonnée?

– Oui, c'est ça! dit Alex en sautillant. On lui a fabriqué un cercueil en verre décoré des pierres précieuses des mines des nains! Ce doit être ça!

– Je suis si content que papa et grand-mère nous aient lu toutes ces histoires quand on était petits, dit Conner. Qui aurait cru que ça nous serait un jour si utile?

– « Une larme d'une jeune fée ni enchantée ni amusée. » J'imagine qu'il faudra qu'on trouve une fée qui vient de rompre avec son petit ami ou quelque chose comme ça, présuma Alex.

– Tu ne crois pas qu'on pourrait lui donner un coup de pied pour la faire pleurer ? demanda son frère. Ça me semble plus facile.

Alex ne l'écouta pas et parcourut rapidement à nouveau le journal.

– Pantoufle de verre ? OK ! Fuseau ? OK ! Cercueil ? OK ! dit-elle. D'après les remarques annotées dans la marge, l'auteur du journal semble être d'accord avec nos hypothèses. Mais je ne sais toujours pas ce que signifient certains des éléments, comme : « Un sabre des profondeurs pour d'un fiancé percer le cœur », ou : « Une lourde couronne de pierre, partagée au fin fond d'une sauvage tanière. ».

– Comme je le disais : il manque beaucoup de pages, dit Conner.

Alex était découragée. Les éléments qu'ils connaissaient semblaient presque impossibles à réunir, sans parler de ceux qu'ils ne connaissaient pas. Elle se posta à la fenêtre et regarda le paysage. Le soleil allait se coucher et, l'un après l'autre, les feux de cheminée du village près de là s'étaient allumés, provoquant des traînées de fumée dans le ciel qui s'assombrissait.

– Et si nous interprétions mal ces énigmes ? demanda-t-elle. Si nos hypothèses étaient fausses ? Si l'auteur du journal avait mal deviné ? S'il n'avait jamais réussi à retourner dans notre monde ? S'il était mort au cours de sa quête ?

– On va devoir faire de notre mieux, dit Conner en rejoignant sa sœur à la fenêtre. Une petite fille agaçante m'a dit un jour qu'on gagnait toujours à être optimiste, et elle a souvent raison dans ce domaine.

Alex fit un petit sourire de connivence à son frère.

– Bon, d'accord, dit-elle. Jusqu'ici, on a réussi à trouver une mèche de cheveux de Raiponce. Il nous faudra la pantoufle de Cendrillon, le fuseau de la Belle au bois dormant, des joyaux du cercueil de Blanche-Neige, de l'écorce du panier du Petit Chaperon rouge, une larme de fée et deux autres éléments que l'on ignore encore totalement.

Conner eut la gorge serrée en écoutant cette liste. Tous deux regardèrent l'horizon et l'étendue de forêt qui entourait la tour. Quelque part, au-dehors, tous ces objets attendaient d'être trouvés.

– On dirait qu'on va visiter davantage le Pays des contes qu'on ne le pensait, dit Conner.

## CHAPITRE 8

# UN LIEU CACHÉ

L'extrémité nord du Royaume endormi était un lieu vide et laid, connu pour ses arbres dégarnis, ses chemins cahotants et ses falaises hautes et dangereuses. Des petits cailloux épars rendaient presque impossible tout voyage en carosse. Même s'il pleuvait régulièrement, rien ne poussait, ce qui expliquait l'absence totale de vie animale.

Au milieu de cet endroit sec et déserté se trouvait un petit château entouré de douves vides et profondes. Fait de briques sombres, avec des portes en bois, il était vieux et à l'abandon depuis des années. Personne ne savait qui l'avait construit, ni pourquoi, mais il était vrai, aussi, que très peu de personnes connaissaient son existence.

L'intérieur du château était couvert d'une épaisse couche de poussière. De vieilles toiles d'araignées couvraient tous les rebords des fenêtres mais il n'y avait même plus d'araignées. Toutes les pièces et les couloirs étaient vides, hormis une chaise ou une table délabrée dans un coin ici et là.

Un grand hall constituait l'aile ouest du château. D'immenses fenêtres couraient le long de la salle, laissant entrer beaucoup de lumière, mais elles étaient si vieilles que les vitres déformaient la vue du monde extérieur.

Le château ne pouvait pas être un lieu plus inhospitalier. Mais, pour une certaine femme, c'était l'endroit idéal pour se cacher.

La Méchante Reine avait réussi, on ne sait comment, à s'échapper du donjon du palais de Blanche-Neige. Elle avait pu s'emparer de son Miroir Magique et se réfugier là où elle savait qu'on ne la trouverait jamais. Le château était le parfait sanctuaire d'où elle pouvait terminer l'œuvre qu'elle avait commencée tant d'années auparavant.

La Méchante Reine n'était pas étrangère à ces lieux. Au cours du dernier siècle, de nombreuses personnes étaient venues au château, mais il n'y avait qu'elle et quelques autres qui avaient eu la chance de pouvoir le quitter, y compris un homme que l'ancienne reine n'avait pas vu depuis un bon moment.

Elle lui avait récemment fait passer un message, lui demandant de lui venir en aide. Elle l'attendait, sachant qu'il arriverait bientôt, car il lui devait la vie.

La Méchante Reine se tenait devant son Miroir Magique, les paumes ouvertes et les yeux clos. Elle était plutôt calme, pour la femme la plus recherchée du monde. À sa droite, sur un petit tabouret, était posé le cœur de pierre dont elle ne se séparait jamais.

Même si c'était un des objets les plus tristement célèbres de tous les royaumes, très peu de gens avaient vu le fameux Miroir Magique.

Beaucoup croyaient qu'il était fait de matériaux très riches, comme de l'or et des diamants, et que son verre était si pur qu'on aurait juré qu'on pouvait le traverser.

En réalité, le miroir était grand et large, avec un cadre noir surmonté d'un arc en accolade et bordé de vignes enlacées en fer forgé qui formaient comme une tresse. Le reflet était trouble, telle une porte en verre menant vers un lieu très froid et brumeux. Alors que l'air était très sec, des gouttes d'eau suintaient de la glace.

La Méchante Reine ouvrit les yeux et regarda au fond du miroir.

– Miroir, mon beau miroir, dis-moi quand le Chasseur viendra me voir ? demanda-t-elle.

Le fantôme d'une silhouette masculine apparut dans le reflet. Il parla lentement et doucement, d'une voix basse et rauque :

*Pendant que ma reine attend un vieil ami,*
*Le Chasseur se trouve très près d'ici.*

Le fantôme dans le miroir disparut peu à peu. Quelques instants plus tard, quelqu'un frappa trois coups sonores aux portes du grand hall.

– Entrez, dit la Méchante Reine.

Les portes s'ouvrirent dans un affreux grincement et un homme pénétra dans le hall. Il était grand, avait les épaules larges, et commençait à se faire vieux. Il portait des peaux de plusieurs animaux et boitait de la jambe droite. Sa barbe châtain clair grisonnait. Il portait une arbalète sur le dos et un grand couteau de chasse était accroché à sa taille.

– Mon Chasseur est revenu, dit la Méchante Reine.

L'homme s'approcha de la souveraine.

– Je n'avais pas vu votre visage depuis longtemps, dit-elle, mais j'ai toujours peine à supporter votre vue.

Le Chasseur s'agenouilla devant la reine et sanglota à ses pieds.

– Votre Majesté, gémit l'homme, veuillez me pardonner de ne pas avoir été à la hauteur, car je ne me le suis jamais pardonné !

La Méchante Reine l'observait, le regard froid. Elle n'éprouvait plus aucune compassion pour quiconque.

– Après tout ce que vous aviez fait pour moi, tous vos actes de miséricorde à mon égard, je n'ai pas pu tuer la princesse dans la forêt, continua l'homme. Et voyez toutes les souffrances que cela vous a causées. Si seulement j'avais fait ce que vous m'aviez ordonné, vous seriez encore reine !

Elle le laissa pleurer lamentablement pendant encore un moment et ne fit aucun geste de grâce. Il méritait sa souffrance.

Elle s'écarta du Chasseur et regarda par une fenêtre la terre désolée qui les entourait.

– Vous et moi avons été prisonniers de ce château, autrefois, dit la Méchante Reine. Je n'ai jamais cru qu'un jour il deviendrait mon seul refuge.

– Vous m'avez sauvé. Je serais sûrement mort ici, sans vous. C'est pourquoi je vous avais juré que je ferais tout mon possible pour vous aider dans votre quête. Mais je vous ai fait défaut...

– Et après tout ce temps, ma quête n'a pas changé. Alors séchez vos larmes, vieil ami. Je vous ai appelé ici pour vous donner une chance de vous racheter.

Elle le rejoignit et posa doucement une main sur sa joue. Le Chasseur cessa alors de pleurer et leva de grands yeux tristes vers elle.

– Me racheter ? demanda-t-il. Vous voulez dire, Majesté, que vous me donnez encore une chance de vous servir après ce que j'ai fait ?

Ses larmes coulèrent de plus belle et il recommença à sangloter.

– Que le monde soit maudit pour oser dire que vous êtes rien de moins qu'une sainte ! Je tuerais quiconque salit votre nom si je le pouvais !

– Ce ne sera pas nécessaire. J'ai une autre tâche pour vous. Elle nécessitera beaucoup de voyages que je ne puis faire moi-même, étant la fugitive la plus recherchée du monde. C'est pourquoi je vous ai appelé.

Le Chasseur se calma et baissa la tête de honte.

– Votre Altesse, dit-il, je suis maintenant trop vieux pour voyager. J'arrive à peine à marcher.

La Méchante Reine le regarda, courroucée.

– Espèce d'imbécile ! dit-elle en haussant la voix. Vous avez fait tout ce voyage pour me dire que vous ne m'êtes d'aucune utilité ?

Le Chasseur se releva péniblement.

– Pas du tout, ma reine, dit-il. Laissez-moi vous expliquer. Je suis bien trop vieux pour vous servir, mais ma *fille* en est capable et souhaite vous aider à terminer ce que je n'ai pas pu faire moi-même.

– Votre fille ?

Les portes à l'autre bout du hall s'ouvrirent à nouveau. Cette fois, une femme y pénétra en tirant un gros chariot derrière elle. Elle était grande et mince, avec des cheveux si rouges qu'ils semblaient presque violets et des yeux très verts. Ses vêtements étaient entièrement végétaux.

Le chariot qu'elle traînait contenait un objet large, carré et plat, protégé par un tissu en soie qui le recouvrait.

En l'apercevant, la Méchante Reine se rappela l'époque lointaine où elle l'avait rencontrée, lorsqu'elle était encore sur le trône. La fille du Chasseur, d'un tempérament timide, avait vécu avec son père dans le palais.

– Tu as grandi, lui dit-elle.

La fille du Chasseur hocha la tête.

– Parlez quand je vous adresse la parole ! tonna la Méchante Reine.

– Ma fille est muette, Votre Majesté, dit le Chasseur. Elle n'a jamais dit un mot de sa vie. Mais elle a beau être silencieuse, cela ne la rend pas moins capable de faire ce que vous lui demanderez. Elle vous a apporté un cadeau pour vous le prouver.

La fille du Chasseur extirpa l'objet du chariot avec précaution, puis le posa délicatement à côté du Miroir Magique de la reine avant de retirer le morceau de soie. C'était un miroir circulaire au cadre doré gravé de fleurs. Il était un peu plus petit que le Miroir Magique.

La Méchante Reine sut immédiatement de quoi il s'agissait.

– Le Miroir de la Vérité...

Elle l'avait acquis pendant son règne. C'était un autre miroir magique qui révélait l'âme véritable de celui ou celle qui se tenait devant lui.

– Comment l'avez-vous obtenu ?

– Elle s'est introduite dans le palais afin de le récupérer pour vous le rendre, répondit le Chasseur.

La Méchante Reine toucha le cadre du Miroir de la Vérité. Elle avait oublié les détails des gravures. Elle se retourna et se plaça devant la fille du Chasseur.

– Vous serez ma *Chasseuse*, décida la Méchante Reine.

La Chasseuse se prosterna et embrassa sa main.

– Quelle est la tâche qu'il faut accomplir, Votre Majesté ? demanda le Chasseur.

– L'un de vous a-t-il entendu parler du Sortilège des Vœux ?

Le Chasseur et la Chasseuse échangèrent un regard surpris.

– Non, ma Reine, répondit le premier. À moins que vous fassiez référence à cette vieille légende ridicule.

– Précisément, dit-elle. Je ne l'avais jamais prise au sérieux jusqu'à récemment, quand j'ai entendu un prisonnier en parler en marmonnant dans le donjon avant son exécution. D'après cette «légende ridicule», après avoir réuni une série d'objets spéciaux qu'on place les uns à côté des autres, on peut faire un vœu. Peu importe la complexité ou la simplicité du vœu: il est exaucé à coup sûr. Et, comme vous le savez, j'ai à un vœu à exaucer.

– Vous voulez donc que ma fille aille chercher ces éléments pour vous? demanda le Chasseur.

– Exactement, répondit la Méchante Reine. D'après ce que j'ai appris, la tâche est très difficile et risque de prendre du temps, mais si elle y arrive, je considérerai votre dette envers moi réduite.

Le Chasseur se tourna vers sa fille. Celle-ci hocha la tête.

– Très bien, dit-il. Elle le fera. Quels sont les objets que vous cherchez, ma reine?

Celle-ci se plaça devant son Miroir Magique, tendit les paumes et regarda au fond du verre.

– Miroir, mon beau miroir, que faut-il pour le Sortilège des Vœux appercevoir?

Le fantôme d'une silhouette réapparut.

*Le verre qui révéla celle qui fuit, juste avant le dernier coup de minuit.*

*Un sabre des profondeurs, pour d'un fiancé percer le cœur.*

*L'écorce d'un panier bouclier, contre un hurlement enragé.*

*Une lourde couronne de pierre, partagée au fin fond d'une tanière.*

*L'aiguille du rouet maudit, qui d'une princesse le sang trahit.*

*Une mèche tressée de corde dorée, jadis symbole de liberté.*

*Brillants joyaux plus beaux que l'or, pour préserver d'une fausse mort.*

*Les larmes d'une jeune fée, ni enchantée ni amusée.*

– Voilà, vous savez tout, dit la Méchante Reine au Chasseur et à la Chasseuse.

Mais le Miroir Magique n'avait pas terminé.

*Ma belle reine, il faut bien m'ouïr, car je dois vous avertir.*
*Vous donneriez tout pour un vœu mais ignorez que le Sortilège des Vœux*
*    n'existe qu'en deux.*
*Le sortilège ne peut plus se faire qu'une fois, car il a déjà été utilisé*
*    autrefois.*
*Alors que vous êtes terrée, un duo se meut dans ces contrées.*
*Un jeune frère et sa sœur collectent prestement, et dans la course au*
*    Sortilège des Vœux ils peuvent battre ma reine rapidement.*

Le fantôme dans le miroir disparut progressivement, laissant la reine alarmée par la pire des nouvelles. Non seulement d'autres cherchaient les objets dont elle avait besoin, mais s'ils les utilisaient avant qu'elle ne les collecte, le sortilège ne pourrait plus jamais fonctionner.

Elle ferma les yeux et réfléchit à ce qu'elle devait faire. Elle ne pouvait plus se permettre d'être malchanceuse. Après une vie de labeur, elle n'allait pas laisser deux enfants lui barrer la route.

– Je veux que vous commenciez à chercher les éléments, dit la Méchante Reine à la Chasseuse. Je m'occuperai moi-même du frère et de sa sœur. À présent, laissez-moi.

Le Chasseur et la Chasseuse firent une révérence et quittèrent le grand hall.

La Méchante Reine s'approcha du Miroir de la Vérité. Des années d'emprisonnement avaient affecté son apparence. Il était pénible pour elle de voir dans le reflet la femme âgée qu'elle était devenue.

Elle ramassa son cœur de pierre et l'examina attentivement, caressant ses côtés délicatement. Puis elle leva les yeux pour regarder le

Miroir de la Vérité. Cette fois, le reflet n'était pas celui de la femme échevelée qu'elle était devenue.

Le visage appartenait à une belle jeune femme au visage pâle et aux longs cheveux noirs. Elle portait une robe longue blanche, avec un ruban de la même couleur autour de la taille, et elle aussi tenait le cœur de pierre.

La fille souriait, mais la Méchante Reine ne sourit pas en retour. Elle connaissait très bien la fille dans le miroir, et ce n'était pas Blanche-Neige...

## CHAPITRE 9

## LE ROYAUME CHARMANT

Alex et Conner se réveillèrent juste après l'aube sur le plancher de la tour de Raiponce. Ils étaient emmitouflés dans les couvertures que leur avait données Grenouille et avaient utilisé leurs sacs en guise d'oreillers.

– Tu as passé une bonne nuit ? demanda Alex à son frère.

– Comme si j'avais dormi sur le plancher d'une tour, répondit Conner, pensant qu'il ne dénigrerait plus jamais son lit chez lui.

Il s'étira et son dos craqua.

Ils rangèrent leurs couvertures et décidèrent de se mettre en chemin de bonne heure. Alex tenait à ranger un peu la tour, pour la laisser en meilleur état qu'ils ne l'avaient trouvée.

– Je n'aimerais pas qu'on pense que c'est nous qui avons causé ce désordre, dit-elle.

Conner leva les yeux au ciel et s'assura qu'elle comprît sa réaction.

– Où va-t-on maintenant ? demanda-t-il.

Elle regarda la carte puis le journal, puis la carte à nouveau.

– Voyons voir, le Royaume charmant est juste à l'est, dit Alex. Je pense qu'il serait plus sage d'aller là-bas et de voir si on peut obtenir la pantoufle de Cendrillon.

– Et comment va-t-on s'y prendre ? demanda son frère.

Alex dut réfléchir.

– On n'a qu'à demander si on peut l'emprunter, décida-t-elle.

– C'est ça, oui... dit Conner. C'est comme si on rentrait dans la Maison-Blanche et qu'on demandait qu'on nous prête la Déclaration d'indépendance américaine.

Même si Conner ignorait qu'elle était exposée dans un tout autre bâtiment à Washington, Alex savait qu'il n'avait pas tort de s'inquiéter. Comment allaient-ils mettre la main sur l'une des pantoufles de Cendrillon ? Elles devaient faire partie des possessions les plus prisées du royaume.

– Il faudra faire de notre mieux, dit-elle. A-t-on une autre solution ?

Les jumeaux descendirent l'escalier en colimaçon au centre de la tour de Raiponce et reprirent leur route. Au bout d'un moment, ils atteignirent une bifurcation ; un panneau indiquait ROYAUME CHARMANT et fléchait un nouveau chemin vers l'est.

– Regarde le panneau, Conner ! s'écria Alex les mains sur les joues. J'aurais vraiment aimé avoir un appareil photo !

Ils continuèrent sur le nouveau chemin pendant un bon moment, sans découvrir rien de plus que la piste de terre et les conifères qu'ils avaient vus depuis deux jours. L'inquiétude de Conner alla en augmentant à mesure qu'ils marchaient. Il soupirait longuement toutes les deux minutes.

– Tu es sûre qu'on n'est pas perdus ? Je te jure que j'ai vu le même rocher et cet arbre au moins vingt fois déjà, dit-il en les montrant du doigt.

– Je suis certaine qu'on est dans la bonne direction, répondit sa sœur. J'ai regardé la carte depuis que nous sommes partis. On devrait bientôt arriver à une rivière, et dès que nous l'aurons traversée, nous serons dans le Royaume charmant !

Conner soupira à nouveau un bon coup.

Deux heures plus tard, il n'y avait toujours pas de rivière à l'horizon. Il commençait à douter des capacités d'orientation de sa sœur.

– Ce pays doit être plus grand qu'on ne le croyait, dit Alex. Ou alors cette carte n'est pas à l'échelle du tout.

Les jumeaux trouvèrent enfin la rivière indiquée sur la carte. Le chemin menait vers un petit pont fait de pierres blanchâtres.

– Tu vois ? Je t'avais dit que je savais ce que je faisais, dit Alex la tête haute.

– Ouais, ouais, ouais, maugréa son frère.

– Franchement, Conner, je suis un peu déçue par ton manque de confiance, dit-elle avec fierté. De tous les pays où je devrais pouvoir trouver mon chemin, c'est...

– *Grrrrrrrrrrr !*

Conner entendit le cri aigu de sa sœur avant même de comprendre ce qui était arrivé. Un troll avait bondi devant eux sur le pont. Il était petit et trapu avec une tête énorme affublée de grands yeux et d'un museau. Une épaisse fourrure recouvrait son corps ; ses bras et ses jambes étaient de petite taille, mais ses ongles et ses dents étaient longs et acérés.

– Vous êtes sur *mon* pont! cria-t-il. Comment osez-vous?

– Nous sommes vraiment désolés! dit Alex on s'agrippant à son frère comme un singe à une branche. Nous ne savions pas que ce pont appartenait à quelqu'un!

– Vous devriez peut-être mettre un panneau ou quelque chose, proposa Conner, mais il regretta aussitôt ses mots vu la réaction courroucée du troll.

– Que faites-vous sur *mon* pont?

– Nous voulons aller vers le Royaume charmant, dit Alex. On ne voulait pas vous faire de tort!

– Personne ne passe sur mon pont sans répondre à une devinette, dit le troll.

– Une devinette? répéta Alex en lâchant Conner. Ah! Vous êtes le Troll sous le pont!

– Un troll sous le pont? demanda Conner interloqué.

– Oui, comme dans *Les Trois Boucs et le Troll*! expliqua Alex avec gaieté.

Elle était tellement contente de faire une nouvelle rencontre de contes de fées qu'elle en oublia sa peur.

– Si vous voulez traverser, vous devez répondre correctement à ma devinette! répéta le troll. Mais si vous vous trompez, je vous croque la tête!

– Pardon? Vous nous croquerez la tête? demanda Conner, qui avait pratiquement de la fumée qui lui sortait des oreilles. Qu'avez-vous donc dans ce pays? Pourquoi est-ce que tous ceux qu'on rencontre veulent nous dévorer? Quelqu'un peut m'expliquer pourquoi ça nous arrive sans arrêt?

– Conner, calme-toi! Répondons à la devinette et poursuivons notre chemin.

– Et si on se trompe ? demanda son frère. Il va nous tuer ! Cherchons plutôt une autre façon de traverser la rivière...

– Ne sois pas ridicule ! Si un simple bouc peut répondre correctement à une devinette, je suis sûre qu'on y arrivera aussi, le rassura Alex. De toute façon, il n'y a pas d'autre pont à des kilomètres.

Conner grogna et croisa les bras.

– Comment pouvons-nous être sûrs que ce pont lui appartient, d'abord ? reprit Conner. J'aimerais bien voir un titre de propriété.

Alex ne fit pas attention à son frère.

– Quelle est votre devinette, monsieur Troll-sous-le-pont ? demanda-t-elle. Puis-je vous appeler monsieur Troll-sous-le-pont ?

La créature examina les jumeaux et se balança lestement en commençant sa devinette.

– Qu'est-ce qui peut être aussi minuscule qu'un petit pois, aussi grand que le ciel et n'appartient pas à la personne qui l'achète ? demanda-t-il.

Les rouages dans la tête d'Alex commencèrent à tourner aussitôt. Elle adorait les devinettes.

– Elle n'est pas facile ! dit-elle en se pressant l'index sur ses lèvres tout en réfléchissant. Tu as une idée, Conner ?

– Non, débrouille-toi toute seule, répondit son frère.

– Tu ne peux me donner qu'une seule réponse avant que je ne t'arrache la tête, alors devine bien ! prévint le Troll-sous-le-pont en se dandinant et en se frottant les mains.

– Ça suffit. Je m'en vais ! décida Conner.

Il descendit du pont et se dirigea lentement vers la rivière.

– Conner, que fais-tu ? lui cria sa sœur.

– Je traverse la rivière ! répondit-il. Aucun pont ne mérite un tel sacrifice !

Il s'avança dans l'eau. Elle était glacée, mais Conner était tellement énervé que cela ne le gêna pas. Le niveau de la rivière montait à mesure qu'il avançait.

– Ce n'est pas tellement profond ! cria-t-il. Le courant n'est même pas très fort !

Il était au milieu de la rivière et l'eau lui arrivait à peine au-dessus de la taille.

– Tu triches ! lui cria Alex, puis elle demanda au Troll-sous-le-pont : Il peut faire ça ? Il a le droit ?

– Ce n'est pas lui qui a demandé la devinette. C'est *toi* !

Conner atteignit l'autre rive tandis qu'Alex continuait à réfléchir à la devinette.

– Donc, ça peut être aussi minuscule qu'un petit pois et aussi grand que le ciel, autrement dit de n'importe quelle taille. Et la personne qui l'achète ne le possède pas, ce qui veut dire que quelqu'un d'autre le possède, réfléchit-elle à voix haute.

– Dépêche-toi, Alex ! cria Conner.

– Oh, tais-toi ! répondit sa sœur. Je dirai que ça doit être... *un cadeau* ! Un cadeau peut être de n'importe quelle taille et celui qui le reçoit le possède, mais pas la personne qui l'achète !

Le Troll-sous-le-pont cessa de se balancer et s'affaissa.

– C'est juste, dit-il, déçu. Tu peux passer.

Alex applaudit et sautilla sur place. Elle tendit la main pour serrer celle du troll, mais il l'ignora et retourna dépité de là où il était sorti.

– Tu vois ! dit Alex en rejoignant son frère de l'autre côté du pont. Je savais que j'allais pouvoir répondre.

Conner secoua la tête.

– Je suis sûr d'en entendre parler jusqu'à la fin de nos jours, dit-il. Essayons plutôt d'arriver au palais de Cendrillon avant le coucher du soleil, tu veux bien ?

Les jumeaux poursuivirent leur route dans le Royaume charmant. Ils étaient heureux de voir le paysage changer. Les conifères qu'ils avaient vus pendant si longtemps laissaient place peu à peu à de grands chênes. Il y avait aussi de grands champs d'herbes hautes et de fleurs sauvages partout où ils allaient.

– C'est si beau ici! dit Alex.

Cela faisait des heures qu'ils marchaient, et ils ne voyaient toujours rien. Les vêtements de Conner étaient pratiquement secs maintenant.

– Il n'y a donc rien ici? demanda-t-il.

– Le Royaume charmant est très grand, dit sa sœur. Ça nous prendra pas mal de temps pour arriver jusqu'au palais.

La nuit tombait et les jumeaux commençaient à s'inquiéter. Ils ne voyaient nulle part où trouver refuge. Bientôt, ils n'auraient plus que la lumière de la lune pour les guider.

Ils quittèrent le chemin, firent encore quelques mètres et trouvèrent un coin d'herbe entre quelques arbres qu'ils croyaient (et espéraient) être un lieu sûr; ils décidèrent d'y passer la nuit. Conner tenta de faire un feu en frottant deux brindilles, sans succès.

– Maintenant je regrette vraiment de ne pas m'être engagé chez les scouts, dit-il.

C'était leur première nuit à la belle étoile. Tous deux se réveillèrent pratiquement toutes les heures, pour s'assurer qu'ils étaient en sécurité, car le moindre bruit les terrifiait.

– Qu'est-ce que c'était que ça? dit Alex haletante au milieu de la nuit.

– Un hibou, répondit son frère. Ou peut-être une colombe qui pose beaucoup de questions. Dans les deux cas, je crois que nous ne risquons rien.

Le lendemain matin, ils furent réveillés par la lumière de l'aube. Ils se levèrent, encore tout agités, et reprirent leur chemin.

– Nous allons manquer de nourriture, dit Alex après avoir mangé une de leurs dernières pommes. Il faudra qu'on fasse des provisions dès qu'on trouvera un marché ou quelque chose comme ça.

– Je commence à en avoir vraiment assez des gâteaux et des pommes. Je me dis presque qu'on aurait dû demander à Grenouille de nous préparer des mouches. Oh, comme j'aimerais manger un cheese-burger! C'est peut-être pour ça que tout le monde s'entre-dévore ici: ils n'ont pas encore découvert les *fast-foods*.

Ils trouvèrent un petit étang près du chemin et s'aspergèrent le visage.

– On a l'air tellement fatigués, dit Alex en regardant leur reflet dans l'eau.

Les jumeaux entendirent un bruit de galop sur le chemin derrière eux. Ils se retournèrent et virent une petite charrette remplie de bûches tirée par un cheval gris et menée par un homme portant un grand chapeau vert et souple.

– Demandons-lui si le palais est encore loin! dit Alex en courant jusqu'à la charrette. Excusez-moi, monsieur?

– Holà! dit l'homme en tirant sur les rênes. Puis-je vous aider?

– Sommes-nous encore loin du palais de Cendrillon, s'il vous plaît?

– Vous voyagez à pied? demanda l'homme.

– Hélas oui, intervint Conner.

– Alors il vous faudra plusieurs jours pour arriver jusque là-bas, dit l'homme.

Alex et Conner échangèrent un regard exaspéré.

– Je vais livrer du bois de chauffage près du palais ce soir, dit l'homme. Je peux vous emmener, si vous voulez.

Avant même qu'il eût terminé sa phrase, Conner était en train de grimper dans la charrette.

– Merci beaucoup ! dit Alex. C'est vraiment très gentil à vous !

Conner s'installa confortablement sur le bois de chauffage et fit la sieste pendant presque tout le voyage, se réveillant de temps en temps quand la charrette roulait sur une bosse. Alex, en revanche, profita à plein de la présence d'un vrai être humain du pays des contes de fées pour faire la conversation.

– Comment vous appelez-vous ? lui demanda-t-elle.

– Smithers, répondit l'homme.

– Et d'où venez-vous ?

– J'ai grandi dans un petit village dans le nord-est du Royaume charmant.

– C'est comment de vivre dans ce royaume ? Mon frère et moi... nous... euh, nous n'avons pas beaucoup voyagé par ici.

– Le Royaume charmant est un endroit tranquille, répondit l'homme. Il y a beaucoup de petits villages éparpillés et de nombreuses riches propriétés près du palais.

– Êtes-vous déjà allé dans le palais ?

– Oh, oui, j'y fais plusieurs livraisons pendant l'année. Ce soir le roi et la reine organisent un grand bal.

– C'est vrai ? dit Alex les yeux écarquillés.

Elle secoua Conner pour le réveiller.

– Tu entends ça ? Cendrillon organise un bal ce soir ! Ce n'est pas merveilleux ? Quel hasard extraordinaire !

– Hein ? Ah... euh... c'est super, dit son frère avant de se rendormir aussitôt.

– Pourquoi organisent-ils un bal ? demanda Alex.

– Ils organisent un bal une fois par mois depuis qu'ils se sont mariés, répondit Smithers. C'est une célébration de leurs épousailles.

– Comment est la reine Cendrillon ?

– Absolument éblouissante, et la meilleure reine qu'on n'ait jamais connue dans ce royaume, répondit l'homme avec un grand sourire. Mais peu de gens étaient prêts à l'accepter quand elle s'est installée dans le palais. Beaucoup de membres des familles aristocrates n'étaient pas contents que le prince Charmant n'ait pas choisi l'une de leurs filles. Mais elle a triomphé de ça depuis.

Alex pouvait voir qu'ils s'approchaient du palais. Ils traversèrent des petits villages qui prenaient de l'ampleur et comptaient de plus en plus d'habitants à mesure qu'ils avançaient. Elle était si contente d'être si près de gens, de *vraies* personnes, qui avaient vécu toute leur vie dans le monde des contes de fées ! Elle aurait elle aussi voulu pouvoir dire qu'elle avait grandi dans le Royaume charmant.

– Vous ne trouvez pas cela pesant parfois ? demanda-t-elle à Smithers. Vous n'avez jamais peur de vivre ici sachant qu'à tout moment une fée peut apparaître et exaucer un de vos vœux, ou un ogre peut surgir et vous dévorer ?

Smithers la regarda bizarrement.

– Y a-t-il un lieu où les gens ne peuvent pas être blessés ou secourus inopinément ? demanda-t-il.

Aucun endroit ne venait à l'esprit d'Alex. Il n'y avait finalement peut-être pas tant de différences entre ce monde et celui dont elle était originaire.

La charrette passait maintenant devant de grandes demeures. Ils ne voyaient autour d'eux que d'immenses et élégantes propriétés. Elles étaient toutes si brillantes et pleines de couleurs, avec des toits pointus et recourbés sur les côtés. Certaines étaient en bois, d'autres, en brique ou encore entièrement recouvertes de lierre.

Tout semblait sortir tout droit d'un livre de contes, et Alex devait se rappeler que c'était bien le cas.

– Nous sommes presque arrivés au palais, déclara Smithers.

La charrette commença à cahoter quand le chemin de terre devint une rue pavée. Des boutiques et des marchés commençaient à apparaître d'un côté et de l'autre de la rue à mesure qu'ils pénétraient dans la ville. Ils partageaient la route avec d'autres charrettes et carrosses. Les villageois et les citoyens marchaient à côté d'eux et vaquaient à leurs occupations de tous les jours.

– On est bientôt arrivés ? demanda Conner en se réveillant.

La charrette tourna à un coin de rue et rejoignit une avenue longue et large, au bout de laquelle se trouvait un palais gigantesque.

– Il faut croire que oui, dit Conner.

Pour Alex, le palais était époustouflant. Il était parfaitement symétrique et lisse, et semblait fait de porcelaine bleu-gris. Trois grandes tours se dressaient en son centre ; elles partageaient une horloge suffisamment grande pour que tout le royaume puisse la voir. Le palais avait presque l'air faux tant il était majestueux et plus grand que les jumeaux ne l'auraient jamais imaginé.

– C'est ici que je vais vous déposer, dit Smithers en approchant la charrette du bas-côté. Bonne chance, les p'tits. Amusez-vous en ville !

– Merci beaucoup, répondirent Alex et Conner à l'unisson.

Ils lui proposèrent quelques pièces d'or pour le remercier, mais l'homme insista pour qu'ils gardent leur argent et reprit sa route.

Les jumeaux marchèrent un bon moment dans la ville. Tout le monde semblait tout excité en prévision du bal qui devait avoir lieu dans la soirée.

Ils trouvèrent un petit marché et purent acheter des fruits et légumes frais, ainsi que du pain. Alex tentait de faire la conversation avec chaque personne qu'elle rencontrait, mais la plupart des habitants ne faisaient pas attention à elle.

Conner ne cessait de lever les yeux au ciel à cause de sa sœur. *Tout* ce qu'elle voyait l'enthousiasmait.

– Je ne sais pas si je vais survivre à ce voyage avec toi si tu es toujours aussi excitée, dit-il. C'est épuisant, et ça commence vraiment à m'agacer.

– Je suis désolée, dit Alex. Nous avons passé les derniers jours entourés d'arbres et je suis tellement excitée de voir tous ces gens et leur... Ooooh! Regarde la poignée de cet immeuble! Elle a la forme d'une pantoufle! C'est mignon, tu ne trouves pas?

Après avoir passé un après-midi à visiter les lieux, ils gravirent une colline qui donnait sur la ville et s'assirent paisiblement à l'ombre d'un grand arbre. Le soleil se mit à décliner et les jumeaux commencèrent à s'inquiéter à l'idée qu'une nouvelle journée touchait à sa fin.

– Que fait-on? demanda Conner.

– Voyons ce que conseille le journal, dit Alex.

Elle le sortit de son cartable et en parcourut les pages jusqu'à trouver le passage qui parlait de la pantoufle de verre.

La pantoufle de verre de Cendrillon est très difficile à obtenir, car ces chaussures sont sans doute les objets les plus précieux du royaume.

Il faut tout d'abord trouver une façon de s'introduire dans le palais. C'est plutôt difficile, car il n'y a qu'une entrée. Une des premières décisions de Cendrillon à son avènement a été de condamner toutes les entrées réservées aux domestiques, pour que tous pénètrent dans le palais comme des égaux.

Une fois à l'intérieur, il faut arriver jusqu'à la salle d'exposition des objets royaux de Cendrillon. Cela aussi est compliqué, car personne n'est autorisé à pénétrer dans les chambres de la reine sans y être invité par la reine elle-même. Les pantoufles sont exposées dans une vitrine en verre posée sur un pilier au centre de la pièce.

Les pantoufles peuvent facilement être retirées de la vitrine, mais la salle est constamment surveillée par deux gardes à l'entrée. Il faut trouver le moyen d'être seul dans la salle d'exposition royale pour subtiliser une pantoufle, rapidement et sans faire de bruit.

Quittez les lieux aussi vite que possible, parce que dès qu'ils s'apercevront qu'il manque quelque chose, les gardes vont fermer les portes du palais et vous serez coincé, puis emmené dans le donjon et suspendu la tête en bas par les ongles des pieds. Bonne chance !

– Comment allons-nous pénétrer dans le palais ? demanda Conner.

Alex commença à réfléchir à un plan, mais son attention était détournée par la longue file de carrosses qui remontait la rue principale en direction du palais. Chaque carrosse, unique, était élégant et plein de couleurs. Ils étaient tirés par au moins deux chevaux, et avaient un cocher, un valet à l'arrière et plusieurs passagers à l'intérieur.

– Le bal, dit Alex. Nous devons aller au bal !

– Mouais... dit Conner en réfléchissant à cette idée. Que sommes-nous censés porter comme vêtements ? Regarde-nous ! On n'est pas habillés comme il faut ! Et je parie que nous ne sentons pas la rose après avoir marché pendant trois jours sans avoir pris de douche !

– J'ai une idée, dit Alex.

Elle ouvrit son sac et sortit les couvertures. Elle commença à envelopper Conner dans l'une des deux, en la pliant à des endroits stratégiques pour qu'elle restât en place. Puis Alex s'enveloppa de la même façon avec l'autre couverture.

– Voilà, dit-elle. Maintenant on a l'air de porter des robes qui ont de l'allure !

– On a l'air ridicules, déclara Conner.

– Tu as une autre idée ? répliqua sa sœur.

– Tu crois qu'il y a un numéro spécial pour appeler une bonne fée ? demanda-t-il.

Les jumeaux remontèrent la rue principale, en suivant les carrosses qui allaient au palais. Plus ils s'approchaient du palais, plus celui-ci grandissait et devenait réel pour eux.

De nombreux cochers les dévisagèrent avec un regard étonné et critique. Quelques passagers se penchèrent hors de leur carrosse pour voir ce que faisaient les jumeaux.

– Vous voulez notre photo ? leur cria Conner.

– Conner ! Ils ne savent pas ce que ça veut dire ! gronda Alex.

Ils atteignirent le palais au coucher du soleil. Quand un carrosse arrivait près des marches du palais, un valet faisait rapidement le tour du véhicule pour aider les passagers à en descendre.

Alex et Conner n'avaient jamais vu de si beaux vêtements. Toutes les femmes portaient de longues robes de bal composées de plusieurs tissus, couleurs et broderies, ainsi que des gants et des diamants. Certaines avaient des nœuds, des rubans et des plumes sur les cheveux. Les hommes aussi étaient habillés de façon exquise, certains en armure de cérémonie, d'autres en costume avec de larges épaulettes frangées et des manchettes carrées.

Tous les efforts et le goût que les invités avaient mis pour soigner leur apparence rendaient les jumeaux très mal à l'aise avec leurs habits improvisés. Ils ne passaient pas inaperçus. Ils étaient les plus jeunes, les seuls à ne pas être vêtus avec de la soie ou de la dentelle, les seuls à porter des sacs. Ils avaient l'air d'être exactement ce qu'ils étaient : deux gamins cherchant à s'incruster à un bal.

Une longue volée de marches menait jusqu'à l'entrée du palais. Alex et Conner commencèrent à les gravir avec les autres invités. L'ascension était telle qu'ils se demandèrent s'ils allaient un jour atteindre le sommet.

– Ce monde vit auprès des gobelins et des fées mais ne connaît pas les Escalators! pesta Conner.

– Conner! dit Alex interloquée. Regarde ça!

Elle montrait du doigt une étoile en argent sur la marche où ils se trouvaient. On pouvait y lire:

C'EST ICI QUE CENDRILLON
A PERDU SA PANTOUFLE DE VERRE
LA NUIT OÙ ELLE A RENCONTRÉ
LE PRINCE CHARMANT.

– Tu te rends compte? C'est l'endroit précis où Cendrillon a fait tomber sa pantoufle de verre! dit-elle en se pressant les mains sur le cœur.

– Moi non plus je n'aurais pas remonté ces marches si j'avais perdu ma chaussure, commenta son frère.

Les jumeaux causèrent une vive émotion à l'entrée. Tout le monde était absolument horrifié par leurs habits. Alex était rouge de honte de sentir tous ces regards qui la dévisageaient. Elle avait l'impression d'être retournée à l'école.

Un garde du palais en particulier ne cessait de les regarder fixement, non pas d'un œil critique, mais comme s'il les avait vus quelque part et ne se souvenait pas où. Il se tenait juste à l'entrée du palais et saluait tous les invités qui passaient devant lui. Il portait plus d'insignes sur son uniforme que tous les autres gardes, et il avait une barbe sombre et très fine.

Un autre garde récupérait les invitations à la porte. Les jumeaux commencèrent à être pris de panique.

– Qu'allons-nous faire ? chuchota Alex à son frère.

– Laisse-moi parler. J'ai vu ça dans un film une fois. Fais comme moi.

– Votre invitation, s'il vous plaît, leur demanda le garde.

– Nos parents ont notre invitation, mais ils sont déjà rentrés, dit Conner.

– Et qui sont vos parents ? demanda le garde d'un air prétentieux.

– Qui sont nos parents ? hurla Conner, provoquant encore plus d'émotion. Vous voulez dire que vous ne savez pas qui nous sommes ?

Tous les gardes et les invités échangèrent des regards.

– Conner, calme-toi ! dit Alex.

Qu'est-ce qui lui passait par la tête ?

– Cet homme ne sait pas qui sont nos parents, Alex ! poursuivit-il. Figurez-vous que nos parents ont inventé les puits à souhaits ! Comment osez-vous faire preuve d'un tel manque de respect ?

Sa sœur voulait le gifler. Elle regardait autour d'elle en s'excusant. Tous scrutaient les jumeaux avec désapprobation, excepté le garde avec la fine barbe. Il avait même un sourire en coin et ses yeux étaient pleins de douceur.

– Je suis désolé mais je vais vous demander de quitter les lieux, dit le garde qui réceptionnait les invitations.

– Quitter les lieux ? Vous osez congédier les héritiers de la fortune des puits à souhaits ? s'offusqua Conner bien fort pour que tout le monde puisse l'entendre.

– *Conner. Tais. Toi. Donc !* lui chuchota Alex à l'oreille.

– Y a-t-il un souci ? demanda le garde avec la barbe fine en s'approchant des jumeaux.

– Pas du tout! dit Alex en reculant, obligeant son frère à la suivre.

– Ils n'ont pas d'invitation, répondit l'autre garde.

– Nous allions partir! dit Alex. Excusez-nous pour le dérangement.

– Ne dites pas n'importe quoi, dit le garde avec la barbe fine. Je viens de voir vos parents dans le palais. Je vais vous mener à eux.

Alex et Conner se figèrent.

– C'est vrai? dit Conner, avant de se rappeler rapidement qu'il devait continuer de faire semblant. Je veux dire, bien sûr que vous les avez vus!

Il jeta un regard noir à l'autre garde.

– Venez avec moi, je vais vous conduire à vos parents, dit le garde avec la barbe fine.

Avant de pouvoir réagir, les jumeaux se virent escortés dans le palais. Ils avaient perdu le contrôle de la situation. Ce garde savait-il qu'ils mentaient et allait-il les emmener directement jusqu'au donjon? Ou allaient-ils réellement rencontrer un couple qui n'était évidemment pas leurs parents?

– Je me présente. Je suis sir Lampton, le chef de la garde royale. Soyez les bienvenus au palais!

– Merci. Je m'appelle Conner *Vœushington*, et voici ma sœur, Alex.

– D'où venez-vous, monsieur et mademoiselle Vœushington? demanda Lampton.

– Du Royaume du Nord, dit Conner, lui-même surpris par les mots qui sortaient de sa bouche. Mais nos parents possèdent une maison de vacances dans le sud du Royaume endormi et un appart dans le Royaume des fées.

Alex écarquillait tant les yeux qu'elle dut se rappeler de cligner des paupières de temps en temps.

– Ah... je vois, dit Lampton avec un air curieux. Voulez-vous que je prenne vos sacs ?

– Non, ce n'est pas nécessaire, répondit Alex. On se débrouillera.

Lampton les mena à travers le long hall derrière tous les autres invités. Sur les murs, on voyait de nombreux portraits des anciens monarques. Les jumeaux avaient les yeux grands ouverts : c'était la première fois qu'ils se trouvaient dans un palais royal et il y avait tant de choses clinquantes à regarder.

Le garde semblait amusé par leur enthousiasme. Il se pencha vers eux et leur dit à voix basse :

– Vous vouliez entrer dans le palais en douce, n'est-ce pas ?

Alex se tourna vers Conner avec inquiétude, mais ce dernier n'avait plus de nouveau mensonge dans son sac pour terminer la soirée.

– Je vous en prie, ne nous envoyez pas dans le donjon ! supplia Alex. On ne veut rien faire de mal.

Conner regarda sa sœur en levant un sourcil. Voulait-elle dire qu'ils ne voulaient rien faire de mal *à part* voler un objet très précieux dans le palais ?

Lampton gloussa.

– J'ai vu beaucoup de jeunes chercher à assister au bal royal par le passé, mais je n'ai jamais été aussi amusé par une tentative, dit-il.

– Alors vous n'allez pas nous jeter dans une cellule et nous suspendre la tête en bas par les ongles des pieds ? demanda Conner.

– Cela fait des années qu'on ne le fait plus. Au contraire, ce serait un honneur de vous faire visiter les lieux.

– Vraiment ? s'étonna le garçon.

– Ça nous enchanterait ! s'écria Alex en joignant les mains. Merci !

Au bout du couloir, ils franchirent deux portes dorées et débouchèrent dans la salle de bal. Immédiatement, ils furent éblouis. Il y avait tant de choses à regarder, tant de mouvement et de couleurs qu'il était impossible de se concentrer sur quoi que ce soit suffisamment long-temps pour comprendre de quoi il s'agissait.

Au-dessus de l'énorme piste de danse était accroché le plus grand lustre que les jumeaux eussent jamais vu, surmonté de milliers de bougies. Des centaines d'hommes et de femmes vêtus en costume d'apparat emplissaient tout l'espace. Certains conversaient sur les côtés, d'autres dansaient au rythme de la musique jouée par un petit orchestre dans un coin.

Tout était doré : les voûtes, les reliefs sur les murs. Au fond de la salle, derrière deux trônes vides, apparaissait un escalier.

Conner savait que sa sœur allait se mettre à pleurer dans quelques instants.

– C'est si beau ! dit Alex l'œil humide. C'est ici qu'eut lieu le bal où Cendrillon et le prince se sont rencontrés ?

– Effectivement, répondit Lampton. Je ne l'oublierai jamais. J'étais un simple garde à l'époque. Le prince rencontrait toutes les jeunes femmes du royaume dans l'espoir de trouver sa fiancée. Cendrillon était la dernière à arriver ce soir-là. Elle pénétra dans la salle, comme nous, et tout le monde s'arrêta pour la regarder.

– Comment était-elle ? demanda Alex.

– Magique, dit Lampton avec un sourire, perdu dans ses pensées. Elle portait une longue robe violette qui étincelait lorsqu'elle marchait. Je me souviens du bruit délicat de ses pantoufles de verre lorsqu'elle s'avança. Dès que le prince la vit, ce fut le coup de foudre. Tout le monde le ressentit.

Soudain, un homme sonna une trompette au pied du grand esca-lier.

– Mesdames et messieurs, annonça-t-il, c'est un grand honneur pour moi de vous souhaiter la bienvenue ce soir au bal royal. Je vous prie maintenant d'accueillir chaleureusement Ses Royales Majestés, le roi Charmant et la reine Cendrillon!

Les invités applaudirent et crièrent «Hourra». Le couple royal apparut dans la salle de bal, descendant lentement le grand escalier. Alex agrippa le bras de Conner.

– Conner, dit-elle. C'est Cendrillon! C'est Cendrillon!

Cendrillon était encore plus belle que les jumeaux ne s'y attendaient. Ses cheveux étaient auburn et attachés par une tiare en cristal. Elle portait des gants blancs et une longue robe turquoise qui ondulait autour d'elle, accentuant la rondeur de son ventre de future maman. Malgré tout l'or et le lustre rutilant, c'étaient ses yeux et son sourire qui brillaient le plus dans la pièce.

Le roi Charmant était l'incarnation même du vaillant prince. Il était aussi beau que tout ce que l'on avait pu écrire sur lui. Il avait des cheveux épais et bouclés sous sa grande couronne dorée, et son sourire était ensorcelant. Dans le monde des jumeaux, il aurait sans doute été une star du cinéma.

Le roi et la reine s'assirent sur leurs trônes, et le garde avec la trompette sonna les premières notes d'une nouvelle annonce.

– Que le bal commence! proclama-t-il, provoquant une nouvelle salve d'applaudissements enthousiastes.

La plupart des invités se précipitèrent sur la piste de danse. L'orchestre entonna une symphonie au rythme enlevé. Des couples de danseurs se formèrent et commencèrent à valser dans la salle, tous se regardant amoureusement.

Le roi et la reine demeurèrent assis. On sentait que Cendrillon voulait se joindre à la danse, mais sa grossesse l'en empêchait. Le roi Charmant n'avait d'yeux que pour sa femme. Il prenait plus de plaisir à la regarder observer la piste de danse qu'à la regarder lui-même.

À un moment, chaque danseur prit la chaussure de sa partenaire et fit un tour autour d'elle avant de la lui remettre. Un hommage cendrillonais, sans doute.

Le temps filait à vive allure pendant que les jumeaux regardaient le bal.

L'enfant que Cendrillon portait devait être en train de lui donner des coups, car elle semblait indisposée : elle caressait son ventre et remuait sans cesse sur son trône. Elle finit par murmurer quelque chose à l'oreille du roi Charmant. Celui-ci lui prit la main puis l'aida à remonter le grand escalier.

Le garde sonna à nouveau sa trompette.

– La reine est fatiguée et souhaite se reposer, mais le roi et elle vous demandent de poursuivre cette célébration en leur absence.

La foule était heureuse de s'exécuter et continua à s'amuser.

– Voulez-vous faire un tour du palais ? demanda Lampton aux jumeaux.

– Plus que tout ! répondit Alex.

Le garde accompagna les jumeaux vers un couloir semblable à celui qu'ils avaient vu en arrivant au palais ; on y trouvait également plusieurs portraits d'anciens monarques et un long tapis rouge.

– Ce palais a été construit il y a plus de cinq cents ans, expliqua Lampton en marchant. Il est la maison de la dynastie Charmant depuis cette époque. Voici un portrait du roi Chester Charmant, le regretté beau-père de Cendrillon.

Il faisait référence au grand portrait d'un vieil homme barbu avec une couronne. Il ressemblait exactement à son fils, mais en beaucoup plus âgé.

– Combien de rois Charmant y a-t-il eu ? demanda Conner.

– Nous avons perdu le fil. Il y en a trois actuellement. Le roi Chester a eu quatre fils : Chance Charmant, Chase Charmant, Chandler Charmant et Charlie Charmant.

Il y avait un portrait de chacun des frères sur le mur.

– Le roi Chance Charmant est l'aîné, c'est lui qui a épousé la reine Cendrillon, dit le garde en désignant le portrait de l'homme qu'ils venaient de voir dans la salle de bal.

Le roi Chase Charmant est le deuxième, il a épousé la reine Belle au bois dormant. Chase ressemblait exactement à son frère, sauf qu'il était un peu plus grand et portait une barbichette.

– Le roi Chandler Charmant est le troisième, il a épousé la reine Blanche-Neige, continua Lampton.

Chandler ressemblait lui aussi à ses frères, mais il avait les cheveux plus longs.

Le dernier portrait dans le couloir captiva les jumeaux. Il était accroché un peu plus loin que les autres et représentait le benjamin des frères Charmant. Il était jeune et arborait un grand sourire. Une bougie était allumée à côté du portrait. On aurait cru qu'il s'agissait d'une sorte de mémorial.

– Qui est-ce ? demanda Conner.

Le garde perdit son sourire.

– C'est le prince Charlie, le dernier des enfants du roi Chester. Il a disparu une nuit il y a très longtemps, et personne ne l'a jamais revu.

– C'est affreux, dit Alex.

– Ses frères envoyèrent d'importantes troupes à sa recherche à travers tous les royaumes, mais ils n'ont jamais retrouvé sa trace, dit Lampton avec tristesse. Heureusement, la quête ne fut pas tout à fait inutile. En chemin, le prince Chandler a découvert le cercueil en verre de Blanche-Neige, le prince Chase a rencontré la Belle au bois dormant endormie dans son château, et tous deux ont brisé leurs sortilèges et les ont épousées.

– C'est incroyable! dit Alex. Ainsi, sans la disparition du prince Charlie, la Belle au bois dormant et Blanche-Neige seraient encore endormies!

– C'est possible. Et, comme ses frères avaient épousé les princesses qui étaient de bons partis, le prince Chance dut organiser un bal, celui où il a rencontré Cendrillon. Il faut croire que tout arrive pour une raison.

Alex et Conner ne purent s'empêcher de regarder fixement le portrait du prince Charlie. Une triste atmosphère régnait dans cette partie du hall et les jumeaux y étaient particulièrement sensibles. Le prince perdu n'était pas beaucoup plus âgé qu'eux au moment de sa disparition.

Lampton appréciait manifestement l'intérêt des jumeaux.

– Suivez-moi à présent, j'aimerais vous montrer quelque chose de très particulier, dit-il.

Il traversa un autre couloir, les menant plus loin encore au cœur du palais. Cette partie était complètement vide, ce qui rendait les jumeaux de plus en plus nerveux à chaque pas. Ils n'avaient aucune idée du lieu où les conduisait Lampton et n'osaient lui poser la question.

Ils tournèrent à un angle et, au bout d'un autre long couloir, ils virent deux portes noires. Elles étaient flanquées de deux gardes et, au-dessus d'eux, une grande voûte en pierre portait l'inscription: SALLE D'EXPOSITION ROYALE DE LA REINE CENDRILLON.

Alex et Conner se regardèrent avec une lueur dans les yeux. Ils avaient réussi!

– Bonjour, sir Lampton, dit l'un des gardes.

– Bonsoir, répondit son chef.

Il poussa les portes et les jumeaux le suivirent. Ils posèrent leurs sacs et regardèrent autour d'eux.

La salle d'exposition était grande, avec des piliers blancs et du carrelage bleu ciel au sol. Le plafond était voûté et couvert d'étoiles dorées. La salle était illuminée par la lune, dont les rayons entraient par une large fenêtre et étaient reflétés par une série de miroirs accrochés aux murs.

Plusieurs objets étaient exposés, posés sur des petites colonnes dans des vitrines en verre épais. Des balais, des seaux, de vieilles robes en guenilles étaient exposés. Une famille de souris vivaient dans une des vitrines, à l'intérieur d'une réplique miniature du palais.

Au centre de la pièce se trouvaient les pantoufles de verre de Cendrillon. Elles étaient belles et fines, faites de cristal et décorées de diamants.

Les jumeaux crurent qu'ils allaient défaillir en les voyant. Ils étaient si près !

– Elles sont superbes, dit Alex, comme en transe.

– Moi aussi, j'ai un petit faible pour elles, dit une douce voix qui n'était celle ni d'Alex, ni de Conner, ni de Lampton.

Assise sur le rebord de la fenêtre au fond de la pièce se trouvait Cendrillon en personne. Ils avaient été si éblouis par la salle d'exposition qu'ils ne l'avaient pas remarquée.

– Votre Majesté, dit Lampton. Pardonnez-moi, je ne vous avais pas vue. Je faisais faire un tour du palais à des invités.

– Ce n'est rien, sir Lampton, répondit la reine en traversant la salle pour les saluer. J'aime bien venir ici de temps en temps après de longues journées pour me changer les idées. Qui sont ces deux-là ?

Les jumeaux restaient sans voix. Ils étaient complètement sous le charme.

– Voici Alex et Conner, répondit Lampton.

– Enchantée, répondit Cendrillon en leur tendant la main.

– *On est des fans !* dit Conner en lui secouant la main un peu trop vigoureusement.

Alex ne pouvait pas bouger.

– Vous êtes... mon héroïne, dit-elle enfin, incapable d'en dire plus.

– C'est gentil, ma chère. Soyez les bienvenus dans ma petite salle de souvenirs.

– C'est... *fantastique* ! dit Alex d'une petite voix.

– Voulez-vous que je vous fasse la visite ? demanda Cendrillon.

Alex ne pouvait toujours pas se mouvoir, mais elle réussit à hocher la tête.

La reine commença par leur montrer chacun des objets exposés.

– Voici les balais et les seaux que j'utilisais pour nettoyer tous les jours la maison de ma belle-mère. C'est avec eux que j'ai commencé à danser. Je me souviens, quand j'étais seule, je faisais comme s'ils étaient des danseurs et je m'imaginais être à un grand bal royal. Malheureusement, ils n'étaient pas très bavards.

Cendrillon et Lampton rirent. Alex et Conner étaient encore sous le choc d'être en sa présence. Ils étaient à côté de *Cendrillon* ! Et en plus *elle avait le sens de l'humour !*

– Ici se trouvent les guenilles que ma Bonne Fée transforma en une superbe robe de bal, poursuivit-elle. Elles ne ressemblent plus à grand-chose aujourd'hui, mais quand ma Bonne Fée nous rend visite, elle les transforme à nouveau en cette magnifique robe qu'elle créa pour moi.

– C'est vraiment cool, dit Conner.

– Voici mes souris, dit Cendrillon, en désignant le palais miniature.

Elle ouvrit un loquet et tira une souris de la vitrine. Elle la caressa doucement et le rongeur se blottit paisiblement dans sa main.

– Ce sont les souris qui ont été transformées en chevaux et en cocher pour votre carrosse ? demanda Alex, recouvrant enfin la parole.

– Les souris d'origine sont décédées, mais celles-ci sont leurs enfants et leurs petits-enfants. Je m'en occupe en signe de remerciement. Les souris ont très mauvaise réputation, mais ce sont des créatures très douces. Il faut juste leur donner une chance.

Cendrillon remit la souris avec les autres et se dirigea vers le centre de la pièce.

– Et je crois que celles-ci n'ont pas besoin de présentation, dit-elle en menant les jumeaux jusqu'aux pantoufles de verre.

– Elles ne devaient pas être confortables, dit Conner.

– Elles étaient étonnamment faciles à porter, répondit la reine.

– Vous n'aviez pas les pieds qui transpiraient ? insista Conner. Ça ne devait pas être beau à – *aïe !*

Alex venait de lui donner un coup de coude dans les côtes.

Cendrillon s'esclaffa.

– Voulez-vous en prendre une dans les mains ? demanda-t-elle.

Alex acquiesca vigouresement de la tête. Cendrillon extirpa délicatement une pantoufle de la vitrine et la lui tendit. Alex fut traversée par une sensation magique. Elle tenait un morceau d'histoire des contes de fées. Elle tenait dans les mains peut-être le plus célèbre de tous les objets imaginaires. Elle ne put s'empêcher d'être émue.

Conner, en revanche, ne cessait de réfléchir au moyen de voler la pantoufle. Sa sœur se tourna vers lui et tous deux eurent la même pensée : était-il possible de partir en courant avec la pantoufle ? Conner calculait leurs chances de courir plus vite que Lampton et les deux gardes derrière les portes.

– C'était comment ? demanda Alex à Cendrillon. De se transformer en reine après avoir été une servante ? Comment avez-vous réagi après avoir été tirée de là ? Votre vie est... comment dire... une vraie histoire de Cendrillon.

Le visage de la reine devint triste.

– Quand j'étais une servante, jamais je me serais doutée que je vivrais de telles choses, alors j'ai toujours fait de mon mieux avec ce que j'avais, répondit-elle. Je ris toujours quand on me parle de l'«histoire de Cendrillon» parce que, si vous me posez la question, je pourrais vous dire que la vie n'a jamais de solution. Peu importe le nombre de difficultés que vous laissez derrière vous, car de nouvelles difficultés prendront leur place. Les gens oublient qu'au début, quand je suis venue vivre dans ce palais, la cour ne m'aimait pas beaucoup. Peu étaient ravis à l'idée qu'une servante soit devenue leur reine. Beaucoup m'appelaient «la princesse Citrouille» ou «la reine Souris» quand ils ont appris comment j'avais réussi à me rendre au bal ce soir-là. J'ai dû me battre pour être respectée, et ce ne fut pas facile.

– Mais il y a quand même quelques avantages à être reine, non ? demanda Conner. Vous n'avez plus à récurer le sol, ni à danser avec des produits d'entretien, ni à parler à des souris.

– La meilleure chose qui m'arrivera jamais, c'est d'avoir rencontré l'homme de mes rêves et de fonder une famille avec lui, répondit Cendrillon en caressant son ventre avec un sourire. C'est ce qui fait que je suis la plus heureuse et la plus chanceuse des femmes au monde. Mais vivre une vie publique est difficile, et je me sens encore un peu écrasée par cette tâche. Peu importe ce que vous ferez, vous ne plairez jamais à tout le monde. C'est la plus dure leçon que j'aie apprise. De fait, je suis toujours en train de l'apprendre.

Tout cela constituait un aveu inouï pour Alex. Tout d'un coup, le monde des contes de fées semblait encore plus réel. Elle était encore plus impressionnée par Cendrillon ; elle n'avait jamais envisagé l'histoire du point de vue de la jeune reine.

Alex reposa la pantoufle de verre à côté de l'autre. Au début, Conner la regarda l'air de dire : *Qu'est-ce que tu fais ? On doit la voler !* Mais tous deux savaient qu'ils ne pouvaient pas la prendre. Du moins pas ce soir, après avoir reçu toutes ces marques de gentillesse.

– Malgré toutes les choses magiques qui me sont arrivées dans la vie, voici ma plus précieuse possession, dit Cendrillon les mains sur le ventre. Elle va naître bientôt.

– Comment savez-vous que c'est une fille ? demanda Alex.

– Une intuition de mère, répondit la reine. Elle ne se tient jamais tranquille quand elle entend de la musique. Elle doit avoir mon goût de la danse et l'énergie de son père.

L'un des gardes du couloir fit irruption dans la salle d'exposition.

– Votre Majesté, sir Lampton, votre présence est requise dans la salle du bal, dit-il avec gravité.

Quelque chose n'allait pas.

– Que se passe-t-il ? demanda Lampton.

– Des soldats du Royaume du Nord. Ils sont arrivés avec un message du roi et de la reine.

Lampton rendit leurs sacs aux jumeaux et, avant même d'avoir pu réagir, ceux-ci le suivaient avec Cendrillon et les autres gardes hors de la salle d'exposition, le long du couloir puis vers la salle de bal.

– Comment allons-nous prendre une de ces pantoufles de verre maintenant ? murmura Conner à sa sœur.

– Il faudra qu'on se procure les autres éléments d'abord, puis on reviendra la chercher, répondit Alex. Ça sera plus facile de leur expliquer pourquoi on en a besoin si on a les autres objets. Nous avons déjà établi un rapport de confiance avec eux.

– Je savais que j'aurais dû en prendre une quand on en avait l'occasion, regretta tout de même son frère.

Ils revinrent dans la salle de bal. Tous les invités étaient immobiles et l'orchestre s'était arrêté de jouer. Cendrillon retourna sur son trône à côté de son mari. Des dizaines de soldats portant les armures argent qu'Alex et Conner avaient aperçues leur premier jour dans le Pays des contes étaient à présent répartis dans la salle.

– Pardonnez-nous cette intrusion, Votre Majesté. Je m'appelle sir Grant. Je suis le chef de la garde royale de Blanche-Neige. Nous avons des nouvelles concernant la Méchante Reine.

– Qu'en est-il ? demanda le roi Charmant.

Tout le monde comprit que son ton n'augurait rien de bon. La tension et l'inquiétude étaient palpables.

– La nuit dernière, un miroir magique qui appartenait à la Méchante Reine a été volé dans ses anciens appartements, expliqua sir Grant. La Méchante Reine est toujours en fuite, et la possibilité qu'elle soit en possession de ses anciens miroirs en fait une menace encore plus grande pour tous. Nous vous demandons, ou plutôt nous *implorons* quiconque dans le Royaume charmant aurait des informations sur le lieu où se cache la Méchante Reine de nous en informer immédiatement.

Les soldats de Blanche-Neige quittèrent en colonne la salle de bal. Le roi Charmant et Cendrillon se prirent dans les bras, inquiets de ce que cette nouvelle signifiait pour eux-mêmes et pour leur royaume.

– Ce fut un plaisir de vous rencontrer, les enfants, mais je dois y aller, leur dit Lampton.

Il leur tapota l'épaule et suivit les soldats.

De nombreux invités commencèrent à partir également. Alex et Conner les suivirent, descendant l'escalier de l'entrée et quittant le palais.

– Toute cette histoire avec la Méchante Reine commence à m'inquiéter, dit Alex.

– Je sais, mais ce n'est pas vraiment notre problème, répondit Conner. On sera partis depuis longtemps avant que quelque chose n'arrive.

– Je suppose que tu as raison, dit sa sœur.

– Où allons-nous à présent ?

– Le Royaume du Petit Chaperon rouge est au nord, dit-elle. Je pense que c'est la meilleure direction pour nous. J'espère qu'on aura plus de chance avec le panier du Petit Chaperon rouge.

– On n'aura pas intérêt à faire les poules mouillées, cette fois, dit Conner. Nous étions *si près* !

Il serrait le poing.

– On ne pouvait pas la prendre comme ça, pas sans demander la permission, jugea Alex. Ça n'aurait pas été juste.

– J'en ai assez d'être quelqu'un d'honnête, répondit Conner.

Même s'ils n'avaient pas réussi à obtenir la pantoufle de verre et même si la fête s'était terminée de façon abrupte, les jumeaux avaient passé une soirée extraordinaire. Ce n'était pas tous les jours qu'ils avaient l'occasion d'avoir une conversation intime avec l'une des femmes les plus célèbres de l'histoire.

Les jumeaux croisèrent en pleine nuit un homme sur une charrette pleine de poires. Ils persuadèrent son conducteur, qui se rendait à un village dans le nord du Royaume charmant, de les laisser monter à l'arrière en échange de quelques pièces d'or. Ils n'auraient plus alors que quelques kilomètres de marche à faire pour atteindre le Royaume du Petit Chaperon rouge.

Conner s'assoupit aussitôt monté dans la charrette. Alex ne pouvait pas dormir. Elle décida de relire le journal. Elle chercha son cartable et fut stupéfaite de voir ce qu'il s'y trouvait.

– Conner ! dit-elle le souffle coupé.

Son frère se réveilla en sursaut.

– Que se passe-t-il ?

Il se pencha et vit que sa sœur tenait quelque chose de brillant dans la main. Il était encore à moitié endormi et dut attendre que sa vue s'ajustât pour comprendre de quoi il s'agissait.

– Une pantoufle de verre ! s'exclama-t-il, mais Alex fit un geste pour lui ordonner de ne pas faire de bruit au risque que le conducteur les entende. Que fait-elle là ? Tu l'as volée ?

– Je croyais que c'était toi qui l'y avais mise ! dit-elle, la bouche tellement ouverte qu'on aurait pu y mettre une dizaine de poires.

– Non, c'est pas moi. Je te jure ! Tu crois que Lampton ou Cendrillon l'ont mise dans ton sac ? demanda Conner. Tu crois que l'un des deux savait qu'on en avait besoin ?

– Je n'en ai aucune idée.

Alex peinait à croire qu'elle tenait dans les mains l'une des pantoufles de verre de Cendrillon. Tous deux étaient stupéfaits.

– On dirait que notre visite au Royaume charmant n'aura pas été une si grande perte de temps qu'on ne le croyait, dit Conner.

## CHAPITRE 10

# LE ROYAUME DU PETIT CHAPERON ROUGE

**B**ercés par le doux mouvement de la charrette emplie de poires, Alex et Conner finirent par s'endormir. S'ils n'avaient pas été aussi épuisés par la nuit agitée et la journée tumultueuse qu'ils venaient de vivre, la surprise de découvrir que la pantoufle de verre était en leur possession les aurait sûrement empêchés de fermer l'œil de toute la nuit.

Ils se réveillèrent le lendemain matin alors que la charrette atteignait sa destination, un village dans le nord du Royaume Charmant. À son réveil, Alex s'assura d'abord qu'elle tenait la pantoufle toujours aussi fermement que la veille avant de s'endormir. Elle ne la lâchait pas, craignant qu'elle ne disparaisse aussi soudainement qu'elle était apparue.

Ils étaient encore tout occupés à chercher à comprendre par quel mystère elle s'était retrouvée dans leur sac.

– Tu crois que c'était de la magie ? demanda Conner à sa sœur. Peut-être qu'elle savait qu'on avait besoin d'elle et qu'elle s'est transportée jusqu'à ton sac ?

– J'ai lu assez de livres de contes pour savoir que c'est possible, dit-elle. Après tout ce qui nous est arrivé, ça ne m'étonnerait pas. Quoi qu'il en soit, on l'a maintenant en notre possession, et c'est un objet de moins à chercher. Concentrons tous nos efforts pour trouver le panier du Petit Chaperon rouge.

Elle enveloppa la pantoufle dans une couverture pour la protéger et la rangea dans son sac. Il ne fallait pas qu'on les voie avec.

– J'espère que Cendrillon ou Lampton ne vont pas envoyer des soldats à nos trousses quand ils vont s'apercevoir de sa disparition, dit Conner.

Alex n'y avait pas songé. Et si Lampton était en ce moment même en train de réunir un groupe de soldats pour les retrouver et les capturer ?

– Eh bien, on leur dira la vérité et on avisera le moment venu, décida-t-elle. En attendant, poursuivons notre chemin.

Sur la carte, il semblait qu'aucune route ni chemin ne menait au Royaume du Petit Chaperon rouge. Les jumeaux durent couper à travers une forêt d'ormes pour s'en rapprocher.

Alex lisait le journal en marchant :

Comme chacun sait, le Royaume du Petit Chaperon rouge est entouré d'une haute muraille pour empêcher les loups d'y pénétrer. Mais des portes surveillées par des gardes permettent d'entrer dans le royaume.

– Alors on va trouver la muraille, une porte, et on sera rapidement dans le royaume, conclut Alex.

– Et s'ils ne nous laissent pas entrer ? demanda son frère.

– Je ne vois pas pourquoi ils ne nous laisseraient pas entrer, répondit sa sœur. Mais si c'est le cas, laisse-moi leur parler cette fois-ci.

Après une heure de marche environ, les jumeaux aperçurent au loin une énorme muraille. Épaisse de dix mètres, elle était faite d'énormes briques grises. Tous les deux pas environ, on retrouvait le même panneau d'avertissement :

# LOUPS : PRENEZ GARDE

## EN VERTU D'UN DÉCRET DES P.O.U.L.L. APPROUVÉ PAR L'ASSEMBLÉE DE CEUX QUI VÉCURENT HEUREUX ET EURENT BEAUCOUP D'ENFANTS, LES LOUPS DE TOUT TYPE, RACE OU COULEUR SONT STRICTEMENT INTERDITS DANS LE ROYAUME DU PETIT CHAPERON ROUGE. TOUT CONTREVENANT SERA TUÉ ET TRANSFORMÉ EN TAPIS, VÊTEMENT OU DÉCORATION.

# VOUS ÊTES PRÉVENUS. ÉLOIGNEZ-VOUS !

– Eh bien... dit Conner. Les loups ne vont pas y aller, c'est sûr.

Ils longèrent la muraille pendant une heure ou deux, sans jamais trouver de porte. Alex parcourut à nouveau le journal et trouva un passage qu'elle avait sauté :

*Il y a une porte au nord, au sud, à l'est et à l'ouest. Un chemin mène de chacune des portes au centre du royaume, où se trouve la* ville. Il n'y a qu'une ville dans le Royaume du Petit Chaperon rouge ; le reste est constitué de champs.

– Oh, non... se lamenta Alex. J'avais mal lu le journal. Apparemment, il n'y a que quatre portes d'entrée.

– On est près de l'une d'elles ? demanda son frère.

Elle examina la carte de près et écarquilla un peu les yeux. Conner devina que cela n'augurait rien de bon.

– On dirait qu'on est juste entre la porte de l'Ouest et celle du Sud, ce qui veut dire...

– Qu'il faut encore marcher ? interrompit Conner en plissant le front et en posant les mains sur les hanches.

– Oui... Encore un jour ou deux.

Son frère se mit à marcher en cercle, exaspéré.

– C'est si énervant ! cria-t-il. Pourquoi tout doit être si difficile ?

– Conner, ça va aller. Ça prendra juste un peu plus longtemps pour...

– Non, Alex, ça ne va pas ! hurla-t-il. Ça va faire une semaine qu'on est dans ce monde. Je veux rentrer ! Maman me manque ! Mes amis me manquent ! Même *Mme Peters* commence à me manquer ! Voilà, je l'ai dit.

Il était si contrarié qu'il donna un coup de pied dans un arbre, mais il ne parvint qu'à se faire mal.

– Aïe !

– Moi aussi j'aimerais être à la maison, mais je n'y peux rien ! lui répondit sa sœur. On rentrera à la maison *quand on le pourra*, voilà tout. En attendant, ça ne sert à rien de s'énerver. Il faut juste qu'on s'en sorte !

Conner croisa les bras et s'avachit un peu. Il était si énervé qu'il était au bord des larmes. Alex pensait qu'ils étaient plus près de la porte du Sud et alla dans cette direction. Sur le chemin, son frère continua d'exprimer tout haut son exaspération.

– Les trottoirs et les rues goudronnées me manquent, continua-t-il. Notre maison pourrie me manque. Le chien qui habite dans notre rue et aboie toute la nuit me manque. Les devoirs à la maison me manquent. Les heures de colle parce que je n'ai pas fait mes devoirs me manquent.

– Vas-y, Conner, dit Alex, lâche tout, tu te sentiras mieux.

– Je hais cet endroit. Je déteste les chemins de terre. Je déteste les sorcières qui dévorent les gens. Je déteste les loups mutants géants. Je déteste dormir dehors. Je déteste les trolls sous les ponts. Je déteste les arbres... attends, *j'y suis ! Les arbres !*

Conner regarda autour de lui et courut jusqu'à l'arbre le plus proche de la muraille.

– Que fais-tu ? demanda sa sœur.

– Je vais entrer dans le royaume ! Je vais grimper à cet arbre et sauter sur la muraille !

Il se mit à escalader l'arbre rapidement et avec détermination.

– Il faut sauter au moins dix mètres de l'autre côté ! cria sa sœur.

– Allez, viens, Alex ! lui dit-il en lui faisant signe de le suivre.

– Je ne vais pas escalader cet arbre !

– Tu grimpes en haut de la tour de Raiponce et tu refuses d'escalader un arbre ? dit-il d'un ton moqueur.

– Je suis d'accord, je n'aurais jamais dû faire ça !

Mais Conner ne l'écoutait pas. Il était presque au sommet de l'arbre.

Alex courut jusqu'à l'arbre et grimpa quelques mètres.

– Conner, je t'en prie ! Descends de là ! Je préfère voyager lentement mais sûrement plutôt que de me précipiter et de prendre des risques !

Son frère se tenait debout sur la plus haute branche de l'arbre. Le sommet de la muraille était à quelques mètres de là.

– Je vais sauter sur la muraille et voir si je peux trouver un endroit d'où descendre.

– Conner, ne fais pas l'idiot ! Descends tout de suite ! Tu vas te faire mal ! ordonna sa sœur.

– Souhaite-moi bonne chance ! dit-il en se préparant à sauter. Un... deux... *trois* !

Conner bondit en direction de la muraille.

– *Nooon* ! hurla Alex.

Il avait pris un peu trop d'élan. Il manqua la muraille de peu et plongea de l'autre côté, la tête la première.

– *Allleeeexxxx* ! beugla-t-il en tombant.

Elle entendit un gros bruit sourd de l'autre côté, mais elle ne voyait rien.

– *Conner* ! hurla-t-elle. Est-ce que ça va ? Tu es vivant ? Conner ?

Elle ne tenait pas en place. Elle escalada l'arbre plus vite que tous les animaux qu'elle avait vus dans les documentaires.

– Conner, réponds-moi ! suppliait-elle. Tu m'entends ? Tu t'es fait mal ?

Au moment où elle atteignait le haut de l'arbre, Alex entendit un rire. De l'autre côté du mur, Conner était vautré sur une grosse meule de foin.

– Salut Alex ! dit-il avec un grand sourire.

– Conner ! Tu m'as fait une de ces peurs ! cria-t-elle.

– Je sais, c'était tellement drôle ! répondit son frère. Tu crois vraiment que j'aurais sauté sans savoir où j'allais tomber ?

– Je suis contente que tu sois vivant, comme ça, je vais pouvoir te tuer moi-même.

– Saute ! Tu vas atterrir en douceur, je te le jure !

– D'accord.

Elle lui lança son cartable avec précaution puis sauta de l'autre côté du mur.

Conner avait raison : l'atterrissage se fit en douceur. Ils étaient couverts de paille et s'aidèrent l'un l'autre pour l'enlever.

– Regarde-moi ça, dit Alex à son frère alors qu'ils marchaient dans le Royaume du Petit Chaperon rouge.

Ils avaient l'impression d'avoir à nouveau pénétré dans une autre dimension. Il y avait des champs à perte de vue, broutés par des vaches et des moutons. Des bergers avec des bâtons à l'extrémité recourbée et des bergères coiffées de grands bonnets s'occupaient des troupeaux avec leurs chiens.

– Tout est si paisible ici ! J'ai l'impression d'être dans une comptine.

– Ils doivent s'ennuyer à mourir, estima son frère.

– Je me demande à qui appartiennent ces terres.

Quelques instants plus tard, Alex eut la réponse. Un grand panneau en bois planté dans le sol disait :

## FERME DE LA MÈRE MICHEL

Le paysage était si agréable que le temps filait plutôt vite. Après encore quelques heures de marche, ils virent les toits pointus des maisons de la ville. Ils ne distinguaient pas grand-chose de loin, mais une fois en centre-ville, la cité prenait vie.

– Comme c'est mignon ! s'écria Alex en la voyant.

La cité était si jolie et pittoresque qu'ils avaient l'impression d'être dans un parc d'attractions. Elle foisonnait de petites maisonnettes et de boutiques en brique ou en pierre, avec des toits de chaume. Une cloche au sommet de la tour d'une vieille école se mit à tinter.

Ici encore, de nombreux hommes avec des bâtons recourbés et des femmes avec de grands bonnets allaient de-ci de-là, suivis par des chèvres et des moutons.

Parmi les nombreux magasins et boutiques, il y avait la banque Henny Penny, la pâtisserie Pirouette Cacahuète et la boulangerie Pomme de Reinette et Pomme d'Api. Le Bott-Inn, en bordure de ville, était une botte immense transformée en hôtel.

Au centre de la ville s'étendaient un parc avec une vaste pelouse et de nombreux monuments commémoratifs. Alex était stupéfaite à chaque nouvelle découverte.

Ils aperçurent un petit mur isolé, en brique, qui portait une plaque dorée sur laquelle on pouvait lire :

### LE MURET DE SIR HUMPTY DUMPTY
#### VOUS ÉTIEZ UN ŒUF BON
#### ET LES SOLDATS ET LES CHEVAUX DU ROI
#### NE SERONT PAS LES SEULS À VOUS REGRETTER.
#### PAIX OMELETTERNELLE

Derrière le muret de Humpty Dumpty se dressait une petite colline avec un puits à son sommet. Un panneau indiquait :

# COLLINE DE JACK ET JILL

Au milieu du parc se trouvait une fontaine ronde ornée de la statue d'un jeune berger entouré de moutons qui crachaient de l'eau. Une plaque annonçait :

#### À LA MÉMOIRE DU GARÇON QUI CRIAIT AU LOUP
#### TU ÉTAIS UN MENTEUR, MAIS ON T'AIMAIT BIEN

Les jumeaux étaient si captivés par tout ce qu'ils voyaient que les villageois les regardaient bizarrement.

– Cet endroit me rappelle le golf miniature, dit Conner. Pas celui qui est près de chez nous, mais le vrai de vrai, celui qui est de l'autre côté de la ville, là où vivent les gosses de riches.

Le château du Petit Chaperon rouge se trouvait sur le côté ; il bénéficiait une vue imprenable sur le parc. Ses quatre hautes tours étaient visibles de partout. Comme il se devait, ses murs et sa toiture étaient rouges, et il était entouré par des douves ; ils y aperçurent également un moulin.

De loin, le château avait l'air énorme. Mais à mesure que les jumeaux s'en approchaient, ils se rendirent compte qu'il n'était pas aussi grand que cela. Il avait été construit pour *avoir l'air* immense. Et les douves qui l'entouraient étaient si petites que les jumeaux auraient pu les enjamber sans peine.

– Je te parie que le panier du Petit Chaperon rouge se trouve quelque part là-dedans, dit Conner.

Alex sortit le journal de son cartable et commença à lire les instructions pour trouver le panier.

Contrairement à tous les autres palais ou châteaux, il n'est pas difficile de s'introduire dans celui du Petit Chaperon rouge. Il a été construit si vite après la Révolution des P.O.U.L.L. que les maçons ont oublié d'y ajouter quelques éléments essentiels. Les fenêtres de la cuisine à l'arrière du château n'ont pas de verrou.

Le Royaume du Petit Chaperon rouge est le plus petit et le plus sûr de tous les royaumes. C'est pourquoi il ne compte pas beaucoup de soldats ni de gardes. Les couloirs du château ne sont surveillés que jusqu'à minuit, et les gardes n'y retournent pas avant l'aube. Si vous vous faufilez dans le château entre minuit et l'aube en passant par les fenêtres de la cuisine et en évitant les couloirs principaux, vous ne devriez pas rencontrer de problèmes.

La reine Petit Chaperon rouge dispose d'une pièce consacrée à tous les paniers qu'elle a achetés ou reçus en cadeau au fil des années. Il vous faut trouver cette pièce et vous y verrez son tout premier panier, celui qu'elle utilisa pour aller chez sa mère-grand, il y a si longtemps.

Il n'est pas nécessaire de prendre le panier tout entier, il faut juste un bout de l'écorce qui le constitue. Le panier devrait être facile à identifier car il lui manque déjà le morceau d'écorce que j'ai pris.

– Et moi qui espérais qu'on pouvait juste sonner à la porte et demander à voir le panier, dit Conner.

Alex regardait les fenêtres et se demandait laquelle correspondait à la pièce où était le panier. En scrutant le château, quelque chose de tout à fait différent attira son attention.

– Regarde là-bas ! s'écria-t-elle en montrant le ciel du doigt.

Conner se tourna vers l'endroit que désignait sa sœur. Au milieu du ciel, une énorme tige de haricot montait à une trentaine de mètres.

– Ce doit être le haricot magique de Jack ! s'écria Alex. Tu penses à la même chose que moi ?

– Non, mais je suis sûr que tu veux aller voir le haricot...

Sa sœur était déjà partie en direction de la tige géante.

Les jumeaux traversèrent la ville en courant et prirent un petit chemin. Ils passèrent devant quelques maisonnettes et longèrent d'autres champs. Le haricot était beaucoup plus loin qu'ils ne le pensaient. Ils aperçurent enfin la base de la tige.

Épaisse et vrillée, elle avait d'énormes feuilles et poussait juste à côté d'une vieille cabane délabrée qui ne devait pas comporter plus d'une pièce. Un peu plus loin, derrière la cabane et la tige de haricot, se trouvait un grand manoir élégant en briques jaunes avec assez de cheminées et de fenêtres pour abriter une dizaine de pièces.

– Laquelle de ces maisons est celle de Jack ? demanda Conner en s'approchant de la tige.

Alex les examina un moment, puis comprit.

– Jack devait vivre dans cette cabane avec sa mère quand ils étaient pauvres, mais une fois le géant battu, ils sont devenus riches et ont pu faire construire une nouvelle maison juste derrière ! dit-elle avec un sourire. Les deux lui appartiennent !

Conner haussa les épaules. Il n'avait aucune raison de douter de cette interprétation.

– Regarde la taille de ça ! dit sa sœur en arrivant au pied du haricot. Il faut être sacrément courageux pour grimper tout en haut.

Ils entendirent alors une porte claquer et virent un homme sortir du manoir. Il était jeune, grand, les cheveux courts et les épaules larges. Son visage était beau mais sombre. Il portait une hache et une bûche.

– Regarde, Alex ! chuchota Conner. Tu crois que c'est Jack ?

– Je ne sais pas, répondit-elle. Demandons-lui.

L'homme posa la bûche sur un billot et commença à la couper en petits morceaux.

– Bonjour, dit Alex d'un ton particulièrement aimable.

– Bonjour, dit l'homme sans se détourner de la bûche.

– Vous êtes Jack ? demanda Conner.

– Ouaip, répondit-il. Vous cherchez quelque chose ?

– Non, on passait par là, dit Alex. On a vu votre tige de haricot depuis la ville et on voulait la regarder de plus près.

– Beaucoup de gens font ça, dit Jack. Je dois la tailler une fois par semaine, parce qu'elle pousse très vite.

Son expression ne changeait guère pendant qu'il coupait son bois. Était-il si habitué à voir des inconnus s'approcher de sa maison et de son haricot que cela ne lui faisait plus ni chaud ni froid ?

– Vous avez une belle maison, dit Alex.

– À part cette mocheté de baraque, dit son frère en montrant la cabane derrière lui d'un signe de tête.

– Conner, ne sois pas malpoli !

– J'en ai fait un atelier, expliqua Jack.

Il termina de découper le bois, ramassa les morceaux et s'enferma dans la cabane en claquant la porte derrière lui.

– Eh bien, en voilà un qui n'aime pas faire la conversation, dit Conner.

– Je me demande ce qui ne va pas. Il semble si différent, remarqua sa sœur.

– Parce que vous vous êtes déjà rencontrés ? railla son frère.

Il se demandait parfois si elle avait oublié qu'ils venaient d'un autre monde.

– Non, je veux dire par rapport à la façon dont il a toujours été décrit. Il était toujours si plein d'énergie et prêt à l'aventure. Je me demande ce qui l'inquiète.

– Peut-être qu'il n'aime pas que les gens viennent voir sa maison, dit Conner. Si j'étais lui, ça m'énerverait aussi...

Il allait ajouter un autre commentaire sarcastique, mais son attention fut détournée par un son aigu provenant du manoir.

– Tu as entendu ? demanda-t-il à sa sœur. On dirait un *chant*.

Tous deux se tournèrent vers le manoir au moment où des volets s'ouvrirent. S'ils n'avaient pas été si près, ils n'en auraient pas cru leurs yeux car, par la fenêtre ouverte, ils virent une femme dorée.

Elle chantait une ballade à tue-tête d'une voix de soprano. Un instrument à cordes l'accompagnait, mais les jumeaux ne distinguaient pas d'où venait la musique.

*« Oh, comme moi, le jour s'est levé,*
*Rêvant, mélancolique, aux oiseaux envolés.*
*Si j'avais des jambes, le monde je parcourrais,*
*Mais je suis une harpe, et à cette fenêtre demeurerai. »*

Elle se tourna vers eux en chantant la dernière note, et ils virent que tout un jeu de cordes était relié à son dos. Des cordes qui accompagnaient son chant par magie. C'était une harpe enchantée.

– Bonjour, les enfants ! Je n'avais pas vu que vous étiez là, leur dit-elle.

Alex ne tenait pas en place.

– Vous êtes une harpe enchantée ? demanda-t-elle. Celle que Jack a sauvée du géant ?

– C'est moi en personne, répondit la harpe en prenant la pose. Heureusement pour moi qu'il m'a sauvée, car les géants ont très mauvais goût en musique ! Vous auriez peine à croire les chansons qu'il m'obligeait à chanter pour lui ! Toutes les paroles ne parlaient que de dévorer des moutons et d'écraser des villageois ! Voulez-vous que je chante pour vous ?

– Non, merci, dit Conner.

La harpe se vexa.

– Je m'en souviens comme si c'était hier ! reprit-elle. J'étais là, à m'occuper de mes affaires, esclave du géant, quand tout d'un coup un gamin, un petit paysan maigrichon, est passé par là, et je lui ai dit : « Eh toi ! Pourquoi tu ne me délivres pas ? Ça me dirait bien d'être délivrée ! » Et puis en deux temps trois mouvements, nous voilà en train de descendre la tige de haricot à toute allure, poursuivis par le géant! Jack a coupé la tige de haricot magique et le géant s'est tué en tombant! *Splotch!* En plein milieu de la ferme de la Mère Michel! Quelle journée...

– C'est terrifiant! dit Alex.

– Je n'avais jamais ressenti autant d'émotions en cent ans! Finalement, tout se termina bien. Jack et sa mère devinrent riches, je n'étais plus esclave, et la famille de la Mère Michel déclara que ses champs n'avaient jamais reçu un aussi bon engrais que ce géant!

– C'est carrément glauque, marmonna Conner.

– Qu'est-ce que vous faites là, tous les deux? demanda la harpe avec un grand sourire.

Les jumeaux échangèrent un regard, tous deux hésitant à lui répondre.

– On passait par là, dit Alex. Nous n'étions jamais venus dans le Royaume du Petit Chaperon rouge.

– On était en ville, on a aperçu la tige de haricot magique et on a voulu la voir de plus près, dit Conner.

– Alors, soyez les bienvenus! dit la harpe. C'est super ici, vous ne trouvez pas? Moi, j'adore! J'ai beaucoup voyagé dans le monde et je ne me suis jamais sentie aussi bien qu'ici! On est tellement en sécurité. Les gens sont tous de gentils fermiers et, le mieux, c'est que les loups sont interdits! Vous songez à vous installer? Ça serait bien, non? Je pense que vous devriez vous installer ici et me rendre visite tous les jours!

La harpe était très bavarde, et les jumeaux voyaient bien qu'elle avait besoin d'attention. Cela ne devait pas être facile de passer toutes ses journées enfermée dans une maison.

– En fait, nous étions sur le chemin du retour, dit Conner. On doit juste faire une halte au château du Petit Chaperon rouge, et puis on poursuivra notre chemin. Nous ne sommes jamais allés...

– Demandez à Jack de vous emmener! interrompit la harpe. Il va au château cet après-midi pour rencontrer la reine Petit Chaperon rouge.

– C'est vrai? dit Alex.

– Oui. Il lui rend visite chaque fin de semaine pour lui apporter un panier fait main.

La harpe regarda autour d'elle pour s'assurer que personne ne l'écoutait, mais il n'y avait personne.

– Ce n'est pas moi qui vous l'ai dit, ajouta-t-elle avec agitation et prenant l'air d'une commère, mais la reine Petit Chaperon rouge le convoque chaque semaine au château pour lui offrir sa main! La pauvre est amoureuse de lui depuis qu'ils sont petits!

– Vraiment? dit Alex. Ça veut dire qu'ils vont se marier?

– Oh, grands dieux, non! Jack ne la supporte pas! Il lui dit non à chaque fois.

– Pourquoi? Il ne veut pas être roi? demanda Conner.

– Son cœur est déjà pris, dit la harpe avec tristesse, et les cordes sur son dos jouèrent un accord mélancolique.

– De qui est-il amoureux? demanda Alex.

– Laissez-moi deviner, dit Conner. Bécassine?

– Ne dites pas de sottises! Bécassine a épousé Cadet Rousselle, et tout le monde sait qu'il a des tas d'amantes, mais ça, c'est une autre histoire...

– Parlons de Jack, rappela Alex.

– Ah oui! Eh bien, je ne sais pas vraiment de qui il est amoureux. Je ne l'ai jamais vue, avoua la harpe. Mais ce que je sais, c'est qu'il a changé depuis qu'elle a déménagé.

Alex et Conner se regardèrent avec surprise. De qui s'agissait-il? Était-ce la raison de son attitude renfermée?

La porte de la cabane s'ouvrit et Jack en sortit avec un panier fait des morceaux de bois qu'il venait de découper.

– Hé, Jack, j'ai une idée! lui lança la harpe. Pourquoi n'accompagnes-tu pas ces deux petits au château? Ils n'ont jamais vu l'intérieur.

Jack hésita un moment.

– Je vous en supplie, monsieur Jack, ajouta Alex. On sera sage!

– Allez, Jack! Fais-leur plaisir! insista la harpe.

– Entendu, dit-il.

Il fit demi-tour et se mit en route vers la ville. Les jumeaux lui coururent après.

– Merci beaucoup, dit Alex en se retournant vers la harpe.

– De rien! lui répondit-elle. Revenez me voir... *par pitié*!

Jack marchait à vive allure. Ses jambes étaient bien plus longues que celles des jumeaux et ces derniers avaient du mal à le suivre.

– C'est gentil de nous laisser venir avec vous, s'exclama Alex, mais il ne leva pas les yeux du sol.

– Vous n'êtes pas un grand bavard, hein? dit Conner.

– Je n'ai pas grand-chose à dire, répondit Jack.

Conner hocha la tête. Il comprenait parfaitement. Près de la ville, Alex prit son frère à part:

– On en a de la chance! Si on peut entrer dans le château et prendre le panier, on quittera ce royaume en un rien de temps!

Ils traversèrent la ville et atteignirent le château. Jack frappa à la grosse porte en bois. Un instant plus tard, une petite fenêtre au milieu de la porte s'ouvrit et deux yeux apparurent.

– Qui va là?

– Jack, dit-il. Encore moi.

– Qui vous accompagne? demanda la voix, les yeux fixant Alex et Conner par-dessus les épaules de Jack.

Les jumeaux firent un geste timide de la main.

– Euh... comment vous appelez-vous, déjà ? leur demanda Jack.

– Alex et Conner, répondit la sœur en lui faisant un signe d'encouragement.

– Ce sont mes amis Alex et Conner. Ils m'accompagnent au château aujourd'hui, reprit Jack.

Les portes s'ouvrirent et tous trois entrèrent. On aurait cru une version condensée du château de Cendrillon. Les couloirs étaient moins longs et le mobilier, moins joli. De nombreux portraits étaient accrochés aux murs, mais ils étaient tous du Petit Chaperon rouge à différents moments de sa vie, prenant différentes poses, de plus en plus solennelles.

Les jumeaux attendirent avec Jack dans un des couloirs qui desservait plusieurs portes. Jack frappa à l'une d'elles et s'assit ensuite sur un banc.

– Ça prend toujours un moment, expliqua-t-il.

On entendait le bruit de pas précipités de l'autre côté de la porte.

– Attendez, n'ouvrez pas, je ne suis pas prête ! chuchota quelqu'un. Donnez-moi cette cape ! Non, pas celle-là, l'autre, avec le capuchon ! Vite !

Jack commença à siffloter pour passer le temps.

– J'ai l'air comment ? Et ma robe, elle est bien ? continua le chuchotement. Ça y est, je suis prête. Faites-le entrer ! Dépêchez-vous !

Jack se leva au moment où une servante essoufflée ouvrait la porte. Elle accompagna Jack à l'intérieur, suivie des jumeaux.

Ils pénétrèrent dans une longue pièce flanquée de grandes fenêtres. Les murs étaient tapissés d'autres portraits de la reine. Au sol se tenait une énorme tête de loup avec les yeux rouges et les dents acérées. Elle ressemblait aux bêtes que les jumeaux avaient vues dans la Forêt des Nains et, pendant un moment, ils eurent très peur, avant de comprendre qu'il s'agissait seulement d'une peau de loup étendue sur le sol. Ils comprirent aussitôt que ce tapis avait dû être jadis le Grand Méchant Loup en personne.

À l'autre bout de la pièce, la reine Petit Chaperon rouge était élégamment juchée (peut-être un peu trop élégamment) sur un grand trône.

– Bonjour Jack, dit-elle.

C'était une très jolie jeune femme qui avait pratiquement le même âge que Jack. Ses yeux étaient bleus et brillants, ses cheveux blonds coiffés avec chic sous sa couronne. Elle portait une longue robe rouge à capuche et un corsage rose. À son cou pendait un énorme diamant. Ses épaules étaient complètement dénudées et elle portait une paire de longs gants avec une douzaine d'anneaux brillants aux doigts.

Elle était un peu trop dénudée, un peu trop maquillée et bien trop apprêtée pour cette heure de la journée.

– Bonjour, Rouge, dit Jack.

– Quelle surprise ! Je ne m'attendais pas à te voir ! dit-elle.

– Mouais, répondit Jack.

– Et je vois que tu es venu avec... des *amis* ?

Elle n'était pas contente de voir qu'elle n'allait pas être seule avec Jack.

– Oui, voici Alex et Conner.

– Bonjour, dit Alex timidement.

– Ça va, Rouge ? dit Conner, avant de recevoir un coup de coude de sa sœur.

– *Bonjouuuur*, dit la reine, les dents serrées et souriant avec hypocrisie. Bienvenus dans mon château. Je vous en prie, asseyez-vous !

Elle frappa des mains et deux domestiques déposèrent une grande chaise molletonnée à côté de son trône, pour Jack. Alex et Conner eurent chacun droit à un petit tabouret installé à une certaine distance de la reine et de Jack.

Jack déplaça la chaise d'un mètre pour l'éloigner du trône avant de s'asseoir. Puis il tendit au Petit Chaperon rouge le panier qu'il avait fait pour elle.

– C'est pour moi ? demanda-t-elle. Oh, comme c'est gentil ! Tu es vraiment a-do-rable ! Je le chérirai jusqu'à ma tombe !

– Oui, tu dis toujours ça, répondit Jack.

– Alors, dis-moi, comment ça va ? demanda la reine.

Elle se penchait autant que possible vers lui tout en évitant de tomber de son trône.

– Rien de spécial, répondit-il. Comme d'hab'.

On voyait bien qu'il était déjà prêt à partir.

– Comment va le royaume ? demanda-t-il.

– Oh, je ne me soucie pas de toutes ces histoires sur l'économie, la sécurité, les besoins des paysans et tout le tralala, répondit le Petit Chaperon rouge. C'est mère-grand qui s'en occupe à ma place. De toute manière, elle s'y entend mieux que moi sur ces questions.

Elle en avait assez de tenir le panier. Elle claqua des doigts et sa servante vint le chercher.

– Mettez-le avec les autres, ordonna la reine.

La servante prit le panier et se dirigea vers la sortie. Les jumeaux se dirent qu'il fallait saisir l'occasion.

– On peut voir les autres ? demanda Alex.

– Quels autres ? demanda la reine.

– Les autres paniers, reprit Alex.

Le Petit Chaperon rouge la regarda bizarrement.

– Mon frère adore les paniers, expliqua Alex.

Conner opina de la tête pour lui donner raison.

– C'est vrai ! Ce sont les trucs que j'adore le plus au monde ! dit-il. Vous savez ce qu'on dit, une vie sans paniers, ce n'est pas une vie !

La reine les observait fixement, comme s'ils avaient été les personnes les plus curieuses qu'elle ait jamais vues.

– Si vous voulez, dit-elle pour les congédier.

Alex et Conner se levèrent d'un bond et suivirent la servante qui s'engageait dans un couloir.

– Où est-ce que la reine met tous ses paniers ? lui demanda Alex en faisant un clin d'œil à Conner.

Elle ne savait pas très bien faire l'innocente.

– Elle a une pièce tout entière qui leur est consacrée, répondit la domestique.

– Elle a une pièce de paniers ? reprit Conner.

– Oui, et si vous receviez autant de paniers qu'elle chaque année, vous en auriez une aussi.

– Vous avez une idée du nombre ? demanda Conner.

– Vous allez voir, répondit-elle.

Elle ouvrit une porte et tous trois pénétrèrent dans la pièce. Elle faisait deux fois la taille de la salle du trône et comptait des dizaines de milliers de paniers du sol au plafond.

Certains étaient posés sur des étagères, d'autres étaient soigneusement empilés, d'autres encore formaient des tas ici et là. La servante envoya le panier de Jack sur une pile dans un coin.

– La reine en reçoit pour son anniversaire, les jours de fête et à d'autres occasions spéciales, expliqua-t-elle. Certains viennent de villageois, d'autres, d'amis, d'autres encore, de monarques des royaumes environnants.

Alex et Conner regardaient ébahis autour d'eux, bouche bée. Comment allaient-ils donc trouver le panier qu'ils cherchaient dans tout ça ?

– On peut faire un tour ? parvint à dire Alex malgré le choc.

– Je pense que oui, répondit la servante.

Elle jeta un regard curieux aux jumeaux puis les laissa seuls dans la pièce.

Alex et Conner avaient du mal à respirer. Ils avaient l'impression qu'on venait de leur accrocher des poids sur la poitrine.

– Je ne me suis jamais senti aussi dépassé de toute ma vie, conclut Conner. C'est comme si on essayait de faire tous nos devoirs de vacances la veille de la rentrée, mais en mille fois pire. Comment va-t-on examiner tous ces paniers ?

– Ce n'est pas si terrible que ça... essaya de l'encourager Alex, mais elle ne parvenait pas à y croire elle-même. Il faut juste s'y mettre. Tu prends ce côté, je prendrai l'autre. Allons-y.

Ils se séparèrent et commencèrent à fouiller dans les milliers de piles de paniers pour en trouver un en écorce. Ils savaient qu'ils n'avaient pas beaucoup de temps et chaque seconde qui passait accentuait leur angoisse.

Jamais ils n'auraient pensé qu'il pouvait y avoir autant de formes, de tailles et de modèles différents de paniers. Comme les flocons de neige, chaque panier était unique.

Alex était obnubilée par l'idée de l'avoir raté. Conner ne cessait de se mettre des échardes sous la peau et hurlait chaque fois que cela lui arrivait.

Ils étaient là depuis près d'une heure et ils n'avaient même pas réussi à examiner le quart des paniers. Ils avaient mis une sacrée pagaille dans la pièce. À présent, elle était deux fois plus désordonnée que quand ils y étaient entrés. Même Alex n'y allait plus par quatre chemins, jetant les paniers de côté après les avoir examinés.

– C'est impossible ! cria Conner en donnant un coup de pied dans une pile.

À ce moment, la porte s'ouvrit et la servante entra. Alex et Conner se figèrent. La domestique fut horrifiée par le chaos qu'ils avaient provoqué.

– Je ne sais pas ce que vous fabriquez, mais je crois qu'il est temps pour vous de partir, dit-elle.

Elle les escorta de nouveau à la salle du trône. Cette fois, elle leur lança un regard de rapace à l'affût lorsqu'ils s'assirent sur leur tabouret.

La reine Petit Chaperon rouge était littéralement suspendue à son trône, agrippant la chaise de Jack avec qui elle parlait. Les jumeaux n'avaient jamais vu un regard aussi vide, empli d'ennui, que celui de Jack à ce moment. Ni lui ni la reine n'avaient remarqué leur retour.

– Tu sais, Jack, dit cette dernière en dessinant avec le doigt des cercles sur son bras, le Royaume du Petit Chaperon rouge n'est pas vraiment un *royaume* sans... un *roi*.

– Tu devrais peut-être changer son nom et l'appeler le *Reinaume* du Petit Chaperon rouge, lui répondit-il.

Elle se mit à rire un peu trop fort.

– Tu es si drôle ! Ce n'est pas ce que je voulais dire. Ce que j'essaie de dire, Jack, c'est que je n'ai jamais été aussi prête à me marier. Si *quelqu'un* me demandait ma main aujourd'hui, je dirais oui ! Connais-tu *quelqu'un* qui voudrait m'épouser ? Qui voudrait être roi ? *N'importe qui ?*

Une colombe blanche apparut soudain sur le rebord d'une des fenêtres. Quand Jack l'aperçut, son visage s'illumina. Ses yeux s'écarquillèrent et il sourit. Il avait enfin l'air heureux.

Il se tourna vers la reine. Manifestement, elle non plus n'avait pas coutume de le voir ainsi. Les jumeaux pouvaient presque voir son cœur exploser tellement elle semblait en émoi. Allait-il lui déclarer sa flamme ? Était-ce le moment qu'elle attendait depuis si longtemps ?

– Rouge, dit-il.

– Oui, Jack ?

– Je dois partir, conclut-il en se levant d'un bond et en quittant la salle du trône.

Elle faillit tomber de son siège.

– Partir ? demanda-t-elle. Pour aller où ?

– À la maison, dit Jack sans se retourner. À la semaine prochaine !

La reine croisa les bras et fit la moue sur son trône. Il était la seule chose de son royaume qu'elle ne possédait pas.

Les jumeaux pensaient qu'ils avaient tout intérêt à partir avec Jack, alors ils le suivirent.

– C'était un plaisir de vous rencontrer, Alex et Conner, dit Jack en leur serrant la main.

– Moi de même, dit Alex. Merci encore de nous avoir accompagnés jusqu'au château.

– Mais de rien ! J'espère vous revoir un jour.

Puis il rentra chez lui d'un pas plus enjoué qu'auparavant.

C'était très curieux. Jack ressemblait à présent à la personne qu'Alex avait toujours imaginée.

– C'est quoi son problème à ce type ? Comment est-ce qu'il fait pour se transformer en moniteur de camp de vacances en deux secondes après avoir été un zombie pendant des heures ? demanda Conner.

– Je ne sais pas, dit sa sœur en regardant Jack s'éloigner. C'est un homme très étrange.

– Il faut croire qu'on va devoir retourner dans le château en douce, dit son frère en s'affalant par terre.

– Au moins on sait à quoi s'attendre ce soir, et nous avons déjà examiné une bonne partie des paniers. On doit juste attendre minuit.

– J'en profiterais bien pour faire une petite sieste, dit Conner.

Les jumeaux remontèrent la rue et louèrent une chambre au Bott-Inn, qui donnait en plein sur le château du Petit Chaperon rouge. Elle devait être située près de la languette de la botte, car une paire de lacets traversait l'un des murs. La pièce avait aussi une vraie baignoire et ils l'utilisèrent chacun à son tour, heureux de pouvoir se laver pour la première fois depuis des jours.

– Je crois que je n'ai jamais pris un bain aussi agréable, dit Conner.

Ils décidèrent tous deux de se reposer et, à peine allongés sur le lit, ils s'endormirent profondément. Quelques heures plus tard, peu avant minuit, ils se réveillèrent.

– Comment va-t-on s'y prendre ? demanda Conner. C'est la première fois qu'on va cambrioler quelqu'un, ça me stresse beaucoup.

– Faisons un état des lieux, dit Alex en vidant le contenu de leurs sacs sur le lit. On a deux couvertures, une bourse de pièces d'or, un poignard, une mèche de cheveux de Raiponce, une pantoufle de verre, une carte, un journal et de la nourriture. On peut utiliser le poignard pour couper un morceau de bois du panier, mais il fera noir. On aura besoin de lumière.

– Prenons ces lanternes, dit Conner en saisissant celles posées sur les tables de chevet.

– Super, dit sa sœur. On devrait prévoir de quitter le royaume dès qu'on aura fini, au cas où il y aurait un problème. On ira vers l'entrée est du royaume. Ça nous rapprochera de la frontière du Royaume des fées.

– Je me faisais une joie à l'idée de retrouver ce lit, dit Conner l'air abattu.

À minuit moins le quart, Alex et Conner ramassèrent leurs affaires, allumèrent leurs lanternes et quittèrent le Bott-Inn. Ils traversèrent la

ville en direction du château. La nuit était très calme. Même les animaux de ferme dormaient.

Ils se cachèrent derrière le muret de Humpty Dumpty et observèrent par les fenêtres du château les gardes qui patrouillaient.

– Encore quelques minutes et ils ne seront plus là, dit Alex.

Ils virent de moins en moins de gardes passer devant les fenêtres.

– Ils sont partis ? demanda Conner.

– Je crois que oui ! répondit sa sœur. Allons-y !

Ils coururent vers l'arrière du château et trouvèrent les fenêtres
d'une grande cuisine. Ils enjambèrent les douves (ils savaient qu'ils
n'auraient aucun mal à le faire !) et tirèrent sur la fenêtre. Comme il
était écrit dans le journal, celle-ci n'avait pas de verrou et elle s'ouvrit
sans peine.

Alex se faufila la première dans la cuisine, aussi silencieusement
que possible. Le seul bruit qu'elle faisait provenait des intenses battements de son cœur. Conner la suivit et renversa une pile de casseroles
et de poêles.

Alex était pétrifiée.

– *Je vais t'étrangler !* lui fit-elle comprendre en faisant des gestes.

– *Pardon !* répondit-il de la même façon.

Ils attendirent un moment pour voir si quelqu'un avait entendu
le fracas, mais personne ne vint. Les jumeaux quittèrent la cuisine
et se retrouvèrent dans un couloir qui, sans surprise, était encore
décoré de tableaux du Petit Chaperon rouge.

– Ce Petit Chaperon rouge aime *vraiment* qu'on lui tire le portrait,
dit Conner.

– Peut-être y a-t-il autant de portraits parce que c'est le premier
monarque de ce royaume. Il n'a pas d'histoire, contrairement au
Royaume charmant, supposa Alex.

– Ou alors c'est parce que c'est une idiote égocentrique, rétorqua son frère.

Ils traversèrent le couloir, puis un autre, puis gravirent un escalier et descendirent un autre couloir.

– Tu sais où tu vas ? demanda Conner.

– Je croyais que je te suivais ! répondit sa sœur.

– Quoi ? Depuis quand est-ce que tu me suis ?

Une ombre s'approchait d'eux plus loin dans le couloir. À mesure qu'elle s'avançait, la silhouette devenait plus précise.

– *Un garde !* chuchota Alex en désignant l'ombre du doigt.

Ils coururent et pénétrèrent dans la première pièce qu'ils trouvèrent.

Une pièce plongée dans l'obscurité.

– Où sommes-nous ? demanda Conner.

– Pourquoi est-ce que tu me poses des questions auxquelles tu sais que je ne peux pas répondre ? répondit Alex.

Elle attendait près de la porte afin d'entendre le garde passer. Conner se déplaçait dans la pièce obscure, les bras tendus, tâtonnant pour ne pas heurter un objet. Leurs yeux commençaient à s'accoutumer à l'obscurité.

– Alex, je crois que je vois quelque chose...

Conner passa dans ce qu'il croyait être l'embrasure d'une porte et aperçut soudain un visage pâle qui le dévisageait. Il tomba par terre, épouvanté. Il hurla aussi silencieusement que possible.

– Alex ! Il y a quelqu'un devant la porte là-bas ! Il est moche et me fout la trouille ! dit-il en montrant la silhouette du doigt.

Alex courut à ses côtés et plissa les yeux pour voir ce dont parlait son frère.

– Ce n'est pas une porte, c'est un miroir, espèce d'idiot ! répondit-elle.

– Ah...

Alex l'aida à se relever.

– Comme tu as de grandes griffes! dit une voix derrière eux, ce qui les fit bondir de trois mètres.

Ils se retournèrent et virent un énorme lit à baldaquin entouré de rideaux en dentelle blanche et avec des draps de soie rouge. La reine Petit Chaperon rouge y dormait et parlait dans son sommeil.

– On est dans la chambre à coucher de la reine! chuchota Conner.

– Comme tu as un grand nez, mère-grand! continua la reine, toujours profondément endormie.

– Est-ce qu'elle fait un cauchemar? demanda Conner.

– Comme tu as de grandes dents... *Au looouuuuup!* hurla la reine en se redressant d'un coup et en se réveillant.

Alex et Conner s'accroupirent aussitôt pour se cacher.

La reine haletait et avait le front perlé de sueur. Elle parvint à reprendre son souffle.

– Oh non, encore... dit-elle agacée, puis elle se rallongea.

Les jumeaux n'osaient pas bouger.

– Elle s'est rendormie? demanda Conner.

– Comment le savoir? répondit Alex.

– Comme tu as de grands bras, Jack! dit la reine.

– Je crois qu'elle dort, dit Conner en se relevant sans hésitation.

– Comme tu as de douces lèvres, Jack!

– Partons d'ici avant de l'entendre nous décrire autre chose! décida Conner.

Ils rejoignirent le couloir et parcoururent encore quelque temps le château. Comme tous les couloirs se ressemblaient, ils pensaient qu'ils n'arriveraient jamais à retrouver la pièce des paniers. Chaque fois qu'ils croyaient l'avoir trouvée, ils tombaient sur un salon, une salle à manger ou une salle de bal.

– Cherchons l'entrée et rebroussons chemin jusqu'à la salle du trône... dit Alex, mais Conner l'interrompit.

– Pas besoin. Les paniers sont là-dedans, dit-il en montrant du doigt une porte près de là.

– Comment tu le sais ? demanda sa sœur.

– Parce que je me souviens de ce portrait de la reine près de la salle des paniers, dit-il en désignant un tableau où le Petit Chaperon rouge était à peine vêtu, recouvert seulement par une peau de loup.

Alex regarda son frère d'un air empli de mépris.

– Mais quoi ? demanda Conner. C'est un portrait mémorable.

Ils poussèrent la porte. C'était la pièce où ils avaient passé l'après-midi.

– Reprenons là où on s'était arrêtés, dit Alex.

Les jumeaux se séparèrent et se dirigèrent vers les coins qu'ils avaient fouillés plus tôt.

Pendant la journée, la tâche avait été difficile, mais la nuit c'était pire, car ils n'avaient plus que la lumière de leurs lanternes. Après quelques heures de fouille, leur angoisse était aussi grande que la tige du haricot magique de Jack.

Soudain, les jumeaux entendirent un gros *klank !*

– Qu'est-ce que c'est ? demanda Alex.

– Hé, regarde là-haut ! dit son frère en montrant la fenêtre du doigt.

Un petit objet en forme de croix brillait dans l'embrasure de la fenêtre.

– C'est quoi ? demanda Alex.

– Un grappin ! répondit son frère.

Le grappin bougeait à un rythme régulier.

– Je crois que quelqu'un est en train d'escalader le mur ! *Cachons-nous !*

Ils laissèrent leurs lanternes par terre et se dissimulèrent derrière une pile de paniers.

Un instant plus tard, une silhouette parut dans l'embrasure de la fenêtre. Elle prit un couteau aiguisé et découpa un large cercle dans la vitre avant de s'introduire silencieusement dans la pièce. C'était une femme que les jumeaux n'avaient encore jamais vue. Ses vêtements étaient faits de feuillages cousus ensemble, et ses cheveux étaient d'un rouge si profond qu'ils semblaient presque pourpres.

La femme examina la pièce du regard et remarqua les deux lanternes. Savait-elle que les jumeaux étaient là ? Comme un animal, elle se mit à renifler. Elle reniflait en fouillant parmi les paniers, en en jetant certains derrière elle.

Guidée par son odorat, elle se braqua soudain dans une direction. Elle grimpa sur une pile de paniers pour atteindre le haut d'une étagère. Elle passa la main derrière et en extirpa un panier en écorce.

Alex et Conner échangèrent un regard. *Il est là !*

La femme tailla un gros morceau d'écorce du panier qu'elle glissa dans sa ceinture avec précaution. Puis elle reposa le panier sur l'étagère, descendit de la pile et se dirigea vers la fenêtre.

Elle était sur le point de l'enjamber quand elle entendit un *aïe !* provenant du fond de la pièce. Conner s'était enfoncé une nouvelle écharde dans un doigt.

– *Conner !* s'exclama Alex sans faire de bruit.

Son frère fit un signe d'excuse.

La femme redescendit du rebord et se dirigea vers l'endroit où les jumeaux étaient cachés. Elle plissa les yeux en regardant dans leur direction un moment. Alex et Conner ne respiraient plus tant ils avaient peur. Ils savaient qu'elle savait qu'ils étaient là. Qu'allait-elle faire d'eux ?

La femme baissa les yeux, vit leurs lanternes par terre et eut un petit sourire en coin. D'un coup de pied, elle fit voler une lanterne dans une pile de paniers et disparut par la fenêtre en utilisant la corde accrochée au grappin.

– On a eu chaud! dit Conner. Heureusement qu'elle ne nous a pas trouvés, ou nous serions dans un sacré...

– *Conner!* Regarde! dit Alex.

La pile de paniers dans laquelle la femme avait envoyé la lanterne avait pris feu.

– Aïe, aïe, aïe, dit Conner. Il faut qu'on parte d'ici.

– Pas sans un morceau du panier, dit Alex.

Elle fouilla dans son cartable et en tira le poignard. Elle se précipita vers la pile de paniers et monta jusqu'à la dernière étagère, comme la femme avant elle. Elle n'était pas aussi grande et avait du mal à atteindre le panier.

– Alex, dépêche-toi! s'exclama son frère.

Le feu prenait de l'ampleur, embrasant d'autres piles de paniers.

Conner essayait d'éteindre le feu en soufflant dessus, sans succès. Les flammes étaient grandes, il ne s'agissait pas de bougies sur un gâteau d'anniversaire.

Alex se hissa sur l'étagère et parvint enfin à s'emparer du panier.

– Viens là! dit-elle en l'extirpant.

Il manquait deux morceaux d'écorce sur le rebord, l'un pris par l'inconnu qui avait écrit le journal, l'autre, par l'inconnue qui venait de s'enfuir. Alex en découpa un troisième à l'aide de son poignard.

– Alex! À moins que tu n'aies envie de quitter cet endroit bien croustillante, tu as intérêt à te dépêcher! hurla son frère.

La moitié de la pièce était en flammes et la chaleur devenait insoutenable. Une fumée noire emplissait l'air, si bien qu'il devenait difficile de respirer.

– Je l'ai, dit Alex en redescendant. Comment allons-nous sortir d'ici ?

De l'autre côté de la porte à moitié consumée, on entendait des gens courir dans le couloir. Au travers des flammes, les jumeaux voyaient les visages de plusieurs gardes alarmés.

– Au feu ! Le château est en feu ! cria l'un d'eux. Emmenez la reine en lieu sûr ! Allez chercher de l'eau !

– Vous deux, ne bougez pas ! ordonna un autre en montrant les jumeaux du doigt.

– Et puis quoi encore ? rétorqua Conner.

Il prit un panier particulièrement pesant et le lança vers la fenêtre, brisant la vitre en mille morceaux, puis agrippa la main de sa sœur et la tira vers la fenêtre. Ils pouvaient respirer l'air frais de l'extérieur.

– Regarde, le moulin est juste en dessous de nous ! dit Conner, qui commença à enjamber la fenêtre.

Il aida sa sœur à faire de même et ils descendirent ensemble jusqu'au moulin. Lorsqu'ils furent à mi-chemin, des flammes sortaient déjà de toutes les fenêtres de la pièce des paniers. La pièce tout entière était devenue un brasier.

Le moulin se mit à tourner à cause du poids des jumeaux, et ils tombèrent dans les douves. La chute aurait été moins rude si celles-ci n'avaient pas été profondes d'un mètre seulement.

Les jumeaux se hissèrent sur la terre ferme et s'éloignèrent du château en courant aussi vite que possible. Aucun garde ou soldat ne les poursuivait. Ils devaient tous être dans le château à essayer d'éteindre le feu.

Ils quittèrent la ville et se dirigèrent vers la porte de l'Est du Royaume du Petit Chaperon rouge. Ils ne se retournèrent qu'une fois et virent que la moitié du château était à présent en flammes. Une épaisse colonne de fumée s'élevait vers le ciel.

– C'est la quatrième ou la cinquième fois qu'on manque de mourir cette semaine ? demanda Conner.

– Qui était cette femme ? demanda sa sœur. Pourquoi cherchait-elle aussi le panier ?

– Heureusement qu'elle l'a trouvé, autrement nous n'aurions jamais réussi.

Une pensée des plus inquiétante vint à Alex.

– Conner, crois-tu que quelqu'un *d'autre* est en train de collecter les éléments du Sortilège des Vœux ?

Il réfléchissait, mais elle voyait bien que l'idée le préoccupait autant qu'elle.

– J'en doute, dit-il enfin. Pense à tout le mal que l'auteur du journal s'est donné pour découvrir les éléments de ce sortilège. Ça m'étonnerait beaucoup que quelqu'un d'autre soit au courant.

Alex hocha la tête. Ils savaient tous deux que la chose était très improbable, mais l'idée qu'il pouvait en être autrement les préoccupait beaucoup.

Quelques heures plus tard, les jumeaux aperçurent au loin la muraille de la porte de l'Est. Les gardes avaient dû éteindre l'incendie, car il n'y avait plus de fumée dans le ciel.

En atteignant la porte, les jumeaux virent quelque chose bouger. Effrayés par les récents événements, ils se réfugièrent dans un buisson et observèrent.

Un homme faisait les cent pas près de la porte. Grand et plutôt jeune, il avait un air curieusement familier.

– On dirait Jack ! dit Alex.

Conner regarda de plus près.

– C'est lui ! Qu'est-ce qu'il fait ici ?

Tout d'un coup, une silhouette avec une capuche apparut de l'autre côté de la porte grillagée.

– Et *l'autre*, qui est-ce ? demanda Conner.

Jack s'approcha lentement. La tension entre lui et la personne de l'autre côté de la porte était telle que même les jumeaux pouvaient la ressentir.

– Bonjour Jack.

– Bonjour Bouclette, dit-il.

C'est alors que les jumeaux devinèrent qu'il s'agissait de Boucle d'or. Elle portait le même manteau brun-rouge que lorsqu'ils l'avaient rencontrée dans la Forêt des Nains. Jack l'avait attendue toute la nuit.

– Comment se connaissent-ils ? demanda Alex.

– Aucune idée, répondit son frère en secouant la tête.

– J'ai vu ta colombe, dit Jack. Je savais que c'était toi qui l'avais envoyée.

– C'était bien moi, dit Boucle d'or. Je savais que tu la reconnaîtrais. Il est difficile de dresser une colombe de nos jours.

Les jumeaux pouvaient voir à leur manière de se tenir que Boucle d'or et Jack avaient beaucoup de choses à se dire, mais ils ne parlaient pas beaucoup. Au lieu de cela, ils se regardaient dans les yeux, le corps pressé contre les barreaux en fer qui les séparaient.

– Je déteste ces barreaux qui nous séparent, dit Jack.

– Je crains malheureusement que ce soit ça ou bien les barreaux d'une cellule de prison, répondit Boucle d'or.

– Je m'inquiète tout le temps pour toi.

– Je suis une grande fille. Je sais me débrouiller.

– Je veux venir avec toi, dit Jack. Tu sais que je peux réunir mes affaires et partir tout de suite si tu m'y autorises.

– Ça n'a pas de sens de gâcher deux vies, dit Boucle d'or. Un jour, tu trouveras quelqu'un d'autre.

– Tu me dis ça depuis que tu es partie, et pourtant me voici, année après année, à te retrouver dans l'ombre, insista Jack.

– C'est d'elle qu'il est amoureux ! dit Alex en recollant les morceaux. C'est à cause d'elle que Jack refuse d'épouser le Petit Chaperon
rouge. C'est la fille dont nous parlait la harpe.

– Ah oui, dit Conner. On se croirait dans un feuilleton télé !

– Je te jure que si jamais je trouve la personne qui t'a écrit cette
lettre, je la tue, dit Jack en posant ses mains sur celles de Boucle d'or.
Toute cette pagaille est sa faute.

– Ce qui est fait est fait et ne peut être défait, répondit-elle.

Ils se touchaient le front à travers les barreaux.

– Un jour, je t'innocenterai, dit Jack. Je te le jure. Et alors on pourra
vivre ensemble.

– M'innocenter ? répéta Boucle d'or en reculant. Je suis une fugitive, Jack. Je vole. Je m'enfuis. Il m'arrive même de tuer quand c'est
nécessaire ! Personne ne peut m'innocenter pour ça ! Je suis comme ça.
C'est ce que je suis devenue.

– Au début, ce n'était pas ta faute, et tu le sais, insista Jack.

Boucle d'or demeura silencieuse.

– Je t'aime, ajouta-t-il. Et je sais que tu m'aimes. Tu n'as pas besoin
de me le dire. Je le sais, c'est tout.

– Je suis une criminelle, et toi, tu es un héros, dit Boucle d'or la
larme à l'œil. Une flamme peut aimer un flocon, mais ils ne peuvent
jamais être ensemble sans se faire du mal.

– Alors laisse-moi fondre, dit-il.

Il passa la main par les barreaux, rapprocha Boucle d'or de lui, et
ils s'embrassèrent. C'était un baiser fougueux, pur et trop longtemps
reporté.

Alex était émue aux larmes. Son frère fit la moue comme si quelque
chose puait dans les environs.

– Heureusement qu'ils sont séparés par les barreaux, dit Conner.

– Tais-toi, rétorqua sa sœur.

Boucle d'or se détacha de Jack.

– Je dois partir, dit-elle. Je dois m'éloigner le plus possible d'ici avant le lever du soleil.

– Laisse-moi venir avec toi.

– Non.

– Quand te reverrai-je ? Dans une semaine ? Un mois ? Un an ?

Porridge avança derrière Boucle d'or. Elle bondit sur le dos de l'animal et s'empara des rênes.

– Guette la colombe, dit-elle avant de s'enfoncer dans la nuit sur son cheval couleur crème.

Jack l'observa jusqu'à ce qu'elle eût disparu. Alors, son corps redevint inerte. Il était à nouveau l'homme triste que les jumeaux avaient rencontré plus tôt. Il se détourna de la porte avec tristesse et se dirigea lentement vers sa maison.

– Il faut croire que tous les personnages des contes de fées ne vécurent pas toujours heureux et n'eurent pas toujours beaucoup d'enfants, conclut Alex.

Les jumeaux coururent jusqu'à la grille qui était verrouillée. Ils l'escaladèrent et parvinrent à quitter le Royaume du Petit Chaperon rouge au moment même où le soleil se levait.

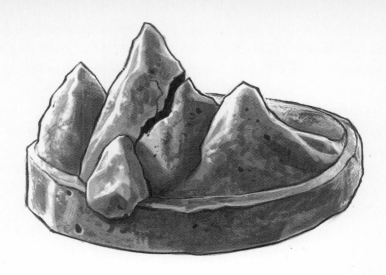

## CHAPITRE 11

# LE TERRITOIRE DES TROLLS
# ET DES GOBELINS

A lex et Conner étaient perdus.

– Nous ne sommes pas perdus. C'est juste que je ne sais pas exactement où on est, expliqua Alex à son frère.

– En d'autres termes, on est *perdus*! conclut-il.

– D'accord, on est perdus! avoua sa sœur en lui donnant un coup avec la carte.

Ils avaient quitté le Royaume du Petit Chaperon rouge avec tant de hâte qu'ils crurent avoir pris le mauvais chemin. Alex avait le nez sur la carte, pour essayer de voir où ils avaient pu faire fausse route, et du coup elle ne cessait de rentrer dans des arbres ou des buissons.

– On est peut-être dans le Royaume des fées, ou peut-être de nouveau dans le Royaume charmant, dit-elle. Mais la porte de l'Est du Royaume du Petit Chaperon rouge est près de tant de frontières différentes que, si ça se trouve, on est dans le Royaume endormi.

– Comment les gens peuvent-ils s'orienter ici ? Il n'y a que des arbres, des chemins en terre et, de temps en temps, un château, s'emporta son frère. On ne va jamais rentrer à la maison !

– C'est juste un petit contretemps. On va retrouver notre chemin en moins de deux, tempéra Alex.

– Sur quel chemin sommes-nous au juste ? Je suis désolé, mais je te signale qu'on n'a réussi à obtenir que trois des huit éléments du Sortilège des Vœux, et il y en a deux qu'on n'a toujours même pas identifiés. En plus, on ne sait même pas si ce Sortilège des Vœux marche vraiment.

– Arrête d'être si négatif, Conner, pria sa sœur.

– Alex, je regarde les choses en face, c'est tout. On a encore plein d'endroits où aller, et beaucoup de lieux à traverser. Et après avoir vu cette espèce d'amazone dans le château du Petit Chaperon rouge prendre un bout du panier, je me dis que, si ça se trouve, on n'est pas les seuls à courir après ces trucs du Sortilège des Vœux. Et si on n'y arrivait pas ? As-tu pensé à ce qu'on ferait si on restait coincés ici ?

Elle se gardait bien d'y penser. Elle avait peur que ça ne fasse que rendre cette possibilité plus réelle.

Alex examina une nouvelle fois la carte en suivant les chemins avec l'index.

– D'accord, je crois que j'ai compris où on s'est trompés, dit-elle.

– Comment ça, on ? Tu monopolises la carte depuis le début, protesta son frère.

– D'accord, je crois que j'ai compris où je me suis trompée, dit-elle en rougissant. Le chemin qu'on aurait dû prendre est juste de l'autre côté de cette forêt. On n'a qu'à la traverser, trouver le bon chemin, et on sera en route vers le Royaume des fées.

– Super, dit Conner.

Ils quittèrent le chemin et s'enfoncèrent dans la forêt qu'ils avaient longée jusque-là. Après avoir marché quelque temps, ils remarquèrent combien tout était silencieux et d'un calme sinistre. Beaucoup trop calme au goût de Conner. Depuis qu'il avait pénétré dans la forêt, un mauvais pressentiment lui nouait l'estomac.

Ici, les arbres étaient plus grands, mais quand les jumeaux levaient la tête ils ne voyaient ni oiseaux, ni insectes, ni quoi que ce soit qui vole d'arbre en arbre. La forêt tout entière semblait être sans vie.

– Hé, Alex ?

– Oui, Conner ?

– Tu as remarqué que ça fait un bout de temps qu'on ne voit ni animal ni oiseau ? demanda-t-il.

– Non, je n'ai pas remarqué. J'ai un peu la tête ailleurs, avoua sa sœur, toujours en train d'examiner la carte.

– Je dis ça comme ça, mais tu ne trouves pas ça un peu bizarre qu'on soit les seuls... *Aaaaah !*

Les jumeaux se retrouvèrent tout d'un coup suspendus en l'air, attrapés dans une sorte de filet.

– Que se passe-t-il ? cria Alex. Qu'est-ce que c'est ?

– C'est un piège ! répondit son frère.

– *À l'aide !* hurla-t-elle. Aidez-nous, s'il vous plaît !

Malheureusement pour eux, leurs cris furent entendus par des personnes peu recommandables. Deux silhouettes coururent vers eux à travers la forêt. L'une était grande et mince, l'autre, petite et ronde.

– Cornedœuf, on a attrapé quelque chose ! grogna le plus petit avec une voix grave.

– Il était temps ! dit le plus grand d'une voix aiguë et rauque.

Ils s'approchèrent et les jumeaux virent les visages effrayants d'un gobelin et d'un troll. Le gobelin était dégingandé, avec de grands yeux jaunâtres et la peau vert pomme. Le troll était gros et mal fagoté, avec un nez énorme et des cornes. Les deux avaient de grandes oreilles pointues.

– Lâchez-nous! ordonna Conner.

– Vous n'avez pas le droit! vociféra Alex.

Le gobelin et le troll ne les écoutaient pas. Ils les observaient comme s'ils avaient été des insectes dans un bocal.

– Ooooh! Regarde comme ils sont jeunes, Pustubule! s'extasia le gobelin.

– Ils vont nous servir longtemps! se félicita le troll.

– Comment ça, *servir*? les interrompit Conner. Vous n'avez pas intérêt à nous faire du mal!

– Sortez-nous de ce filet immédiatement ou je vous dénoncerai aux autorités, prévint Alex, ne sachant pas vraiment à qui elle pensait.

– Ils vont grandir et ils seront de plus en plus gros et de plus en plus forts! continua le troll.

– Pustubule, va chercher la charrette! ordonna le gobelin. Ce seront des esclaves parfaits.

En entendant le mot « esclaves », les jumeaux redoublèrent d'efforts pour se délivrer du filet. Ils se souvenaient de ce que Grenouille leur avait expliqué. Les trolls et les gobelins avaient été bannis parce qu'ils enlevaient des innocents et les réduisaient en esclavage... et maintenant Alex et Conner étaient la preuve vivante que la pratique n'avait pas cessé. Comment allaient-ils s'en sortir?

Pustubule, le troll, s'en alla et revint quelques instants plus tard à la tête d'une petite charrette tirée par un âne chétif. Cornedœuf, le gobelin, coupa une corde au-dessus du filet, et les jumeaux atterrirent durement sur la charrette. Ils continuaient de s'acharner sur le filet qui les retenait, mais sans succès.

Cornedœuf grimpa sur la charrette et s'assit aux côtés de Pustubule. Tous deux prirent les rênes et fouettèrent l'âne avec hargne jusqu'à ce que la charrette atteignît sa vitesse maximale.

Ils voyagèrent ainsi le reste de la journée. Les jumeaux ne voyaient que le sommet des arbres et le ciel défiler à travers le filet.

– Alex, qu'est-ce qu'on va faire ? demanda Conner, se débattant toujours avec les mailles du filet.

Sa sœur tremblait comme un petit chiot. Elle se tortilla afin de se mettre en position assise et voir où les emmenaient le troll et le gobelin. Ils allaient droit vers des rochers de la taille de montagnes. Alex eut un soubresaut : elle avait reconnu les pierres sur la carte.

– Qu'est-ce qu'il y a ? Qu'est-ce que tu vois ? demanda Conner.

– Ils nous emmènent vers le Territoire des trolls et des gobelins, dit Alex le visage complètement blême. J'aperçois les rochers qui l'encerclent !

Ils se souvenaient des explications de Grenouille : les rochers avaient été placés autour du Territoire pour empêcher les trolls et les gobelins d'en sortir, mais les habitants avaient manifestement trouvé le moyen d'échapper à leur enfermement, car la charrette parvint à se faufiler entre deux rochers.

Elle pénétra dans le royaume, mais il n'y avait rien à voir. Il n'y avait ni arbres, ni bâtiments, ni vie d'aucune sorte. Le lieu était jonché de cailloux et de débris à des kilomètres à la ronde.

– Je ne comprends pas, dit Conner. Où vivent-ils ?

– On se croirait dans une décharge du Moyen Âge, ajouta Alex.

La charrette s'engouffra dans un énorme trou dans le sol et descendit sous terre. Il faisait nuit noire et les jumeaux arrivaient à peine à voir le bout de leur nez. L'odeur de champignon et de pourriture était insoutenable.

– Tout le royaume doit être souterrain! conclut Alex.

Après une longue descente dans le noir, ils virent des petites lumières au-devant. Elles provenaient de lanternes parsemées autour d'un groupe d'hommes qui creusaient des tunnels.

– Que font ces gens ici? demanda Conner, avant de voir des trolls et des gobelins derrière eux.

– Plus vite! ordonnaient les créatures en fouettant les humains.

Alex dut se couvrir les yeux à la vue de ce spectacle.

– Ce sont des esclaves! Oh, Conner, c'est épouvantable! C'est vraiment affreux!

Son frère la prit dans ses bras et elle pleura sur son épaule.

– Ça va aller, Alex, dit-il. On trouvera un moyen de sortir de là, ajouta-t-il, mais lui-même avait peur.

Tout autour d'eux, des centaines de huttes et de petites maisons étaient empilées les unes sur les autres. C'était un immense monde souterrain.

– On se croirait dans une fourmilière géante, observa Conner.

La charrette passa sous une arche en pierre flanquée de deux énormes statues, l'une représentant un gobelin, l'autre, un troll. Elles étaient effrayantes, les traits durs – tout sauf accueillantes. Un mot était gravé sur l'arche:

## SOYEZ TROLL OU GOBELIN, OU TREMBLEZ SANS FIN

– D'habitude, les gens ont juste un petit paillasson, dit Conner.

L'arche était suivie d'un long tunnel en pierre. Au bout, il y avait une lumière, et aussi beaucoup de bruit, mêlant des rires aigus, le grondement de conversations et de forts cliquetis.

Les jumeaux atteignirent rapidement une immense salle commune remplie de centaines de gobelins et de trolls sur plusieurs niveaux. Il y en avait même qui étaient suspendus à un lustre.

Tout était en pierre. Ils mangeaient et buvaient dans des assiettes et des gobelets en pierre, étaient assis sur des chaises autour de tables en pierre. Des hommes et femmes réduits en esclavage les servaient. Chaque troll et chaque gobelin rivalisaient de vulgarité avec leur voisin.

Au cœur de ce chaos, deux trônes sur une estrade surplombaient le tout. Le roi des trolls était assis sur l'un des trônes, le roi des gobelins occupait l'autre. Au-dessus et au milieu d'eux, on voyait une couronne en pierre, symbole d'un partage équitable du pouvoir au sein du royaume.

Ils veillaient sur leurs concitoyens en souriant bêtement avec un air suffisant, s'amusant des festivités alentour.

Traversant la salle, de nombreux trolls et gobelins braillaient et riaient en voyant les jumeaux dans la charrette. Certains leur lançaient de la nourriture. Alex et Conner s'agrippaient encore davantage l'un à l'autre, tous deux tremblants de peur.

Les gobelins et les trolls étaient grotesques et effrayants, avec des verrues, des dents aiguisées, tous épouvantablement sales. C'était le type de monstres qu'Alex et Conner voyaient dans leurs cauchemars lorsqu'ils étaient petits.

Une petite fille troll qui avait plus ou moins leur âge était assise sur l'estrade des rois. Son visage était rond, avec un petit museau et des cheveux attachés en queue-de-cheval sous ses petites cornes. Elle se tenait la tête entre les mains, l'air de s'ennuyer et se sentir seule. Ce qui se passait autour d'elle ne semblait pas du tout l'intéresser. Elle leva les yeux lorsque les jumeaux passèrent devant elle et demeura interdite en voyant Conner.

Cela le surprit.

– Qu'est-ce qu'elle a à me regarder ? demanda-t-il. Tu crois qu'elle veut me manger ou quoi ?

La charrette prit un virage et s'engouffra dans un autre long tunnel. Ils étaient descendus si profondément sous terre qu'ils se demandaient s'ils arriveraient jamais à remonter à la surface.

La charrette s'engagea dans un donjon petit et sombre comportant une série de cellules. D'autres esclaves y étaient emprisonnés : des hommes, des femmes, des enfants, des personnes âgées. Tous avaient l'air épuisés et étaient pâles comme des fantômes. Intimidés par la vue de Cornedœuf et de Pustubule manœuvrant leur véhicule dans la salle, ils demeuraient silencieux.

Le gobelin et le troll coupèrent le filet qui emprisonnait les jumeaux, puis leur arrachèrent leurs sacs et les poussèrent brutalement dans une cellule.

– Rentrez là-dedans ! dit Cornedœuf, en claquant la porte de la cellule derrière eux.

– Voyons voir... commença Pustubule.

Il vida le contenu des sacs des jumeaux sur une table dans un coin de la salle.

– Ne vous mêlez pas de ça ! cria Alex en le regardant, impuissante.

Toute la salle pouvait voir la pantoufle de verre, la mèche de cheveux, le morceau de panier, la carte, le journal, le poignard, la bourse de pièces d'or, et tout ce que les jumeaux avaient emporté avec eux.

Heureusement, le troll et le gobelin ne semblaient s'intéresser qu'au poignard et à la bourse. Ils les prirent et jetèrent les autres affaires sur une pile de déchets à côté de la table.

– Reposez-vous ! Demain, vous avez une longue journée ! prévint Pustubule, puis il ricana avec Cornedœuf avant de repartir sur la charrette.

Tous les autres esclaves observaient Alex et Conner à travers les barreaux de leurs cellules. Leurs yeux exprimaient de la compassion, désolés à l'idée que les jumeaux aient à subir ce qu'ils avaient dû endurer eux-mêmes depuis qu'ils étaient en captivité.

– Quelqu'un sait comment sortir d'ici ? demanda Alex, mais personne ne répondit, comme s'ils avaient été dressés à ne pas parler.

Même les enfants restaient silencieux.

– Je n'en reviens pas ! grogna Conner.

Il secoua violemment les barreaux de la cellule, mais ils ne bougèrent pas d'un pouce.

– Ça ne sert à rien, dit une voix derrière les jumeaux. Les barreaux sont en pierre.

Alex et Conner s'approchèrent du prisonnier qui occupait la cellule voisine. Un vieil homme était accroupi dans le coin le plus obscur de la cellule. Il était maigre, avec une barbe longue et grise, et il était vêtu de haillons.

– Il doit y avoir un moyen de sortir d'ici, insista Conner.

– Tout le monde dit ça quand il arrive ici la première fois, dit le vieillard. Mais malheureusement, il n'y en a pas.

– Ça fait combien de temps que vous êtes là ? demanda Alex.

– Des années, répondit l'homme.

Il se pencha et la lumière éclaira son visage. Il était aussi fatigué et usé que ses vêtements. Il louchait, ce qui faisait que les jumeaux ne savaient pas à qui il s'adressait.

– Dites-moi, je ne vous ai pas déjà vus quelque part ? demanda-t-il.

La chose était impossible, mais l'homme semblait être sûr de lui et, bizarrement, Alex et Conner avaient eux aussi l'impression de le connaître.

– Je ne crois pas, dit Alex. Nous sommes arrivés dans le coin il y a peu.

– J'en mettrai ma main au feu, insista le vieillard. Vous êtes sûrs que vous n'avez jamais troqué une flûte magique contre un poulet ? Ou peut-être une fleur chantante contre un agneau ?

– Non, je suis désolée, je n'ai jamais rien troqué avec vous... dit Alex, avant de comprendre de qui il s'agissait : ces yeux qui louchaient, cette longue barbe, ces haillons... *était-ce possible ?*

Elle prit son frère à part et dit :

– Conner, c'est le Troqueur ambulant, celui du journal !

Son frère n'y croyait pas.

– Tu es sûre ?

– Monsieur, dit Alex en s'agenouillant devant lui, est-ce que par hasard on vous appelle le Troqueur ambulant ?

L'homme dut réfléchir. Manifestement, des années d'esclavage avaient fini par lui faire perdre un peu la tête.

– Oui, je crois que c'est ainsi qu'on m'appelait, dit-il enfin.

Les jumeaux étaient très heureux de l'entendre. L'homme, lui, était heureux qu'on lui rappelle une époque où il n'était pas un esclave.

– Demande-lui s'il sait ce qu'est devenu l'homme qui a écrit le journal ! murmura Conner à l'oreille d'Alex.

Elle hocha la tête.

– Monsieur le Troqueur, reprit Alex, est-ce que vous vous souvenez d'un homme qui est venu vous poser des questions sur le Sortilège des Vœux ?

– Le Sortilège des Vœux ? répéta le vieillard.

Tout d'abord il ne comprit pas à quoi elle faisait allusion, puis, en y réfléchissant, son visage s'illumina.

– Ah oui ! C'était un des derniers clients avec qui j'ai commercé avant d'être amené ici. Un type un peu cinglé, il voulait voyager vers un autre monde. Et moi qui croyais être fou !

– A-t-il réussi ? demanda Alex. Est-il parvenu à trouver tous les éléments du Sortilège des Vœux ?

– Je ne sais pas, dit le Troqueur.

Les jumeaux baissèrent la tête.

– Je ne l'ai jamais revu, alors c'est possible. Pourquoi me posez-vous cette question ? demanda-t-il en les regardant avec curiosité.

Le frère et la sœur échangèrent un regard. Ils ne savaient pas quoi répondre.

– Ne me dites pas que vous aussi vous êtes en train de courir après le Sortilège des Vœux ? reprit le vieillard.

Les jumeaux se regardaient d'un air coupable. Conner s'approcha pour s'adresser directement au vieillard.

– On essaie, mais on ne connaît pas tout ce qu'on doit chercher, dit-il.

– Personne ne le sait, c'est tout l'intérêt ! dit le Troqueur en riant. Certains connaissent la description des éléments requis, mais personne ne sait en quoi ils consistent précisément.

– Comme Hagatha, ajouta Alex. Elle ne connaissait que les énigmes. L'homme à qui elle les a révélé a dû les interpréter à son tour, mais il a pu se tromper.

– Et si on trouvait Hagatha et qu'on lui demandait son avis... proposa Conner.

– Hagatha est morte, interrompit le Troqueur.

– Morte ? répéta Alex, interloquée. Comment c'est arrivé ?

– Elle est tombée dans la Fosse aux ronces, expliqua le vieillard.

– Qu'est-ce que c'est ? demanda-t-elle.

– Bon sang, petite, d'où sors-tu ? Quand le maléfice qui pesait sur le Royaume endormi fut rompu, toutes les ronces et les arbustes sauvages qui avaient poussé dans le royaume furent coupés et jetés dans une fosse très profonde. Hagatha cherchait des ronces pour sa maison et elle tomba dedans.

– C'est horrible ! dit Alex.

– Elle appela à l'aide pendant des jours, mais personne ne voulait l'aider. Personne ne voulait secourir une veille chouette, poursuivit le Troqueur. Juste avant de mourir, Hagatha jeta un sort afin que les ronces poussent sur quiconque s'approchait de la fosse et soit attiré au fond, où elle avait elle-même été piégée à jamais.

– C'est hallucinant, dit Conner.

– Depuis cette époque, on l'utilise comme terrain vague. Les gens de tous les royaumes voyagent jusque-là pour déposer tout ce dont ils veulent se débarrasser, conclut-il.

– Est-ce qu'il y a quelqu'un d'autre avec qui nous devrions parler ? demanda Alex.

– Quel que soit l'objet de votre voyage, je crains qu'il ne prenne fin maintenant, avertit le vieillard. Quand vous vous retrouvez ici, c'est pour toujours, et personne n'y peut plus rien.

Il se détourna.

On entendait de l'agitation dans le tunnel menant jusqu'au donjon. Des trolls et des gobelins ramenaient dans leurs cellules des hommes et des femmes qui avaient travaillé dans les tunnels et dans la salle commune. Ils avaient tous l'air si épuisés qu'ils auraient été prêts à dormir une année entière s'ils en avaient eu le loisir.

– C'est l'heure de se coucher ! ordonna un troll, puis il éteignit toutes les torches avec un seau d'eau. Si l'un de vous fait du bruit, personne n'aura à manger demain !

Les trolls et les gobelins partirent en gloussant.

Il faisait nuit noire dans le donjon. Alex trouva Conner dans l'obscurité et ils se blottirent l'un contre l'autre.

– Je veux juste que maman ne se fasse pas de souci, dit-elle, les yeux écarquillés et humides. Plus on reste ici, plus longtemps elle sera seule.

– Je suis sûr que grand-mère est avec elle, la rassura Conner. Tout le commissariat est sans doute parti à notre recherche. Ça fera une drôle de conversation quand on rentrera à la maison et qu'on leur expliquera où nous étions pendant tout ce temps.

– C'est gentil de nous encourager, répondit sa sœur.

Malgré le maigre réconfort de son frère, Alex s'endormit en pleurant. Conner ne parvenait pas à trouver le sommeil. Il ne pouvait s'empêcher de songer qu'à peine une semaine auparavant il était en sécurité dans son lit, ne craignant rien de plus que les devoirs et Mme Peters. Mais à présent il était là, dans un donjon d'une autre dimension, avec pour seul horizon une vie de servitude. Comme les temps avaient vite changé...

Conner venait de s'assoupir quand il se réveilla en sursaut. Il sentait que quelqu'un l'observait. Il ouvrit un œil et vit, debout de l'autre côté de la cellule, la fille troll qu'ils avaient croisée dans la salle commune. Elle l'avait observé pendant son sommeil, une bougie à la main.

– Je peux vous aider ? demanda-t-il, très mal à l'aise.

– Comment tu t'appelles ? demanda la visiteuse d'une voix légère et enjôleuse.

– Pourquoi veux-tu le savoir ? répliqua-t-il.

– Parce que j'aimerais tout savoir sur toi, expliqua-t-elle avec un sourire rêveur qui faillit le rendre malade.

– Je m'appelle Conner. Et toi ?

– Je m'appelle Trollbella. Je suis une princesse troll. Mon père est le roi des trolls. Tu as une fiancée, Conner ?

*Oh non*, pensa-t-il. *Elle a un faible pour moi.* Tout d'un coup, il était content qu'il y ait des barreaux entre eux deux.

– Euh... pas vraiment, non, dit Conner gêné. C'est difficile de rencontrer des gens quand on vient d'être réduit en esclavage par des trolls et des gobelins.

– Oui, je sais ! dit Trollbella avec de grands yeux aguichants. Les trolls et les gobelins sont les pires ! Je déteste vivre ici. Je déménagerais si je le pouvais. Tout est si désorganisé et tout le monde est si méchant, et ne me parle pas des garçons trolls ! Ils ne savent pas comment traiter une dame !

– Je suis désolé de l'apprendre, dit-il, espérant qu'un gobelin passe par là pour lui ordonner de travailler dans un tunnel et le tirer de cette situation délicate.

– Je suis moi-même une incorrigible romantique, continua la princesse en battant des sourcils et en faisant tournoyer sa queue-de-cheval. Je peux t'appeler « mon chou » ?

– Certainement pas.

– Conner, que se passe-t-il ? demanda sa sœur en se réveillant.

– Qui c'est, celle-*là* ? demanda Trollbella dont l'expression taquine devint menaçante.

– Du calme, c'est simplement ma sœur.

– Euh, bonjour ? fit Alex, ne comprenant pas ce qui se passait.

– Je ne l'aime pas, décida Trollbella en montrant Alex du doigt.

Celle-ci était terrifiée. Avait-elle fait quelque chose de mal ?

– On finit par l'apprécier, dit Conner. Si je devais me retrouver esclave jusqu'à la fin de mes jours avec quelqu'un, je serais content que ce soit avec elle.

– Vous êtes contents de votre visite chez nous jusqu'à présent? demanda la princesse troll.

– Pas vraiment, répondit-il, se demandant si c'était une blague ou si elle était idiote.

– On aimerait vraiment pouvoir sortir d'ici si vous pouviez nous aider, dit Alex.

– Je ne te parle pas! cria Trollbella à Alex.

Puis elle tourna lentement la tête, sourit à Conner et ajouta:

– Je peux peut-être te libérer en échange de quelque chose.

– Quoi donc? demanda-t-il.

S'ils n'avaient pas été assis par terre dans un donjon sale, les jumeaux auraient été suspendus à ses lèvres.

– Un baiser, dit Trollbella en regardant passionnément Conner dans les yeux.

Il avala bruyamment sa salive.

– Eh bien, je crois qu'on va être des esclaves jusqu'à la fin des temps, décida-t-il.

Trollbella fronça les sourcils. Alex donna une tape sur la tête de son frère.

– Embrasse-la, idiot, et on pourra s'en aller!

– Ne frappe pas mon chou! prévint la princesse. Et je n'ai jamais dit que j'allais te libérer *toi*, j'ai dit que je pouvais le libérer *lui*.

– Je crois qu'il serait plus enclin à accepter si tu lui promettais de nous libérer tous les deux, proposa Alex.

– Non, c'est pas vrai! Parle pas à ma place, interrompit Conner, mais les deux filles ne l'écoutaient pas.

Trollbella était visiblement énervée. Elle n'aimait pas négocier. Elle fit demi-tour et disparut sans dire un mot.

– Bravo, Conner! dit Alex. C'était peut-être notre seule chance de nous échapper!

– Il est hors de question que j'embrasse cette *chose*! rétorqua son frère. Liberté ou non, tu m'en demandes trop!

Les jumeaux bondirent de nouveau vers la porte de la cellule. Trollbella était revenue très vite avec une clé et s'apprêtait à conclure le marché.

– Approche tes lèvres, mon chou, dit-elle en avançant le visage vers les barreaux de la cellule.

– Je n'y arrive pas. Mon corps tout entier résiste! dit Conner.

– Veux-tu rentrer à la maison un jour? demanda sa sœur.

On aurait cru que Conner avait à la fois envie de vomir et de pleurer. Il s'approcha à une allure d'escargot de la créature qui lui tendait sa bouche. Alex trouvait qu'il n'allait pas assez vite, alors elle le poussa franchement en avant, Trollbella le saisit à travers les barreaux et elle lui donna un gros baiser bien baveux.

– *Beeeurk!* dit Conner en se dégageant.

Il suffoquait et s'essuyait la bouche frénétiquement. La princesse, satisfaite, arborait un énorme sourire.

– C'est la pire chose que tu m'aies jamais faite! dit-il à sa sœur, se sentant tout à fait trahi. Comment as-tu pu me faire ça?

– Allons, Trollbella, reprit Alex, ignorant le cinéma de son frère. Nous avons conclu un marché. Laisse-nous partir.

Le sourire de la troll se fit grimace. Elle fit tourner la clé dans la serrure et ouvrit la porte de la cellule à contrecœur. À ce moment-là, Alex vit les autres esclaves dans le donjon. Les rares qui étaient éveillés avaient observé les jumeaux en silence et avec attention. Ils n'avaient jamais vu quelqu'un être libéré. Ils ne croyaient pas que cela fût possible.

– Vous êtes libres, dit la troll.

Les jumeaux sortirent rapidement de la cellule et, lorsque Alex passa devant Trollbella, elle saisit rapidement la clé et poussa la princesse dans la cellule, refermant la porte derrière elle.

– Laissez-moi sortir immédiatement! hurla Trollbella. Ça ne faisait pas partie du marché!

– Je ne peux pas partir sans les autres, expliqua Alex.

Elle se précipita vers les portes de toutes les cellules pour les déverrouiller.

– Tout le monde debout! On s'en va! Allez!

Elle courut vers la pile de déchets de l'autre côté de la salle pour récupérer ses affaires.

– Gardes! hurlait Trollbella. Gardes! Les esclaves s'échappent!

– Je t'en prie, tais-toi! l'implora Conner. Tu peux te taire? S'il te plaît? Pour ton petit chou?

Trollbella rougit.

– D'accord, mon chou. Pour toi, je ne ferai pas de bruit.

Les esclaves se réveillèrent. Il leur fallut un moment pour comprendre ce que disait Alex. Ils avaient rêvé de ce jour depuis si longtemps. Beaucoup bondirent et quittèrent leur cellule, d'autres hésitaient, y compris le Troqueur ambulant.

– Allez, dit Alex. Qu'est-ce que vous attendez?

– Vous êtes fous ou quoi, tous les deux? Ils vont nous étriper si on essaie de se sauver, dit le vieil homme.

Cela inquiétait certains d'entre eux, surtout les enfants.

– Vous préférez mourir dans votre cellule ou mourir en tentant de retrouver la vie qu'ils vous ont volée? demanda Alex.

Ses paroles durent faire leur effet, car ils se rassemblèrent autour d'elle. Même le Troqueur était prêt à tenter sa chance pour recouvrer la liberté. Il lui fit un signe de tête en rejoignant le groupe.

– Quelqu'un connaît la meilleure façon de sortir d'ici? demanda Alex.

– On doit rejoindre les tunnels! dit un homme.

– Oui, les tunnels! répéta une femme.

– Comment fait-on pour y arriver ? demanda Conner.

– On ira dans la salle commune et on passera l'arche en pierre. Les trolls et les gobelins ont construit des tunnels qui mènent vers chacun des royaumes. C'est comme ça qu'ils circulent, expliqua le Troqueur.

– Doit-on craindre d'être poursuivis ? demanda Conner.

– Ils dorment tous en ce moment, dit Trollbella en soupirant dans sa cellule. Même les gardes. C'est pour ça que personne n'est venu quand j'ai crié.

– Bien, allons-y, dit Alex. Tout le monde doit être aussi silencieux que possible et aider les enfants et les plus âgés.

Tous hochèrent la tête et Alex les mena hors du donjon, en priant pour que personne n'ait jamais à y retourner.

– À la prochaine, mon chou, dit Trollbella en soufflant un baiser à Conner.

– Oui, c'est ça, dit-il, avant de suivre les autres hors du donjon.

La princesse sourit jusqu'aux cornes. Elle n'avait jamais vécu une journée si remplie d'émotions.

Le groupe d'évadés remonta le tunnel et passa devant une série de gardes gobelins. Comme l'avait dit Trollbella, ils dormaient à leur poste.

Ils atteignirent enfin la salle commune et durent se couvrir la bouche tant ils étaient épouvantés par ce qu'ils voyaient. Tous les trolls et gobelins qu'Alex et Conner avaient vus en train de festoyer lors de leur passage étaient maintenant vautrés par terre, comme s'ils avaient perdu connaissance. On distinguait à peine le sol. Comment allaient-ils atteindre l'autre côté de la salle sans marcher sur l'un d'eux ?

Certains ronflaient, d'autres gigotaient dans leur sommeil. Même le roi des trolls et le roi des gobelins dormaient assis sur leurs trônes.

– Vite et en silence ! chuchota Alex au groupe. On peut y arriver, il faut juste faire attention.

Ils commencèrent à contourner les monstres sur la pointe des pieds, posant le pied entre les membres étendus, évitant les plats et gobelets brisés qui jonchaient le sol poussiéreux, et les chaises et les tables renversées.

Chaque fois qu'un troll ou un gobelin faisait un bruit ou un mouvement, tout le monde s'immobilisait, le cœur s'arrêtant un moment. Si l'un des monstres se réveillait et découvrait les esclaves en train de se diriger vers la sortie, ce serait la catastrophe.

Alex s'arrêta au milieu de la salle et s'assura que tout le monde avait réussi à la suivre et que personne n'avait été abandonné en route. Au bout d'un moment, tous étaient parvenus à traverser la salle, excepté Conner, qui demeurait immobile au fond. Il fixait le roi des trolls et le roi des gobelins, les yeux et la bouche ouverts.

– Conner! Qu'est-ce que tu fabriques? demanda sa sœur en chuchotant le plus fort possible.

– Regarde! murmura-t-il d'une petite voix en lui faisant des signes. Regarde la couronne! C'est la couronne!

Alex leva les yeux en direction de la couronne en pierre suspendue au-dessus de la tête des rois.

– Et alors? chuchota-t-elle.

– C'est la couronne du Sortilège des Vœux! dit Conner. « Une lourde couronne de pierre, partagée au fin fond d'une sauvage tanière »!

Alex avait le cœur qui battait la chamade. Son frère avait raison. Elle correspondait parfaitement à la description.

– Qu'est-ce que vous fabriquez tous les deux? On vous attend! dit le Troqueur depuis le tunnel.

Les jumeaux se regardèrent. Ils savaient qu'ils ne pouvaient pas renoncer à la couronne.

– Partez sans nous! dit Alex.

– Comme vous voudrez! dit le Troqueur, puis il disparut avec les autres dans le tunnel.

– Je vais la chercher! chuchota Conner.

– Fais attention!

Il traversa la salle lentement. Sans le faire exprès, il heurta un gobelet, faisant un grand *ding!* qui fit tressaillir plusieurs trolls et gobelins dans leur sommeil.

– Désolé! dit Conner à sa sœur.

Il grimpa sur l'estrade où se trouvaient les trônes. La couronne étant en hauteur, il allait devoir grimper sur un des trônes pour l'attraper. Il monta sur l'accoudoir du trône du roi des trolls. Sa jambe gauche était si près du visage du roi que Conner pouvait sentir son souffle tiède à travers son jean. Il balança sa jambe droite sur l'accoudoir du trône du roi des gobelins et tendit les bras vers la couronne. Elle était encore trop haute. Il allait devoir sauter pour l'attraper.

Alex tremblait et se cacha les yeux avec les mains.

Conner sauta et tenta d'attraper la couronne, mais il la manqua de quelques centimètres. Il sauta à nouveau et réussit cette fois à la toucher du bout des doigts. Il sauta encore une fois, encore plus haut, et parvint à l'empoigner. Malheureusement, en atterrissant, il manqua les accoudoirs et tomba directement sur les cuisses du roi des gobelins.

– *Aaaaaah!* hurla le roi.

Alex enleva les mains de son visage juste à temps pour apercevoir son frère vautré sur les cuisses du roi et tenant fermement la couronne. Conner bondit et courut aussi vite que possible, agrippant sa sœur par le bras tout en se dirigeant vers la sortie.

– Attrapez-les! ordonna le roi des gobelins. Quelqu'un! Attrapez-les!

Tous les trolls et les gobelins commencèrent à s'éveiller en entendant les cris du roi. Les jumeaux ne faisaient plus attention à sur quoi ou sur qui ils marchaient. Ils traversèrent la salle commune en courant et descendirent dans le tunnel en pierre, poursuivis par des dizaines de trolls et de gobelins.

Ils passèrent devant les deux épouvantables statues à l'entrée du tunnel. La statue du gobelin s'écrasa derrière eux, obstruant le passage. Alex cria... une seconde plus tard et la statue les aurait écrasés.

Ils virent alors le Troqueur essoufflé, la main sur le cœur. C'est lui qui avait réussi à renverser la statue pour boucher le tunnel. Les trolls et les gobelins avaient atteint le bout du tunnel et ne parvenaient pas à escalader la statue renversée.

– Ça devrait les occuper un bon moment, dit le vieil homme. Courez, maintenant !

– Où sont les autres ? demanda Alex.

– Ils sont partis dans les tunnels ! Ils sont en sécurité, dit-il.

– Et vous ? reprit-elle.

– Je ne pouvais pas vous laisser, répondit l'homme. Je suis vieux, mes petits. Je n'aurais jamais pu courir plus vite qu'eux. Vous deux avez encore beaucoup de choses à vivre, alors courez avant qu'ils ne parviennent à dégager la statue. Dépêchez-vous !

– On ne partira pas sans vous ! décida Alex.

– Je suis un homme recherché dans tous les royaumes, dit le Troqueur qui respirait avec peine. Où que j'aille, je me retrouverai derrière les barreaux. J'ai fait beaucoup de mal dans ma jeunesse, les enfants. Il y a beaucoup de marchés que je n'aurais pas dû conclure. Je mérite ce châtiment. Pas vous. Allez, courez à présent !

Alex et Conner reprirent leur course. Ils débouchèrent sur une série de tunnels surmontés chacun d'un panneau de direction.

– Allez, viens, dit Alex en attrapant Conner par le bras, le tirant vers le tunnel qui conduisait au Royaume des fées.

Ils mirent la couronne des trolls et des gobelins à l'abri dans le cartable d'Alex.

– A-t-on pris la bonne décision ? demanda la sœur en courant dans le tunnel. Fallait-il l'abandonner ?

– Il ne serait pas venu avec nous. Sa décision était prise, répondit Conner.

Il savait qu'ils avaient fait de leur mieux, mais lui aussi se sentait coupable.

– Comment un inconnu a-t-il pu faire un tel sacrifice pour nous ? s'interrogea Alex.

– Peut-être qu'il s'est dit que de troquer sa liberté contre la nôtre était le seul marché honnête qu'il ait jamais conclu, proposa son frère.

## CHAPITRE 12

# LE ROYAUME DES FÉES

Alex et Conner émergèrent du passage souterrain entre un arbre et une grosse pierre. Ils étaient couverts de poussière et de toiles d'araignées. Trempés de sueur, ils avaient manqué s'asphyxier dans le tunnel et tentaient de reprendre leur souffle.

– On a réussi! s'exclama Alex. On a rejoint la surface!

– Jamais je n'aurais cru que je serais si heureux de retrouver le ciel et le soleil, dit Conner.

Il était environ midi, et les jumeaux se retrouvaient dans un agréable champ verdoyant près d'un chemin très bien entretenu.

– Est-ce que c'est le chemin qu'on aurait dû emprunter en quittant le Royaume du Petit Chaperon rouge? demanda Conner.

– Tout à fait, dit sa sœur en examinant la carte. Mais pense à toutes les aventures qu'on aurait ratées !

Ils rirent en cœur, secouèrent la poussière dont ils étaient couverts et rejoignirent la route. Ils se sentaient en sécurité ici. Tous les arbres et les champs étaient parfaitement entretenus et présentaient un aspect engageant. En même temps, tout aurait semblé particulièrement attirant à quiconque venait d'échapper de justesse à une vie d'esclavage aux mains de trolls et de gobelins.

– Est-ce qu'on est sûr d'être dans le Royaume des fées ? demanda Conner en regardant autour de lui.

– Oui, je crois qu'on peut dire ça, dit Alex sans regarder la carte.

– Comment le sais-tu ? demanda son frère.

– Disons que *ça*, c'est peut-être un indice, dit-elle en désignant quelque chose du doigt.

À leur grande surprise, un troupeau de licornes broutait paisiblement devant eux, sur les berges d'un petit ruisseau idyllique. Elles étaient magnifiques : toutes blanches, leur corne, leurs sabots et leur crinière argentés.

Conner fronça les sourcils et demeura bouche bée.

– C'est hallucinant, dit-il. C'est la chose la plus ignoble que j'aie jamais vue de ma vie !

– Je veux en caresser une ! dit sa sœur en courant vers elles.

– Alex, fais attention ! Si ça se trouve, elles ont la rage !

– Les licornes n'ont pas la rage, Conner !

– Tu ne sais pas où elles ont traîné leur corne !

Alex s'approcha du troupeau, ralentissant l'allure afin de ne pas les effrayer. Elles étaient si majestueuses et pleines de grâce qu'elle s'immobilisa un moment pour les admirer. L'une d'entre elles l'aperçut et s'avança vers elle.

Toute personne saine d'esprit aurait été effrayée à la vue d'un animal sauvage s'approchant aussi près, mais Alex n'était nullement inquiète. Sans bien savoir pourquoi, elle était persuadée que la licorne ne lui ferait aucun mal. L'animal baissa la tête et elle put le caresser.

Conner s'approcha à son tour et se tint derrière sa sœur. Peu à peu, les autres licornes les encerclèrent.

– Alex, tout ça me rend terriblement nerveux.

Les licornes formèrent un cercle parfait autour des jumeaux et se prosternèrent. Alex souriait béatement. Conner leva un sourcil soupçonneux.

– C'est du délire, dit-il.

– Peut-être que c'est une façon de nous souhaiter la bienvenue dans leur royaume ? suggéra Alex.

Les licornes demeuraient immobiles comme des statues et ne semblaient pas avoir l'intention de bouger. Conner prit Alex par la main et tous deux quittèrent le cercle pour regagner le chemin qui longeait le ruisseau.

– C'est moi ou l'eau semble étinceler ? remarqua Conner.

Il avait raison. Plus ils progressaient le long du ruisseau, plus celui-ci semblait scintiller.

– Ça doit être parce qu'on se rapproche ! dit Alex toute contente. C'est le ruisseau Poucelina. Il doit nous mener directement au Royaume des fées.

– On devrait attraper la première fée sur laquelle on tombe et la traiter de « gros insecte » ou d'« appât pour poisson » jusqu'à ce qu'on réussisse à la faire pleurer, suggéra Conner. Comme ça on pourra récolter une larme.

– Non ! On devrait inventer une histoire vraiment très triste qu'on lui racontera, proposa sa sœur.

Puis une idée lui traversa l'esprit :

– Comment allons-nous récolter une larme quand elle pleurera ?

Conner haussa les épaules.

– Peut-être qu'il faudra enlever une fée et la garder jusqu'au moment où on aura besoin qu'elle pleure ? Qu'est-ce que dit le journal ?

Alex l'ouvrit et trouva les pages consacrées au Royaume des fées.

*Trouver une fée n'est pas chose aisée.*

– Sans blague ! dit Conner.

*Puisque les fées sont pour la plupart des êtres très heureux, il sera difficile d'en trouver une tellement submergée par la tristesse qu'elle en versera des larmes. Quelle que soit la méthode choisie, en espérant qu'elle soit conforme à la morale, vous pouvez utiliser le flacon caché dans la reliure de ce journal pour recueillir la larme.*

Alex tourna le livre sur le côté et regarda attentivement dans la reliure. Tout au fond se trouvait un petit flacon fermé par un bouchon en liège.

– Regarde ça ! dit-elle en l'extirpant.

– Super. Maintenant on n'a plus qu'à trouver une fée qui a la larme facile, dit Conner.

Sa sœur s'arrêta de marcher.

– Écoute ! dit-elle.

On entendait de faibles reniflements tout près de là. Les jumeaux regardèrent autour d'eux mais ne parvenaient pas à trouver d'où provenait ce bruit.

– Qu'est-ce que c'est ? demanda Conner.

Puis il baissa la tête et regarda à côté de lui, clignant les yeux plusieurs fois pour s'assurer qu'il n'était pas en train de rêver.

– Non, ce n'est pas vrai! reprit-il. C'est trop facile... *Rien* encore n'a été aussi facile!

– De quoi parles-tu? demanda sa sœur.

Conner la fit tourner par les épaules pour qu'elle puisse voir ce qu'il avait vu.

Sur une pierre sur le bas-côté se trouvait une petite fée... *en train de pleurer.*

Elle ne mesurait que quelques centimètres de haut et avait de grandes ailes bleues qui ressemblaient à celles d'un papillon. Elle avait des cheveux noirs, et portait une robe de feuilles violettes et des boutons de fleurs en guise de chaussures. Ses mains minuscules étaient serrées près de ses grands yeux et des larmes coulaient sur son visage.

Les jumeaux demeuraient immobiles et la dévisageaient. Ils se demandaient si ce n'était pas une vision tant ils avaient tous les deux souhaité assister à un tel spectacle.

– Qu'est-ce que vous regardez? leur demanda la fée avec une petite voix aiguë.

– Nous sommes désolés, dit Alex. Mais pourquoi pleurez-vous?

Conner tourna vivement la tête vers sa sœur, et elle comprit ce qu'il pensait. *On s'en fiche! Prends-lui une larme!*

– Ça ne vous regarde pas! répliqua la fée, puis elle continua à sangloter.

– Excusez-moi, insista Alex. Je vois bien que quelque chose vous contrarie, et je ne puis m'empêcher de vous demander si je peux faire quelque chose pour vous aider. Je suis comme ça.

– C'est gentil, dit la fée en changeant de ton. C'est une journée difficile pour moi, c'est tout.

Conner essayait de prendre le flacon des mains de sa sœur, mais elle ne le laissait pas faire.

– Comment vous appelez-vous ? demanda-t-elle à la fée.

– Pharseuze.

– Bonjour Pharseuze. Je m'appelle Alex et voici mon frère, Conner. Voulez-vous qu'on parle de ce qui vous préoccupe ?

Conner n'en revenait pas. Sa sœur préférait *aider* cette fée plutôt que de lui prendre une larme !

– Mon procès est dans quelques minutes et j'ai peur, expliqua Pharseuze.

– Votre procès ? demanda Conner. Parce que vous avez tué quelqu'un ?

– Bien sûr que non ! J'ai fait un tour de magie sur une autre fée, et maintenant le Conseil des fées risque de me bannir du Royaume des fées.

– Je suis désolé de l'apprendre, dit Alex.

– Qu'avez-vous fait à l'autre fée ? demanda son frère.

– J'ai transformé ses ailes en feuilles de prunier, dit Pharseuze avant d'éclater de nouveau en sanglots. Ça n'a duré qu'un instant ! Je les ai retransformées en ailes après ! Cette fée me provoquait et n'arrêtait pas de se moquer de ma taille !

– Ils vont vous bannir du royaume tout entier juste parce que vous avez transformé les ailes de quelqu'un en feuilles pendant quelques instants ? répéta Conner.

– Ils sont très stricts depuis que l'Enchanteresse a jeté un sort sur la Belle au bois dormant, expliqua Pharseuze. Le Conseil des fées pense que chaque fée représente l'ordre tout entier et que l'on doit se comporter en conséquence.

– C'est difficile d'être toujours à la hauteur, raisonna Alex.

– Je ne peux pas quitter le Royaume des fées, dit Pharseuze en pleurant. Je serai si seule, et je n'aime pas être seule ! Je n'ai déjà pas beaucoup d'amis !

Alex lui offrit un coin de sa chemise pour qu'elle puisse s'essuyer les yeux. Conner devint rouge en voyant sa sœur gâcher les larmes si bêtement. Il fallait qu'il fasse en sorte que la fée en produise davantage.

– Être bannie serait vraiment une chose horrible, non ? reprit-il. Vous seriez probablement obligée de vivre dans un vieux nid d'oiseau dans la Forêt des Nains, et vous seriez poursuivie tous les jours par les loups et les sorcières, à moins que vous ne vous fassiez attraper avant par un ogre qui vous mettra dans un bocal pour ensuite vous faire cuire à la braise.

À ces mots, Pharseuze éclata en sanglots.

– *Mais Conner, qu'est-ce qui te prend ?* cria Alex.

Alors Conner lui arracha le flacon des mains et récolta une larme qui gouttait du menton de la fée. Sa sœur le fusilla du regarda.

– Voulez-vous qu'on vous accompagne pendant votre procès ? demanda Alex en se baissant pour être au même niveau que Pharseuze. Pour vous soutenir ?

– Oui, je veux bien, dit la fée. C'est vraiment gentil à vous !

– Disons que je sais ce que c'est que d'avoir l'impression que tout le monde est contre vous, répondit Alex.

– On ferait mieux de se mettre en route. Je ne veux pas arriver en retard ! dit la fée en s'envolant et en papillonnant sur le chemin.

Les jumeaux la suivirent.

– Alex, tu as perdu la tête ? demanda Conner. On a une larme. Partons d'ici !

– Cette fée n'a personne d'autre au monde, répondit sa sœur. On va se comporter comme des gens gentils et on va essayer de l'aider.

Son frère grommela, agacé.

– Aider cette fée n'effacera pas tes mauvais souvenirs d'école, Alex.

Sa sœur ne l'écoutait pas et suivait Pharseuze. Il continua de bougonner sur tout le chemin.

Ils progressaient toujours plus avant dans le Royaume des fées. Tout ce qu'ils voyaient au loin semblait étinceler. Au début, ils pensaient qu'il s'agissait de mirages, mais en s'approchant ils virent que les arbres, l'herbe et le chemin brillaient et chatoyaient à la lumière du jour.

– Pourquoi toutes ces paillettes ? demanda Conner.

– Je ne crois pas que ce soient des paillettes, mais de la magie, répondit sa sœur.

Ils atteignirent le cœur du royaume et furent tout à fait éblouis par ce qu'ils virent. On se serait cru au milieu d'un immense jardin tropical avec des fleurs colorées de toutes tailles et de toutes sortes. Des saules pleureurs poussaient à côté de petits étangs, et des vignes couvraient le sol et grimpaient le long des arbres. De jolis ponts enjambaient une quantité de ruisseaux.

Il y avait des fées partout. Beaucoup volaient dans les airs, d'autres flottaient à quelques centimètres du sol, d'autres marchaient le long de petits sentiers près de celui qu'ils avaient emprunté. Il y avait des fées de plusieurs tailles et couleurs. Certaines étaient plus grandes qu'Alex et Conner, d'autres étaient aussi petites que Pharseuze, d'autres encore étaient évanescentes, faites de pure lumière.

Il y avait autant de fées mâles que de fées femelles. Certaines portaient des robes, d'autres, des vêtements entièrement faits de végétaux, d'autres étaient nues. De nombreuses fées avaient des maisons miniatures dans les branches ou dans des champignons, et certaines vivaient sous l'eau en compagnie de poissons aux couleurs vives.

Quelque chose dans ce lieu donnait l'impression à Alex que tout allait à merveille dans le monde. Elle se sentait pleine d'espoir, d'énergie et de joie à chaque pas. C'était le paradis.

– As-tu jamais vu quelque chose d'aussi beau dans ta vie ? demanda-t-elle à son frère.

– Ça n'est pas trop mal, avoua-t-il.

– Le Conseil des fées se réunit dans le Palais des fées. C'est un peu plus loin, dit Pharseuze en leur faisant signe de la suivre en passant au-dessus d'un étang.

Bien entendu, les jumeaux, eux, empruntèrent un pont. Puis ils se dirigèrent vers un palais fait d'arches et de piliers dorés, entièrement ouvert. Aucune pièce n'avait plus de deux murs et les fenêtres étaient grandes et sans vitre. Quand on vit dans un si beau royaume, pourquoi s'isoler de l'environnement ?

Pharseuze mena les jumeaux jusqu'au centre du palais, dans une grande salle où se trouvaient de nombreuses chaises qui leur tournaient le dos.

– Ce serait le lieu idéal pour un mariage, pensa Alex.

À l'avant de la salle, sur une arche, il y avait sept fées de la taille d'Alex et Conner. On aurait cru un arc-en-ciel vivant: chacune portait des vêtements d'une couleur précise et se tenait sur une estrade individuelle.

– C'est le Conseil des fées, expliqua Pharseuze. Il y a Rosette, la fée rouge, Mandarina, la fée orange, Xanthous, la fée jaune, Emerelda, la fée verte (c'est surtout elle qui commande), Cielène, la fée bleue, Violetta, la fée violette, et Coralie, la fée rose.

Rosette était de petite taille et rondouillarde, avec des joues très roses. Mandarina était élégante, et, chose curieuse, de vraies abeilles voletaient autour de sa coiffure en forme de ruche. Xanthous était un mâle; il portait un costume brillant et certaines parties de son corps étaient en flammes. Emerelda était grande et belle ; elle était noire et portait une longue robe vert émeraude assortie à ses yeux et ses bijoux. Cielène était très pâle, avec les cheveux couleur du ciel et une robe pleine de grâce couleur de mer. Violetta était la plus âgée et avait des cheveux lavande. Coralie était la plus jeune ; elle semblait n'avoir que quelques années de plus que les jumeaux et était vêtue d'une robe rose très simple. Elle avait deux ailes roses dans le dos.

Deux sièges vides étaient disposés de part et d'autre des estrades.

– Qui s'assied là ? demanda Alex à Pharseuze.

– La Bonne Fée se met à gauche et la Mère L'Oie, à droite, répondit-elle. Elles complètent le Conseil des fées, mais elles ne sont pas souvent là. Elles sont toujours occupées à voyager dans les différents royaumes afin d'aider les gens.

– C'est toi, Pharseuze ? demanda Emerelda.

– Oui, je suis là, répondit-elle avec une petite voix inquiète, volant jusqu'aux estrades.

– Tu es en retard. Approche-toi.

Emerelda était courtoise mais autoritaire. C'était le genre de personne que les jumeaux auraient préféré avoir dans leur camp.

– Pharseuze, sais-tu pourquoi tu es convoquée devant le Conseil des fées ?

– Oui, madame, répondit-elle en hochant la tête avec honte.

– Être une fée requiert un grand sens des responsabilités, ajouta Mandarina. Ce dont tu n'as pas fait preuve.

Pharseuze hocha encore la tête et les larmes lui montèrent de nouveau aux yeux.

– Je sais, dit-elle d'une toute petite voix.

– Malheureusement, on ne peut pas laisser tes actions impunies, renchérit Violetta.

– On doit faire de toi un exemple, pour renforcer la première règle des fées, dit Rosette.

– Celle qui consiste à ne jamais utiliser la magie pour faire du mal à une autre personne, un lieu ou une chose et ce, en toutes circonstances, récita Xanthous.

– Malheureusement, nous n'avons pas vraiment le choix, avertit Cielène.

– Nous devons te bannir du Royaume des fées, conclut Coralie.

Pharseuze se couvrit le visage et pleura encore plus violemment qu'avant.

– Je comprends, dit-elle entre deux sanglots.

– *Eh oh !* Attendez, là ! Non mais ! cria Conner du fond de la salle. Arrêtez ! Vous plaisantez ou quoi ?

Il s'approcha d'un pas rapide vers les estrades et s'arrêta près de l'endroit où Pharseuze flottait.

– Conner ! cria Alex en tentant de le retenir, mais c'était trop tard.

– Vous allez vraiment la bannir parce qu'elle a commis une toute petite erreur ? demanda-t-il à l'assemblée, les mains sur les hanches.

Les membres du Conseil des fées murmurèrent et chuchotèrent entre eux. Ils étaient sidérés qu'une personne ose remettre en question leur décision aussi ouvertement.

– Je vous en prie, n'essayez pas de m'aider ! chuchota Pharseuze à Conner.

– Jeune homme, pour qui vous prenez-vous ? demanda Xanthous.

– Eh bien, je ne suis qu'un gamin, mais même moi je peux vous dire que votre décision est ridicule.

Les fées étaient estomaquées, à l'exception d'Emerelda qui restait calme et gardait une contenance qui en imposait. Alex se frappa le front avec la paume de la main.

– Comment osez-vous ? tonna Mandarina, et les abeilles dans son sillage commencèrent à s'agiter et à voler de plus en plus vite autour de sa tête.

– C'est inadmissible ! s'écria Violetta.

– Quel manque de respect ! ajouta Coralie.

– Quelle manque de politesse ! dit Cielène.

Emerelda était la seule fée du Conseil à demeurer silencieuse. Elle observa Conner avec ses yeux vert émeraude.

– Silence, ordonna-t-elle en levant une main pour faire taire les fées. Laissez le garçon s'exprimer. Je veux entendre ce qu'il a à dire. Continuez, jeune homme.

Conner se demandait s'il ne s'agissait pas d'un piège, mais il ne se retint pas.

– Écoutez, je ne suis pas une fée, heureusement d'ailleurs, et j'ai mes défauts. J'essaie d'être la meilleure personne et le meilleur élève possible, mais de temps en temps je commets une erreur, j'oublie un devoir à la maison ou je m'endors en cours. Mes plus grands efforts ne mènent peut-être qu'à de maigres résultats en comparaison de ce dont est capable un autre, mais personne ne devrait avoir le droit de me punir, de me gronder ou de m'humilier publiquement à cause de ça.

– Pharseuze connaissait les règles, et elle a quand même commis un délit contre un de ses pairs, objecta Rosette.

– Personne n'est jamais parfait, dit Conner. Et d'après ce que j'ai entendu, l'autre fée l'avait cherché ! À quand son procès à elle ? Pourquoi n'est-elle pas ici ? Pourquoi dois-je toujours être collé parce que je m'endors alors que c'est la Mésopotamie qui devrait être punie parce qu'elle est si barbante ?

Le Conseil était toujours aussi indigné par cet éclat. De nombreux membres ne voulaient pas en entendre davantage et tentèrent de quitter la salle.

– J'entends ce que dit l'enfant, dit alors Emerelda.

– Mais on ne peut pas tout bonnement et simplement pardonner Pharseuze. Nous sommes le Conseil des fées ! Ce serait donner un mauvais signal aux autres royaumes ! s'exclama Mandarina.

– Écoutez-moi, madame en orange, reprit Conner, au cours de cette semaine, ma sœur et moi avons failli être dévorés par une sorcière, on a manqué être attaqués par une meute de loups, on s'est presque fait tuer par un troll sous le pont trop possessif, on a survécu à un château en flammes, et on a réussi à échapper de justesse à une vie d'esclavage dans le Territoire des trolls et des gobelins ! À mon avis, vous avez des problèmes plus importants à régler que le cas d'une fée qui transforme en feuilles les ailes d'une imbécile. J'ai l'impression que vous vous occupez de petits trucs stupides pour avoir l'impression de faire quelque chose mais qu'en réalité vous n'êtes pas capables de faire face à ce qui se passe au-dehors !

Le Conseil se tut et ses membres eurent l'air très préoccupés.

– Esclavage ? reprit Cielène. Vous voulez dire que les trolls et les gobelins continuent d'enlever et de réduire les gens en esclavage ?

– Oui ! dit Conner. Nous étions des dizaines sous terre ! On aurait apprécié votre aide, mais j'imagine que vous étiez trop occupés à taper sur les doigts des fées qui jouent des tours à d'autres fées ?

Même s'ils restaient impassibles, les membres du Conseil avaient secrètement honte. Conner avait raison. Ils échangèrent un regard du coin de l'œil pendant un moment, puis Emerelda fut la première à parler.

– Au nom de ce Conseil, Pharseuze est pardonnée pour ses crimes, dit-elle. Xanthous, Cielène et Mandarina, je suis d'avis de rendre visite au roi des trolls et au roi des gobelins immédiatement. Et que cela nous serve de leçon. À tous.

Xanthous, Cielène et Mandarina hochèrent la tête et disparurent comme par magie en faisant *pouf* !

– Je vous remercie, monsieur... ? demanda Emerelda.

– Vœushington, dit Conner. Monsieur Conner Vœushington.

Emerelda sourit et disparut comme les autres.

Pharseuze vola jusqu'au visage de Conner et le prit dans ses bras pour l'embrasser.

– C'est la chose la plus courageuse et la plus gentille que l'on n'ait jamais faite pour moi ! dit-elle.

Il se tourna vers Alex. Elle était fière de son frère. Il voyait rarement cette expression sur le visage de sa sœur.

– Tu sais, aider une fée n'effacera pas tes mauvais souvenirs d'école, dit-elle en le rejoignant près des estrades.

Conner eut un petit sourire en coin.

– Il fallait que je dise quelque chose, j'aurais regretté de ne pas l'avoir fait.

Les autres membres du Conseil des fées commençaient à s'en aller. Certains en marchant, d'autres disparaissant par magie en laissant derrière eux des étincelles ou des bulles. Coralie cherchait quelque chose dans la salle qu'elle appelait en tapant sur ses cuisses.

– Viens ici, Pêcheur ! Pêcheur, où es-tu ? demandait-elle.

Un poisson avec quatre pattes courut devant Alex et Conner et sauta dans les bras de Coralie.

– Ah, te voilà ! dit la fée. Il est bientôt l'heure de ton déjeuner !

Les jumeaux échangèrent un regard perplexe ; tous deux se demandaient s'ils avaient vu la même chose.

– C'est bien ce que je crois ? demanda Conner.

– Je crois bien, oui, répondit sa sœur.

Coralie était sur le point de partir quand ils l'arrêtèrent pour lui poser une question :

– Excusez-moi, dit Alex, mais où avez-vous trouvé ce poisson ?

– Vous parlez de Pêcheur ? répondit la fée. Eh bien, un jour j'ai fait tomber ma baguette magique dans un lac et j'ai exaucé son vœu après qu'il eut plongé pour la récupérer. Il voulait des pattes – ce qui me semblait un peu ridicule – pour jouer avec un garçon qui vivait dans un village près de là. Malheureusement, le garçon est mort un jour, alors Pêcheur est venu vivre avec moi.

Les ailes de Coralie se mirent à battre et elle s'envola avec son poisson de compagnie.

– C'était donc bien ce qu'on pensait, dit Conner.

– Oui, dit sa sœur.

Elle avait le tournis tant elle avait de questions.

– C'était le Poisson qui marchait de l'histoire de papa !

## CHAPITRE 13

## UN PACTE AVEC LES LOUPS

I l y avait du sang partout. Des plumes blanches et des bouts de bois jonchaient le sol. Un homme conduisait une charrette chargée d'oies vers le Royaume du Nord quand il fut attaqué par la Meute du Grand Méchant Loup. La seule chose qui était restée intacte était le chapeau vert et souple qu'il portait.

Les loups étaient vautrés sous les arbres, mâchouillant les os de leurs victimes. Malgriffe leva la tête d'un mouvement brusque et regarda fixement les arbres. Quelqu'un s'approchait : il sentait son odeur... une odeur qui l'inquiétait.

– On a de la compagnie, grogna-t-il.

Les loups bondirent, prêts à attaquer à nouveau s'il le fallait. Mais ils ne pouvaient rivaliser avec la personne qui s'approchait.

Une silhouette noire et encapuchonnée traversait la forêt et avançait lentement vers eux. Elle se tint un moment devant eux, sans peur, puis elle se découvrit.

– Bonjour Malgriffe, dit la Méchante Reine.

– Qui es-tu ? hurla le loup.

La femme qui se tenait devant lui ne faisait que la moitié de sa taille, mais elle lui donnait la chair de poule.

– Tu ne me connais pas, mais tu as entendu parler de moi, dit-elle. Tout le monde a entendu parler de moi.

– C'est la Méchante Reine, grogna un loup.

Malgriffe plaça le poids de son corps sur ses pattes avant. Elle l'intimidait et cela ne lui plaisait guère.

– Tu as beaucoup de toupet de t'approcher de ma meute, dit-il. Je devrais demander à un de mes loups de t'égorger.

– Essaie donc, dit la Méchante Reine.

Elle n'avait peur de rien. Elle fit un pas vers eux et les loups reculèrent lentement, y compris Malgriffe.

– Que veux-tu ? demanda-t-il.

– Je suis venue te proposer un marché.

– Je ne suis pas du genre à conclure des marchés, grogna Malgriffe.

– Tu changeras d'avis quand tu auras entendu ce que j'ai à te proposer, rétorqua la Méchante Reine.

Cela piqua la curiosité du loup.

– Quel genre de « marché » ? demanda-t-il.

– Un échange. Deux enfants voyagent dans le royaume, un garçon et une fille. Des jumeaux. Je veux que tu les trouves pour moi et que tu me les ramènes sains et saufs.

– Tu veux des *enfants* ? répéta Malgriffe d'un ton moqueur.

– Ils ont des objets, plusieurs objets en réalité, dont j'ai besoin, expliqua-t-elle. Je m'en serais occupée moi-même, mais je me sens indisposée.

– Et si on te les apporte, que nous donneras-tu en échange ?

– *Si* tu me les apportes, je te donnerai la chose que vous désirez le plus au monde, promit-elle.

Cela fit ricaner Malgriffe.

– Les loups n'ont besoin de *rien*, dit-il.

La Méchante Reine le regarda droit dans les yeux, comme si elle lisait dans son âme.

– Es-tu certain de ça ? dit-elle. Pourquoi est-ce que vous errez partout, toi et ta meute, terrorisant tous ceux que vous croisez sur votre passage ? Qu'est-ce que vous essayez de montrer ? De qui cherchez-vous à vous venger ?

Malgriffe demeura silencieux. Il ne pouvait pas le nier.

– Je te donnerai la chose qui vengera tout à fait la mort de votre père, reprit la Méchante Reine. Je te livrerai le Petit Chaperon rouge en échange des jumeaux.

Tous les loups, Malgriffe compris, grognèrent pour exprimer leurs réserves, mais l'idée intriguait le chef de meute.

– Comment y arriveras-tu ? demanda-t-il.

La Méchante Reine le regarda si durement qu'il sentit son cœur battre la chamade.

– Ne pose pas de questions. D'ici la fin de la semaine, la jeune reine sera entre mes mains. Apporte-moi les enfants et je te la livrerai. Marché conclu ?

Malgriffe se tourna vers ses loups, effrayés. Ils hochèrent la tête. Ils ne voulaient pas contrarier la reine.

– Marché conclu, répéta Malgriffe. Mais je te préviens: si tu ne respectes pas ta parole, on te brisera le cou comme on brise une brindille.

La Méchante Reine s'approcha du loup et s'arrêta à quelques centi-mètres de son museau, le regardant droit dans les yeux.

– C'est *moi* qui te préviens : si tu ne tiens pas ta parole, je ferai de vous des tapis, comme l'a fait le Petit Chaperon rouge de votre père. Et si tu me menaces encore une fois, je te dépècerai moi-même.

Malgriffe se figea. La Méchante Reine savait qu'il obéirait.

– À bientôt, lança-t-elle.

Elle remit sa capuche et disparut dans les arbres par le même chemin d'où elle était venue.

Les loups restèrent immobiles un moment, de peur de bouger.

– Qu'est-ce qu'on attend ? cria Malgriffe, blessé dans sa fierté. On a des jumeaux à trouver !

Ils partirent à la charge, hurlant à l'unisson dans un vacarme assourdissant.

## CHAPITRE 14

# LE ROYAUME ENDORMI

Après son procès, Pharseuze voulut absolument qu'Alex et Conner passent la nuit chez elle. Bien entendu, comme elle vivait dans une maison de la taille d'un nichoir suspendue à une branche d'arbre, cela signifiait pour les jumeaux qu'il fallait dormir à même le sol. Mais l'intention de la fée était bonne.

Maintenant qu'ils avaient vu le Poisson qui marchait de leurs propres yeux, les jumeaux ne parvenaient pas à trouver le sommeil. Étendus par terre, ils observaient les étoiles du Royaume des fées (la plupart étaient en réalité des fées qui dormaient en plein air), laissant divaguer leurs pensées.

– J'ai toujours cru que *Le Poisson qui marchait* était une des histoires inventées par papa, dit Alex. Mais maintenant, je me demande où il l'a trouvée.

– Probablement de la même façon dont il a appris toutes les autres histoires qui viennent de ce monde, répondit Conner.

– Alors pourquoi cette histoire n'est-elle pas aussi connue que celle de Cendrillon ou de Blanche-Neige ? Pourquoi n'est-elle pas dans *Le Pays des contes* ? insista sa sœur, avant de poser une question qui lui trottait dans la tête depuis un certain moment. Crois-tu que papa ou grand-mère soient venus ici ? Qu'ils ont voyagé jusqu'au Pays des contes mais qu'ils ne nous l'ont jamais dit ?

Conner réfléchit. L'idée lui était déjà venue une ou deux fois, vu que le livre avait appartenu à leur grand-mère et à leur père avant que cette dernière ne leur offrît. Avaient-ils été eux aussi transportés dans ce monde comme Alex et Conner ? Si oui, comment leur père et leur grand-mère avaient-ils pu rentrer chez eux ?

– Je ne crois pas, conclut-il finalement. Ils aimaient tellement les contes de fées. S'ils avaient réussi à venir ici et à voir tout ce qu'on a vu, je doute qu'ils en seraient repartis.

Le lendemain matin, Pharseuze les remercia à nouveau chaleureusement, puis ils se dirent au revoir et les enfants prirent la route en direction du royaume suivant.

– Royaume endormi, nous voici ! cria Alex.

– J'ai l'impression que le fuseau sera l'objet le plus difficile à obtenir, se plaignit Conner.

Alex ouvrit le journal pour savoir si le pressentiment de son frère était fondé.

*Le fuseau qui a piqué le doigt de la Belle au bois dormant a été l'objet que je me suis procuré le plus facilement. Je n'avais pas de* plan précis pour l'obtenir et j'ai tout simplement plaidé ma cause devant la reine, qui était très compréhensive.

J'ai pu lui emprunter le fuseau à condition de le lui rapporter une fois que je n'en aurais plus eu besoin. La reine Belle au bois dormant est d'une grande sagesse, surtout pour une personne qui est restée endormie pendant cent ans, et j'ai l'impression qu'elle en savait plus sur ce que je cherchais qu'elle ne l'avouait.

– Eh bien, ça, si c'est pas avoir de la chance ! dit Conner. Je me demande ce que ça fait de dormir cent ans. Chaque matin, quand je me lève pour aller à l'école, après avoir éteint mon réveil au moins quatre ou cinq fois, je pense toujours que je pourrais dormir cent ans. Je me demande si on se réveille super frais et dispos ou si on est tout somnolent.

– Je n'y avais pas pensé, dit Alex. Moi, je me demande si elle a rêvé de quelque chose. J'imagine que ça a dû être un très long rêve.

Les jumeaux n'avaient plus d'argent, mais en racontant aux deux conducteurs d'une charrette transportant des chèvres qu'ils avaient été séparés de leurs parents, ils purent les convaincre de les laisser voyager avec eux jusqu'au Royaume endormi. Cela ne les gênait pas de voyager à l'arrière avec les bêtes, mais les chèvres n'étaient pas enchantées à l'idée de partager leur espace.

– Qu'est-ce que tu regardes ? demanda Conner à l'une d'elles après qu'elle eut passé plus d'une demi-heure à le fixer.

La route longeait un grand océan étincelant et à la couleur bleue comme le ciel. Il ressemblait à la mer de leur monde à eux, mais en mille fois plus vivant.

– Regarde comme l'océan est beau ! s'écria Alex. Et regarde là-bas, c'est la baie des Sirènes !

Elle faisait référence à la grande baie qu'ils voyaient devant eux et qui dessinait comme un arc dans le rivage.

– C'est génial de penser que, pendant que nous sommes assis dans cette charrette, de vraies sirènes nagent là-dedans !

– Ouais, reprit son frère. C'est dommage qu'on n'ait pas apporté un masque et un tuba.

Alex parcourait le journal, faisant une liste dans sa tête.

– Nous avons réuni cinq éléments, dit-elle. Il ne nous reste plus que le fuseau de la Belle au bois dormant, les joyaux du cercueil de Blanche-Neige et le « sabre des profondeurs ».

– Même si on ne sait pas trop ce que c'est, remarqua Conner.

Alex regardait la mer avec envie. Que pouvait bien signifier « sabre des profondeurs » ? Même avec toutes ses connaissances du monde des contes, elle ne parvenait toujours pas à deviner à quoi cela pouvait correspondre et cela commençait à l'embêter. Elle se mit à rêver qu'elle allait à tout moment tout simplement voir apparaître le sabre au milieu de la mer.

– On trouvera bien ce que ça veut dire, dit Conner. Ou plutôt, *tu* trouveras bien et je ferai semblant de t'aider.

Au bout de quelques heures de route, les jumeaux ne purent s'empêcher d'écouter la conversation des deux conducteurs.

– Tu as entendu ce qu'il s'est passé au Royaume charmant ? demanda l'un d'eux.

– Non, répondit l'autre.

– Les deux pantoufles de verre de la reine Cendrillon ont été volées !

– Volées ? Par qui ?

– Je ne sais pas, mais j'imagine qu'il y a une récompense pour celui qui aurait des informations à ce sujet.

Les jumeaux ne surent comment réagir à la nouvelle. Si le royaume avait dénoncé le vol des pantoufles, ce n'était donc *pas* Cendrillon ni sir Lampton qui avait glissé la pantoufle dans leur sac. Y avait-il un mandat d'arrêt à l'encontre des jumeaux ? Et, ce qui les inquiétait plus que tout : qui avait pris l'autre pantoufle ?

– Les *deux* ont été volées ? répéta Alex à son frère.

– Ça doit être cette femme qu'on a vue dans le château du Petit Chaperon rouge, dit-il. Elle aussi réunit les éléments pour le Sortilège des Vœux ! Je le savais !

– Il faut espérer qu'on trouvera le fuseau avant elle, ajouta Alex.

La route s'éloignait de la mer et la charrette se dirigeait à présent vers le nord du Royaume endormi.

L'endroit était très vallonné et entouré de hautes chaînes de montagnes. La région était étonnamment lugubre, même si les jumeaux ne savaient pas à quoi s'attendre. Tous les champs semblaient desséchés et les arbres étaient nus. On avait l'impression que la terre était morte depuis très longtemps.

– Pourquoi est-ce que tout est comme mort ? demanda Conner.

– Je ne crois pas qu'ils soient morts, répondit sa sœur. Je crois qu'ils *dorment*.

Le château de la Belle au bois dormant était au centre d'un village appelé Vallée-Endormie. Quand les jumeaux atteignirent cet endroit et descendirent de la charrette, ils comprirent d'où il tirait son nom. Tout le village autour du château semblait déserté.

Ils virent un homme qui se tenait à la fenêtre d'une boulangerie. Le coude sur le rebord de la fenêtre ouverte, la tête posée sur la main, il dormait debout.

– Excusez-moi, monsieur, fit Alex en essayant d'être polie malgré le fait qu'elle le réveillait.

– Oui ? répondit l'homme, les yeux encore fermés.

– Où sont les autres ? demanda-t-elle.

– Ils se reposent, répondit l'homme en bâillant.

Puis il se mit à ronfler.

En effet, en traversant le village, les jumeaux découvrirent nombre d'autres commerçants ou domestiques dans des échoppes qui se déplaçaient comme des somnambules et travaillaient à une allure d'escargot. On aurait cru qu'ils allaient s'endormir à tout moment.

– Je croyais que le sortilège jeté sur le royaume avait été rompu, dit Conner.

– Je n'ai pas l'impression qu'ils dorment parce qu'ils sont *obligés* de dormir, mais parce qu'ils ont *envie* de dormir, répondit sa sœur.

Les jumeaux traversèrent la ville somnolente jusqu'au château de la Belle au bois dormant. Le spectacle était époustouflant. Jamais ils n'avaient vu d'édifice aussi vertigineux. Il avait été construit avec des pierres couleur de pêche et ses nombreuses tours montaient très haut dans le ciel, la plus haute d'entre elles étant au centre. En regardant de près, les jumeaux purent voir les restes des vignes qui avaient recouvert les murs.

Le château était entouré de nombreux grands jardins, ou du moins il l'aurait été si quoi que ce soit avait poussé. Les jardiniers dormaient sur place, leurs outils encore à la main. Toutes les deux minutes, ils se réveillaient et reprenaient le travail, mais ils se rendormaient presque aussitôt.

Il y avait des gardes partout, mais les jumeaux n'eurent aucun mal à passer. De temps en temps, un garde ouvrait un œil et songeait à leur dire quelque chose, mais il se ravisait et se rendormait.

Ils trouvèrent l'entrée principale du château et y pénétrèrent. Ils traversèrent un long hall avec un très haut plafond qui menait vers la salle du trône. Celle-ci était composée de piliers blancs, d'un sol en damier et d'un plafond peint aux couleurs du coucher de soleil, rose et orange vif. Des gardes étaient disposés en rang tout autour de la salle, mais ils étaient presque tous assoupis.

Une femme ravissante était assise sur le trône devant eux. Elle conversait avec deux hommes, l'un grand et beau, l'autre petit, âgé et à la barbe blanche.

La femme portait une tiare de fleurs argentées sur de beaux et longs cheveux dorés, une robe fine rose pâle et des gants assortis. Les jumeaux surent immédiatement qu'il s'agissait de la Belle au bois dormant.

Elle parlait avec un conseiller royal et son mari, le roi Chase. Elle semblait inquiète et était plongée dans ses pensées. Elle était fatiguée aussi, comme la mère des jumeaux lorsque quelque chose la préoccupait.

– Nous devrions peut-être faire respecter une loi : interdiction de dormir pendant la journée, proposa le conseiller.

– C'est hors de question, dit la reine. Je n'imposerai pas une mesure aussi oppressante à mon peuple. N'oublions pas qu'ils n'y sont pour rien.

– Le sortilège est rompu, Votre Altesse, insista le conseiller. Il est grand temps pour le royaume de se réveiller et de s'en rendre compte.

– En ce qui me concerne, le sortilège durera tant que ce royaume n'aura pas retrouvé l'état dans lequel il se trouvait avant, reprit-elle. Je suis peut-être réveillée, mais ils ne sont pas sortis indemnes de mes cent ans de sommeil. Ils ne devraient pas être punis ou tenus pour responsables de tout cela.

– Ma chérie, bientôt tu n'auras peut-être plus le choix, ajouta le roi Chase en lui prenant la main. Le royaume court à sa ruine. Les champs ne sont pas cultivés et personne ne travaille.

– Je vais y réfléchir, dit-elle, puis elle poussa un long soupir.

– Puis-je vous suggérer quelque chose ? interrompit Conner en s'avançant vers les trois personnages.

Cela les surprit: ils ne savaient pas qu'il y avait dans la salle quelqu'un d'autre qui était réveillé. Alex avait un peu peur. Elle n'avait aucune idée de ce qu'allait dire son frère et espérait qu'il n'avait pas pris trop confiance en lui depuis son discours dans le Royaume des fées.

– Qui êtes-vous? demanda le conseiller.

– Je m'appelle Conner, et voici ma sœur, Alex.

Celle-ci fit maladroitement un signe de la main.

– Vous avez un très beau château, dit-elle.

– Comment êtes-vous entrés? demanda le roi.

– Vous parlez sérieusement? répliqua Conner en faisant un geste en direction des gardes endormis derrière lui. On n'est pas vraiment au Pentagone, ici.

– Ils ne savent pas ce que c'est, Conner! chuchota Alex.

– Jeune homme, reprit le conseiller, sauf votre respect, je vous signale que nous sommes en train de discuter d'une affaire de la plus haute importance et...

– Et cela fait des années que nous cherchons une solution, sans en trouver qui n'empiète pas sur les libertés humaines les plus élémentaires, conclut la Belle au bois dormant. Si ce garçon croit qu'il a une réponse, je pense qu'il faut le laisser parler.

Les hommes ne tentèrent pas de discuter. Conner avait la parole.

– L'un de vous a-t-il jamais entendu parler du café? demanda Conner.

Ils le regardaient avec un air vide.

– Bon, oubliez ce que je viens de dire. Il paraît que ça ralentit la croissance, de toute façon, dit-il. Je m'endors souvent à l'école. Ce n'est pas ma faute: mon cerveau s'éteint, tout simplement, dès que je m'ennuie. Alors j'ai trouvé une astuce – mais il faut que je me souvienne de l'utiliser – qui consiste à mettre un élastique autour de mon poignet et à le faire claquer quand je sens que je m'endors. Le claquement me maintient éveillé pour au moins cinq minutes, le résultat est garanti.

Sa proposition les laissa perplexes.

– Écoutez, ce n'est peut-être pas une solution très élaborée, mais ça marche, insista-t-il. Et vos sujets peuvent le faire eux-mêmes, ce qui veut dire que vous ne les obligerez à rien. Peut-être qu'à force de le faire ils n'en auront plus besoin.

Ils ne semblaient pas très convaincus. Conner se tourna vers Alex pour qu'elle lui vienne en aide.

– Alex, tu as un élastique avec toi ? lui demanda-t-il.

– J'ai peut-être des élastiques à cheveux dans mon cartable.

Elle le posa par terre et fouilla dedans, faisant accidentellement tomber la pantoufle de verre par terre. Les jumeaux s'affolèrent. On aurait cru que le temps s'était arrêté. La Belle au bois dormant, son mari et le conseiller se crispèrent très visiblement.

– Comment avez-vous eu ça ? demanda la reine.

– C'est la pantoufle de verre de Cendrillon ! s'écria le conseiller.

– Non, ce n'est pas ce que vous croyez ! jura Alex en remettant la pantoufle rapidement dans son cartable.

– On ne l'a pas volée ! assura Conner.

– *Gardes !* cria le roi.

Quelques-uns des gardes derrière les jumeaux se réveillèrent en sursaut, l'esprit en alerte.

– *Saisissez-les !* cria encore le monarque.

– Et voilà que ça recommence ! se plaignit Conner quand les gardes se lancèrent à leur poursuite.

Il agrippa Alex par le poignet et l'obligea à courir.

– Votre Majesté ! cria Alex en direction de la Belle au bois dormant. Nous sommes venus pour vous emprunter votre fuseau ! Nous collectons les éléments du Sortilège des Vœux !

La reine se leva pour parler, mais les jumeaux ne purent entendre sa réponse. Ils couraient en rond dans la salle du trône, évitant de justesse les doigts tendus des gardes qui essayaient de les attraper.

Alex et Conner s'engouffrèrent dans une porte ouverte afin de quitter la salle du trône. Ils ne savaient pas du tout où ils allaient, mais ils savaient qu'ils ne devaient pas s'arrêter de courir. À ce stade, ils avaient traversé trop d'épreuves pour se faire prendre par des gardes.

– J'en ai assez d'être poursuivi! hurla Conner.

Ils coururent de couloir en couloir, tournant abruptement quand ils le pouvaient pour dérouter les gardes. Ils allaient si vite qu'ils ne purent apercevoir que très vaguement la belle architecture et les œuvres d'art du château.

Soudain, le couloir où ils s'étaient engagés se termina en cul-de-sac.

– Qu'est-ce qu'on fait maintenant? demanda Alex.

– Vite! Par ici! dit son frère en la tirant vers la porte la plus proche.

Un escalier en pierre se trouvait de l'autre côté de la porte, et ils le gravirent à toute allure. Il montait en colimaçon toujours plus haut, et les jumeaux se demandaient s'il s'arrêterait un jour. Leur ascension les avait menés à une hauteur incroyable... ils avaient dû pénétrer dans la plus haute tour du château.

Enfin arrivés au sommet de l'escalier, ils virent une grosse porte noire. Ils s'y précipitèrent et la verrouillèrent de l'intérieur.

– Où sommes-nous? demanda Conner en regardant autour de lui.

Ils se trouvaient dans une grande pièce circulaire avec de hautes fenêtres, des rideaux violets et un tapis couleur lavande. Un balcon à l'extérieur faisait tout le tour de la pièce, et celle-ci ne comportait que deux meubles : un énorme lit et un rouet fait de bois obscur.

– Conner, dit Alex à mi-voix. Je crois qu'on est dans la pièce de la Belle au bois dormant. Là où elle a dormi pendant cent ans.

Son frère s'approcha du lit. Sur la tête de lit avaient été joliment gravés les vers suivants :

RESTÉE ENDORMIE UN SIÈCLE DURANT,

DE SES GENS AIMÉE TOUJOURS DEMEURANT,

ILS ATTENDIRENT L'ARRIVÉE DU BONHEUR PATIEMMENT

DU PREMIER BAISER D'UN AMOUR CHARMANT.

Alex s'approcha du rouet.

– Le fuseau n'est pas là ! dit-elle. Je ne comprends pas. L'homme qui a écrit le journal avait promis à la Belle au bois dormant qu'il le lui rendrait après s'en être servi !

– Soit il n'est pas rangé là, soit l'homme ne l'a pas rendu parce que le sortilège n'a pas fonctionné...

Le verrou de la porte commença à cliqueter : quelqu'un l'ouvrait de l'extérieur.

– Cachons-nous ! chuchota Alex.

Ils se tapirent sous le lit. La porte s'ouvrit. Les jumeaux s'attendaient à voir les grosses bottes des gardes, mais au lieu de cela ils virent deux talons roses.

– Tu crois que c'est... ? chuchota Alex.

– Que c'est quoi... *aïe !* cria Conner en se cognant durement contre le sommier.

– Vous pouvez sortir de là, dit la Belle au bois dormant.

Les jumeaux se demandèrent si c'était un piège.

– J'ai renvoyé les gardes, ajouta la reine. Personne ne vous fera de mal.

Les jumeaux sortirent lentement de sous le lit.

– Nous n'avons pas volé la pantoufle, dit Alex. C'est compliqué à expliquer, mais je vous jure que nous ne sommes pas des voleurs.

– Je vous crois, dit la Belle au bois dormant en hochant la tête.

– C'est vrai ? demanda Conner, abasourdi. Parce qu'à votre place, ajouta-t-il, je nous aurais volontiers pris pour des voleurs.

La reine sourit puis s'assit sur le lit.

– Alors, comme ça, vous avez besoin du Sortilège des Vœux ?

Les jumeaux hochèrent la tête sans réfléchir.

– C'est vraiment une longue histoire, dit Conner.

– Je n'en doute pas, commenta la reine. Et vous êtes venus me demander la permission d'emprunter le fuseau de mon rouet, n'est-ce pas ?

Les jumeaux hochèrent encore la tête avec un air coupable. La Belle au bois dormant rit toute seule.

– Vous savez, il n'y a pas si longtemps, un homme est venu à mon château pour me demander la même chose. Au début, je ne voulais pas, mais il a fini par me convaincre.

– Comment a-t-il fait ? demanda Alex.

– Il m'a tout raconté au sujet du Sortilège des Vœux, de son voyage jusqu'à un autre monde, de comment il était tombé amoureux là-bas et qu'il voulait absolument y retourner. Comme je suis moi-même du genre romantique, j'ai pris plaisir à l'écouter, dit-elle, et son visage reprit l'expression pensive qu'ils lui avaient vue dans la salle du trône. Puis l'homme a commencé à me décrire ce monde : un pays qui avait des machines et des technologies, d'énormes bâtiments, des lieux et des gens qui ne ressemblaient en rien à ce que je connaissais... et je l'ai cru.

– Pourquoi ? dit Alex.

– Parce que j'avais déjà rêvé d'un tel endroit, répondit la Belle au bois dormant. C'est difficile à expliquer et je ne le comprends pas moi-même, mais pendant que j'étais sous l'emprise de cet affreux sortilège, j'ai rêvé à l'endroit qu'il me décrivait. J'ai rêvé de beaucoup de choses et je pensais que c'était juste le fruit de mon imagination. Je n'en avais jamais parlé à quiconque. Dès lors, je savais qu'il devait être en train de me dire la vérité.

– Vous a-t-il rendu le fuseau ? demanda Alex, désirant impatiemment connaître la réponse.

– Le sortilège a-t-il marché pour lui ? ajouta Conner.

La reine étudia les visages des jumeaux.

– Vous êtes de là-bas, n'est-ce pas ? demanda-t-elle. Et vous cherchez un moyen de retourner chez vous.

Alex et Conner n'eurent pas besoin de répondre : elle savait déjà que c'était vrai. Elle glissa la main sous l'un des oreillers du lit et en sortit un fuseau en métal. Les jumeaux furent transportés de joie. Le fuseau était là ! L'homme l'avait rendu… *le sortilège avait dû fonctionner pour lui !*

– Tout ce que je vous demande en échange est que, vous aussi, me le retourniez quand vous aurez terminé, dit la Belle au bois dormant en donnant le fuseau à Alex. Comme vous pouvez sans doute l'imaginer, il a une valeur sentimentale pour moi.

Les jumeaux étaient très heureux. Ils savaient à présent qu'il leur serait possible de rentrer à la maison et qu'ils n'étaient pas coincés à jamais dans le Pays des contes.

– Nous ne sommes que deux inconnus, dit Alex. Pourquoi êtes-vous si gentille avec nous ?

– Il y a beaucoup de choses que je ne peux pas contrôler, répondit la reine, et son sourire disparut à nouveau. Alors j'aime venir en aide aux autres quand je le peux.

Elle se leva et alla sur le balcon. Les jumeaux la suivirent.

Même si le royaume n'était pas en très bon état, la vue était à couper le souffle. Alex et Conner pouvaient le voir en entier ainsi que ses voisins. L'océan brillait au loin ; l'on apercevait une belle cascade dans les montagnes près de là. Tout était si beau qu'ils en oublièrent à quel point la tour était haute.

– Avant, ce royaume était le plus beau de tous, expliqua la reine. Les collines verdoyantes, les fleurs sauvages, les rivières paisibles... à présent ce ne sont plus que des souvenirs. Même la beauté naturelle de la terre s'est endormie à cause de cet affreux sortilège.

– Les choses vont-elles s'améliorer ? demanda Alex.

– Je l'espère bien, répondit la Belle au bois dormant. Puis-je vous révéler un secret ? demanda-t-elle aux jumeaux qui hochèrent la tête avec empressement. Voilà : je n'ai pas dormi depuis que Chase m'a réveillée avec un baiser.

Ils étaient stupéfaits.

– Hein ? s'écria Conner. Mais vous devez être crevée !

– Après avoir dormi pendant un siècle, je suis reposée pour un bon moment ! Je me suis promis et j'ai juré au royaume que je ne me reposerais pas tant qu'il n'aurait pas retrouvé son état d'origine. Si mes parents m'avaient tout simplement laissée mourir, comme cela avait été initialement prévu par le sortilège, rien de tout cela ne serait arrivé. Alors je suis prête à passer le reste de ma vie, cette vie qu'ils ont sauvée, à faire tout ce qui est en mon pouvoir pour rétablir le cours des choses.

Alex et Conner ressentirent de la pitié pour la jeune reine. Obnubilés par l'idée qu'un royaume puisse être endormi suite à un sortilège, ils n'avaient jamais songé à la lourde tâche qui incomberait à la reine à son réveil.

– Je crois que le Sortilège des Vœux m'a toujours intriguée, ajouta-t-elle. C'est la preuve que si une personne veut vraiment quelque chose et qu'elle est prête à faire des efforts pour y parvenir, elle pourra accomplir de grandes choses. J'ai gardé le fuseau pour me rappeler que même les pires sortilèges jetés par les enchanteresses les plus puissantes peuvent, un jour, être vaincus.

– Le royaume a beaucoup de chance d'avoir une reine comme vous, opina Alex. Quelqu'un de moins courageux aurait baissé les bras.

– Essayez le truc de l'élastique, dit Conner. Je vous jure que vous ne le regretterez pas.

– J'essaierai, dit la Belle au bois dormant en souriant. Il est probablement temps pour vous de partir. Personnellement je vous crois, mais il ne me sera pas facile de convaincre mon mari et le conseiller royal. Suivez-moi : je connais un passage secret pour quitter le château.

Les jumeaux quittèrent le palais impressionnés par l'exemple donné par la reine. Le conte de fées faisait toujours grand cas de la bravoure du jeune prince et de l'horreur du sortilège qui avait englouti le royaume, sans jamais parler du courage et de la force réelle de la Belle au bois dormant.

## CHAPITRE 15

# LE ROYAUME DU NORD

Alex et Conner se rendirent au Royaume du Nord en bateau, une première pour eux. Ils avaient rencontré un pêcheur qui comptait remonter la rivière jusqu'au royaume et ils l'avaient convaincu de les laisser monter à bord. Alex lui expliqua qu'ils étaient perdus et fit semblant de pleurer, jouant d'ailleurs la comédie de façon très convaincante. La prestation de Conner, en revanche, se révéla moins concluante. Il tenta de joindre ses lamentations à celles de sa sœur, mais cela n'aboutit qu'à un piètre résultat. Heureusement, le pêcheur les laissa quand même monter.

L'embarcation, petite et à fond plat, était juste assez grande pour eux trois. Elle progressait paisiblement, portée par le courant.

Du coup, ils n'avaient même pas besoin de ramer. Les jumeaux profitèrent du voyage pour admirer le paysage et tous les villages qu'ils rencontraient au bord de la rivière. Cela faisait plaisir de voyager sans craindre à tout instant de voir surgir un loup ou un ogre parderrière.

Le Royaume du Nord était brumeux et il y faisait frais. Les jumeaux pouvaient deviner que c'était le genre d'endroit où il gelait en hiver. Il était couvert de champs verdoyants et comptait plusieurs lacs ; sa frontière nord était bordée par une imposante cordillère.

Le bateau continua le long de la rivière et se jeta dans le lac des Cygnes, qui était peuplé, comme il se devait, de nombreux cygnes et d'autres oiseaux. Le palais de Blanche-Neige était construit sur ses rives. Il n'était pas très haut mais très étendu, doté de murs en marbre brun clair, de dômes vert foncé et de plusieurs fenêtres aux vitraux de couleurs vives, dont un avait la forme et la teinte d'une pomme rouge vif.

– C'est quoi cette vénération pour les pommes ? demanda Conner. Blanche-Neige n'a-t-elle pas failli mourir à cause d'une pomme ? Pourquoi doit-elle en mettre partout dès que l'occasion se présente ?

– J'imagine que c'est le symbole du royaume, comme les croix dans les églises, proposa Alex.

Il n'y avait ni ville ni village près du palais. Il avait été construit loin de tout, comme s'il se fût agi d'un monde isolé. L'endroit semblait terriblement solitaire.

Alex avait passé du temps le nez plongé dans le journal, relisant tout au cas où elle aurait raté quelque chose. Elle le rangea et commença à scruter les environs jusqu'à ce qu'elle vît ce qu'elle cherchait.

– Excusez-moi, monsieur, dit-elle au pêcheur. Pouvez-vous nous déposer sur cette berge-là ?

Le pêcheur y poussa la barque, les jumeaux descendirent et lui firent leurs adieux.

– Pourquoi est-ce qu'on descend ici ? demanda Conner. Le palais est de l'autre côté.

– Conner, j'en ai assez de tout t'expliquer. Tiens, prends *ça*, dit-elle en lui tendant le journal.

Il lut les pages qu'elle avait relues pendant le voyage.

Le palais de Blanche-Neige donne sur le lac des Cygnes, et une partie du lac s'écoule dans les douves qui encerclent le palais, ce qui est utile pour quiconque veut y pénétrer sans se faire remarquer.

Il y a une grille dissimulée à la base du palais, qui barre l'entrée d'un passage utilisé pour transporter les prisonniers en bateau vers ou depuis le palais. Il est facile de nager sous la grille et de grimper sur le rebord du fossé de l'autre côté.

Le cercueil en verre est entreposé dans une grande remise qui était auparavant l'appartement privé de la Méchante Reine, au troisième étage. Au deuxième étage, on trouve un grand portrait de la Méchante Reine elle-même, juste après le grand escalier qui mène vers l'entrée principale. Le portrait est en fait une porte secrète qui mène jusqu'à l'appartement privé.

Il vaut mieux nager de nuit car il est ainsi plus facile de ne pas se faire repérer. Mais il faut faire attention, car l'eau du lac des Cygnes est très profonde et peut être agitée après le coucher du soleil. Utilisez un objet en guise de flotteur, comme un morceau de bois.

Alex montra du doigt un rondin au bord de la berge.

– Tu *vois* ? dit-elle.

– Pigé, dit Conner.

Les jumeaux attendirent la tombée de la nuit pour traverser le lac jusqu'au palais. Ils poussèrent doucement le rondin dans l'eau et le suivirent. L'eau était glacée. Conner poussa un bruit aigu quand l'eau lui arriva à la taille.

– *Hoooouu là là*! Elle est si froide que je crois qu'on doit être des sœurs jumelles maintenant, dit-il en claquant des dents. Je n'ai jamais eu aussi froid de ma vie!

– Pense au fait qu'on n'a plus que deux objets à trouver et que l'on pourra ensuite rentrer à la maison! l'encouragea sa sœur, qui grelottait également.

– Des joyaux du cercueil de Blanche-Neige et un «sabre des profondeurs», se répéta Conner. Des joyaux du cercueil de Blanche-Neige et un «sabre des profondeurs»... Non, ça ne marche pas. J'ai toujours aussi froid!

Ils s'agrippèrent au rondin et se laissèrent emporter jusqu'au palais par le courant. Ils avaient bien fait de prendre un flotteur car l'eau était agitée et les jumeaux avaient déjà peine à s'accrocher au rondin. Sans lui, ils se seraient sans doute noyés.

Plus ils s'approchaient du palais, plus ils voyaient de soldats patrouiller.

– Il y a beaucoup de gardes, remarqua Conner en claquant des dents.

– C'est à cause de la Méchante Reine, dit Alex. Je doute qu'il y ait eu autant de patrouilles à l'époque où l'auteur du journal vint ici.

Les jumeaux plongeaient sous l'eau quand il leur semblait qu'un soldat risquait de les repérer. Ils dirigeaient le rondin vers les douves du château, en prenant soin de ne pas faire d'éclaboussures ou trop de vagues. Ils durent faire deux fois le tour du palais avant de trouver la grille cachée.

Ils lâchèrent le rondin et passèrent sous la grille. Il fallait nager beaucoup plus profond qu'ils ne le pensaient. Conner émergea de l'autre côté de la grille, à bout de souffle. Il nagea sur place un moment, attendant que sa sœur remonte à la surface, mais elle n'apparaissait pas.

– Alex ? demanda-t-il en scrutant l'eau autour de lui. Alex !

Il replongea et vit sa sœur qui se débattait : en passant sous la grille, une sangle de son cartable s'était coincée. Alex ne parvenait pas à se dégager et avait désespérément besoin d'air. Conner nagea jusqu'à elle et tira de toutes ses forces sur le sac pour libérer sa sœur, mais il ne cédait pas. Il tira plus fort encore et arracha enfin la sangle.

Il aida Alex à rejoindre la surface. Jamais il ne l'avait entendue lutter autant pour reprendre son souffle. Quelques secondes de plus et elle se serait noyée.

Il l'aida à nager jusqu'à la berge puis tous deux se hissèrent hors de l'eau. Ils avaient eu si peur qu'ils en avaient oublié à quel point ils étaient transis de froid.

– Merci... dit Alex après avoir enfin repris son souffle. C'était très courageux de ta part.

– Je n'avais pas le choix, dit Conner. Tu avais tous les objets du Sortilège des Vœux dans ton sac.

Alex lui donna une tape amicale et ils rirent à voix basse.

Ils étaient trempés et claquaient tellement des dents que le bruit résonnait tout autour d'eux.

La seule issue était un passage sous un portique en pierre. Derrière, un long couloir débouchait sur deux escaliers en colimaçon : un qui descendait (vers le donjon, pensaient-ils) et un qui montait. Les jumeaux choisirent de prendre le second.

L'escalier menait directement à un deuxième couloir où l'on sentait comme une odeur de vapeur d'eau. L'atmosphère était particulièrement humide dans cette partie du palais, et les jumeaux comprirent très vite pourquoi en passant devant une porte ouverte.

– Regarde, c'est la buanderie ! s'écria Alex.

La pièce était remplie de grosses bassines d'eau fumante, et ici et là plusieurs vêtements et draps humides étaient étendus. Comme il faisait nuit, la pièce était déserte.

– J'ai une idée, dit Alex en y pénétrant.

– Que fais-tu ? demanda Conner.

Sa sœur commença à fouiller dans une pile de linge. Propre, l'espérait-il.

– À en croire ce que l'on a vu dehors, l'endroit doit fourmiller de soldats.

– Et alors ? demanda son frère.

– On aura l'air très bizarres si on se promène trempés jusqu'aux os avec nos tee-shirts et nos jeans, expliqua-t-elle.

Elle tira du panier deux robes et deux bonnets en dentelle.

– Ah non ! dit Conner en comprenant ce qu'elle comptait faire. C'est hors de question !

– Conner, mets ta fierté en veilleuse et habille-toi ! On a fait trop de chemin pour se faire attraper maintenant ! dit-elle en enfilant une des robes.

– Les garçons à l'école ne doivent jamais entendre parler de ça, dit Conner le visage grave.

– Si tes amis apprennent que tu as voyagé dans un monde de contes de fées, je doute fort que ce soit la chose qu'ils retiennent de tout ça, répliqua sa sœur.

Les jumeaux s'habillèrent. Ainsi vêtus presque à l'identique, ils se ressemblaient comme deux gouttes d'eau. Ils enveloppèrent leurs habits et leurs sacs trempés dans des serviettes et les transportèrent ainsi afin de faire mine d'être occupés.

Ainsi déguisés en femmes de chambre, ils montèrent de plus en plus haut dans le palais. Le sol et même les murs à l'intérieur du palais étaient couverts de marbre. Dans le clair de lune, les vitraux étaient encore plus beaux.

Alex avait raison : tous les halls et les couloirs étaient étroitement surveillés par des soldats. Conner avait trop honte pour les regarder dans les yeux. Mais il se sentit mieux en trouvant quelques pièces d'or dans la poche de son uniforme.

Les jumeaux finirent par tomber sur l'escalier principal au centre du palais et montèrent au deuxième étage, parcourant les couloirs du regard à la recherche du portrait de la Méchante Reine. Comme dans le palais de Cendrillon, les murs étaient couverts de tableaux d'anciens monarques et il y avait aussi une statue pour chacun des sept nains qui avaient aidé Blanche-Neige.

– Comment allons-nous reconnaître la Méchante Reine ? demanda Conner. On ne l'a encore jamais vue.

– Il faudra qu'on devine, répondit sa sœur.

Ils passèrent devant le portrait d'une femme assise dans un jardin. Les plantes et les fleurs autour d'elle étaient de couleur vive, mais elle portait une longue robe noire.

– C'est elle, décida Alex.

Il y avait quelque chose dans son regard qui l'avait convaincue que c'était bien là le tableau recherché. Ses yeux étaient très beaux, mais son expression était glaciale, comme si on avait privé son âme de toute joie de vivre.

Alex attendit le départ de deux soldats avant d'essayer de tirer sur le portrait. Il était coincé. Elle recommença en tirant plus fort, mais il ne bougeait toujours pas.

– Tu es sûre que c'est celui-là ? dit Conner.

– Sûre et certaine.

Elle tira encore un bon coup et le portrait se décolla du mur comme une porte qui s'ouvre. Derrière la peinture se trouvait une échelle en bois qui montait au troisième étage.

– Bravo! dit Conner. Tope là!

Les jumeaux grimpèrent en haut de l'échelle et se retrouvèrent devant une autre porte secrète. Ils la poussèrent et découvrirent de l'autre côté la réplique exacte du portrait du deuxième étage. La pièce était remplie de vieilles malles et de coffres, ainsi que de meubles recouverts de draps blancs. Le portrait par lequel les jumeaux étaient entrés était la seule peinture accrochée : les autres étaient empilées contre les murs.

C'était une longue pièce comportant une grosse porte à double battant à une extrémité et une petite estrade avec un rideau de l'autre côté. Les jumeaux devinèrent aussitôt que c'était là que la Méchante Reine conservait ses miroirs magiques.

Il y avait aussi un long comptoir encombré d'alambics, de flacons et de récipients en verre. Ils avaient tous été vidés, mais les jumeaux comprirent aussi que c'était là que la Méchante Reine gardait ses poisons.

– Cette pièce me fiche la trouille, dit Conner. On dirait que personne n'est entré ici depuis des années.

– Je ne vois nulle part le cercueil en verre, dit Alex.

Elle commença à enlever les draps de tous les meubles.

– Il n'est pas ici, répéta-t-elle, soudain prise de panique. Cherchons encore.

– Cherchons quoi? demanda Conner.

– N'importe quoi! cria sa sœur, contrariée et agacée. Essaie de trouver quelque chose qui pourrait nous dire où ils ont mis le cercueil.

Les jumeaux fouillèrent la salle de fond en comble. Ils ouvrirent tous les coffres et les malles, sans trouver aucun indice qui pourrait leur indiquer où se trouvait le cercueil. Tant de souvenirs avaient été entassés depuis la nuit des temps dans cette pièce qu'il était impossible de deviner ce qui avait appartenu à la Méchante Reine, à Blanche-Neige ou aux monarques avant elles.

Alex parcourut une pile de parchemins. Elle y trouva de si curieuses lettres manuscrites qu'elle ne put s'empêcher de lire.

La première portait une écriture d'homme et on y lisait le mot suivant :

Chère Merhsante,

Je t'aime plus que l'oiseau aime le soleil du matin. Chaque instant passé loin de toi est un instant gâché. Je suis à toi, pour toujours.

Mira

La lettre suivante avait été écrite par une femme :

Mon très cher Mira,

Tu es la dernière chose à laquelle je pense avant de m'endormir, et la première à laquelle je pense quand je me réveille. Le temps écoulé entre ces deux instants n'est empli que du désir d'être dans tes bras. Mon cœur à toi seul appartient.

Merhsante

L'échange entre les deux amants continuait. La lettre suivante semblait avoir été rédigée à la hâte :

Merhsante,

C'est la plus cruelle des punitions que d'être maintenu loin de toi. Mon âme souffre de ne pas pouvoir toucher ta peau ou baiser tes lèvres. Je me sens vide sans toi. Je te sauverai de ce mal, je te le jure.

Mira

Alex distingua de petits cercles sur le papier et pensa que c'étaient des larmes. Les feuilles étaient froissées tant on les avait tenues étroitement.

Mira,

Seul l'espoir de te retrouver me maintient en vie. Chaque jour je le passe à chercher un moyen de vivre avec toi. Je vis pour toi. Chaque instant, chaque minute que compte ma vie est un instant passé à te chérir.

Merhsante

Les lettres étaient courtes mais passionnées. Alex sentit son propre cœur battre plus vite après les avoir lues. Elle en chercha d'autres, mais il n'y en avait plus.

– Alex. Viens voir ça.

En examinant les peintures posées contre le mur, Conner en avait trouvé une qui lui avait fait un coup au cœur. Il sortit un grand portrait de la pile. On y voyait un homme grisonnant avec une barbe marron et broussailleuse. Il portait un grand manteau et avait une arbalète à la main.

– Ce doit être le Chasseur de la Méchante Reine, dit Alex.

– C'est certain, répondit son frère. Mais regarde de plus près.

Alex s'approcha et vit que derrière le Chasseur se cachait une petite fille. Elle avait des yeux verts et brillants et des cheveux d'un rouge si profond qu'ils semblaient pourpres.

– Ce n'est pas possible, souffla-t-elle.

Les jumeaux en étaient tout retournés. C'était la femme qu'ils avaient vue dans le château du Petit Chaperon rouge. Ses traits et la couleur de ses cheveux étaient trop distinctifs pour la confondre avec une autre.

– Ainsi... c'est la fille du Chasseur ? se demanda Conner.

– On dirait bien.

– Je ne savais même pas qu'il avait une fille ! Quel lien a-t-elle avec le Sortilège des Vœux ?

Alex réfléchit un moment. Elle ne savait presque rien du Chasseur, et encore moins de sa fille. Pendant qu'elle se remuait les méninges, imaginant plusieurs explications, une pensée épouvantable lui vint.

– Et si elle ne cherchait pas les éléments du Sortilège pour elle-même ? Si elle les collectait pour la Méchante Reine ?

Conner devint livide et secoua la tête.

– Non ! dit-il. Que voudrait-elle faire du Sortilège des Vœux ?

– Ce n'est pas complètement dénué de sens, insista sa sœur, consciente qu'il fallait regarder les choses en face. Écoute, la reine s'est échappée de prison pour une bonne raison. Elle veut mener quelque chose à son terme, une vengeance peut-être, ou encore quelque chose *de plus ambitieux*. Quelque chose qu'elle ne peut achever toute seule.

– Et si elle en avait besoin pour la même raison que nous ? demanda Conner. Si elle voulait se rendre dans notre monde ?

Alex n'y avait pas pensé. Elle se tourna de nouveau vers le portrait de la Méchante Reine accroché au mur. Elle fixa le visage peint pour tenter de trouver des réponses dans les yeux sans vie. Qu'était-elle en train de mijoter ?

Les jumeaux entendirent des pas de l'autre côté de la porte. Quelqu'un la déverrouilla de l'extérieur et l'ouvrit lentement.

– Vite ! Cachons-nous ! dit Conner.

Les jumeaux bondirent dans une des grandes malles et refermèrent le couvercle sur eux, laissant un peu de jour pour observer ce qui se passait dans la pièce.

– Votre Majesté, résonna la puissante voix d'un homme plus loin dans le couloir.

La personne qui était en train d'ouvrir la porte s'arrêta.

– Que se passe-t-il ? demanda la voix d'une femme.

– Mes hommes et moi sommes revenus. Nous avons cherché partout et nous n'avons toujours pas trouvé la trace de votre marâtre.

Les jumeaux reconnurent la voix. C'était sir Grant, le soldat qui avait annoncé l'évasion de la Méchante Reine lors du bal dans le Royaume charmant.

– Ah oui ? dit la femme.

– Votre Altesse, excusez-moi si je vous pose à nouveau la question, mais vous êtes la dernière personne à l'avoir vue dans le palais. Êtes-vous certaine qu'il n'y a rien que vous puissiez nous dire sur ce qui s'est passé cette nuit-là ? Un détail, un indice ou quelque chose qu'elle vous aurait dit qui pourrait nous donner une idée du lieu où elle comptait se rendre ? insista sir Grant.

– Je vous l'ai déjà dit mille fois, je ne me souviens de rien de ce genre. Je suis allée la voir simplement pour lui faire part de certaines choses, et quand j'ai eu fini, je suis partie.

– Votre Altesse, ce n'est plus qu'une question de temps avant qu'elle ne frappe, avant qu'elle n'empoisonne une rivière et tue la moitié du royaume, ou quelque chose de pire, peut-être. Vous la connaissiez mieux que quiconque. Pour votre propre sécurité, si vous vous souvenez de quoi que ce soit, prévenez-nous immédiatement.

– Vous serez le premier informé si quelque chose me revient, dit la reine. À présent, je vous prie de m'excuser, mais je voudrais être seule.

Sir Grant repartit. La femme tourna lentement la poignée de la porte et l'ouvrit. Elle était très belle, avec la peau la plus blanche et les cheveux les plus noirs que les jumeaux aient jamais vus.

– C'est Blanche-Neige! chuchota Alex en serrant le bras de son frère.

Blanche-Neige portait une chemise de nuit blanche et une robe de chambre assortie. Elle demeura un moment sur le seuil, comme hésitant à entrer. Il lui semblait difficile de pénétrer dans la pièce où avaient été ourdis tant de complots visant à la faire disparaître. En voyant la manière avec laquelle la reine regardait autour d'elle, les jumeaux eurent le sentiment que cela faisait longtemps qu'elle n'était pas venue ici.

Finalement elle entra et referma la porte à clef derrière elle. Elle parcourut la pièce en fouillant dans les affaires avec la même minutie que les jumeaux avant elle.

Elle se dirigea vers une pile de vieux livres. Elle en ouvrit un qui était noir et sur la couverture duquel un gros crâne était dessiné. Elle le feuilleta et, à un moment donné, elle poussa un cri bref et le fit tomber. En regardant le livre au sol, les jumeaux virent qu'elle l'avait ouvert à la page de la recette pour une pomme empoisonnée.

Blanche-Neige s'assit sur l'estrade derrière elle et se mit à pleurer, la tête enfouie dans les mains. Tous ces événements semblaient lui avoir causé une grande douleur.

– On devrait lui demander où se trouve le cercueil, chuchota Alex à son frère.

– Tu es sûre ? On dirait qu'elle a besoin qu'on la laisse tranquille un moment, répondit-il.

– Malheureusement, nous n'avons pas un instant à perdre.

Elle se releva lentement et ouvrit le couvercle du coffre.

– Votre Majesté ? dit-elle d'une voix douce.

Blanche-Neige suffoqua de surprise. Elle semblait aussi gênée de voir qu'elle n'était pas seule.

– Qui êtes-vous ? demanda-t-elle. Comment êtes-vous entrés ici ?

– Si on nous donnait dix centimes chaque fois qu'on nous demandait ça, on pourrait se payer notre propre palais, dit Conner en se relevant comme sa sœur.

– On ne vous veut aucun mal, madame Neige, on doit juste vous poser une question et puis on repartira, dit Alex.

– Dites-moi d'abord comment vous avez fait pour entrer ici, répéta Blanche-Neige.

– Par le portrait, dit Conner. C'est une porte dissimulée, et une échelle conduit jusqu'ici.

– Conner, ne dévoile pas tous nos secrets ! dit sa sœur.

– Je le connaissais, dit la reine. Je l'utilisais pour venir ici en douce quand j'étais petite. Comment l'avez-vous découvert ?

– On l'a lu quelque part, dit Conner en faisant un signe de main comme si la chose était très banale.

– Vous m'avez l'air d'être de gentils petits enfants, mais vous ne devriez pas vous introduire dans des endroits où vous n'avez rien à faire, reprit la reine. Nous vivons une époque dangereuse.

– Ne m'en parlez pas ! dit Conner en pouffant.

– Nous sommes tout à fait d'accord et vous promettons de ne pas recommencer, dit Alex. On se demandait juste où se trouvait votre cercueil en verre.

Blanche-Neige les regarda, embarrassée... leur question lui semblait si inhabituelle.

– On l'a déplacé, dit-elle.

– Où ça ? demanda Conner.

– Je l'ai rendu aux nains. Il était très beau, mais vous comprendrez qu'il était bizarre d'avoir ce cercueil dans le palais. Les nains le gardent quelque part dans leurs mines.

Les jumeaux soupirèrent en apprenant la nouvelle. La route qu'ils devaient encore parcourir venait de s'allonger considérablement.

– Que diable voulez-vous faire avec mon cercueil ? demanda la reine.

Ils échangèrent un regard, se demandant ce qu'il fallait dire ou ne pas dire.

– On fait une espèce de chasse au trésor, répondit Alex. Et on n'a pas beaucoup de temps, vous comprenez, parce que votre marâtre est peut-être à la recherche des mêmes objets que nous.

Blanche-Neige les regarda d'un air grave.

– Chers enfants, ma belle-mère est une femme très dangereuse. Si elle cherche quelque chose et que vous vous trouvez sur son chemin, elle n'hésitera pas à vous tuer. Elle est *sans cœur*. S'il existe une quelconque possibilité que vous croisiez son chemin, vous devez immédiatement mettre un terme à votre entreprise.

Quelqu'un frappa brutalement à la porte.

– Votre Majesté, vous êtes là ? demanda un soldat. Le roi ne vous trouve pas et il s'inquiète.

– Oui, un instant, s'il vous plaît, dit-elle.

Puis elle se tourna vers les jumeaux et ajouta:

– Vous devriez partir. Et promettez-moi de réfléchir à ce que je viens de vous dire, avertit Blanche-Neige juste avant de refermer la porte-portrait sur eux.

– Bien sûr, mentit Alex.

Blanche-Neige hocha de la tête et sortit à son tour de la pièce. Les jumeaux décidèrent de quitter le palais en passant par l'entrée princi-pale car ils étaient encore déguisés en femmes de chambre.

– Les mines se situent dans la Forêt des Nains, assez près d'ici, dit Alex en examinant la carte. Souviens-toi: Blanche-Neige s'était réfu-giée là-bas en courant, la fois où le Chasseur n'a pas réussi à la tuer.

– On retourne dans la Forêt des Nains? dit Conner. Tu as envie de mourir, ou quoi?

– On n'a pas le choix, rétorqua sa sœur.

Les jumeaux campèrent en lieu sûr dans un petit bois près du palais. Ils étendirent leurs habits mouillés sur une branche d'arbre pour les faire sécher pendant la nuit, puis dormirent les quelques heures qu'il restait avant que l'aube ne se lève.

Au lever du jour, ils reprirent leur route pour retourner vers la Forêt des Nains. Ils marchèrent un bon moment avant de trouver un conducteur disposé à les prendre avec lui.

– Vous êtes sûrs de vouloir aller là-dedans? C'est un endroit très dangereux, prévint-il.

– On le sait, vous pouvez nous croire, dit Conner.

Pour mieux le convaincre, il donna au conducteur les pièces qu'il avait trouvées la veille dans l'uniforme de femme de chambre.

La charrette emprunta un chemin qui passait devant l'étang du Vilain Petit Canard (ce qu'Alex trouvait incroyablement drôle) et devant une forêt qui avait été abattue. On ne voyait que des souches à des kilomètres à la ronde. Cependant les jumeaux ne furent pas attristés de ce spectacle : ils avaient vu assez d'arbres récemment pour s'en émouvoir.

– J'espère vraiment qu'on ne va pas croiser la Méchante Reine, dit Conner pendant le voyage. Ce serait vraiment trop nul.

– Et moi qu'elle n'a pas déjà le « sabre des profondeurs », opina Alex. Autrement, on sera peut-être *obligés* de croiser son chemin.

– Je me demande si elle sait qu'on existe, reprit son frère. Si elle a envoyé la fille du Chasseur pour trouver le fuseau de la Belle au bois dormant et la couronne des rois des trolls et des gobelins, et qu'elle s'aperçoit que les deux ont disparu, elle comprendra tôt ou tard que quelqu'un d'autre est en train de collecter les éléments du sortilège.

– Tu n'as pas tort, mais j'espère qu'elle ne soupçonne pas notre existence, dit Alex, puis elle soupira. On dirait que plus longtemps on reste ici, pire c'est pour nous. Il y a toujours quelque chose qui surgit pour nous compliquer l'existence...

Tout d'un coup, Alex devint livide et se tut. Comme si elle avait vu un fantôme.

– Que se passe-t-il ? demanda Conner. On dirait que tu as eu un 12 à une interro surprise.

Il tourna la tête pour voir ce que regardait sa sœur. Au loin, au milieu des souches, se trouvait un arbre qui, au lieu de pousser droit, était recourbé et vrillé comme une grosse vigne. C'était manifestement l'Arbre courbé que leur père leur avait dit avoir vu quand il était petit.

– Tu as raison, lui dit son frère. Tout peut toujours devenir plus compliqué.

## CHAPITRE 16

# À TRAVERS LES MINES

Les jumeaux ne dirent rien pendant le reste du voyage jusqu'aux Forêts des Nains. Ils en étaient incapables, les mots leur manquaient pour exprimer ce qu'ils ressentaient. Le conducteur les déposa à deux kilomètres environ des mines, et les jumeaux firent le reste du chemin en silence.

Ils étaient indifférents aux dangers alentour. Ils avaient tant de choses sur le cœur qu'il n'y avait plus de place pour la nervosité ou la crainte qu'auraient pu leur inspirer les arbres touffus aux formes menaçantes qui les cernaient de toutes parts.

– Les mines sont derrière cette colline, dit Alex en regardant la carte.

Ils s'étaient à présent remis à parler, même s'ils évitaient le sujet qui les tracassait. Les jumeaux atteignirent le sommet de la colline. Au pied de l'autre versant, plusieurs tunnels s'enfonçaient dans le flanc de la montagne. Parfaitement circulaires et solides, ils étaient très différents des galeries qu'ils avaient vues dans le Territoire des trolls et des gobelins. Des dizaines de nains travaillaient et transportaient, d'un tunnel à un autre, des chariots remplis de cailloux et de pierres précieuses.

Une grosse cloche sonna quelque part dans les mines et une autre dizaine de nains sortirent des tunnels avec des lanternes et des pioches. C'était la fin de la journée et ils rentraient tous chez eux, marchant à la queue leu leu vers différents endroits de la forêt.

Les jumeaux attendirent quelques minutes en haut de la colline pour s'assurer que personne n'était à la traîne, puis pénétrèrent dans les mines. Ils empruntèrent le tunnel le plus grand, et trouvèrent dans l'entrée une rangée de lanternes, accrochées assez bas au mur en terre. Ils en prirent chacun une et s'enfoncèrent dans le flanc de la montagne.

Les mines étaient immenses. Des pelles étaient alignées contre les murs, et le sol était parcouru, sur plusieurs kilomètres, de rails destinés aux wagonnets des nains, rails qui se faufilaient partout dans la montagne. Les jumeaux continuèrent de marcher, tenant chacun sa lanterne au-dessus de la tête, à l'affût de tout ce qui aurait pu ressembler à un cercueil en verre.

– On va en parler ou pas ? demanda Alex pendant qu'ils cherchaient.

– Parler des mines ? demanda Conner.

– Non, tu sais ce que je veux dire.

– Je ne veux parler que du cercueil qu'on doit trouver.

– Conner, faire l'autruche ne nous avancera à rien.

– Faire l'autruche ? répéta-t-il en évitant son regard. On a vu l'Arbre courbé, c'est tout. C'était juste une autre histoire que papa avait entendue et qu'il nous a racontée quand on était petits. N'en fais pas tout un plat.

– Ce n'est pas ça et tu le sais ! reprit sa sœur en haussant la voix.

– Arrête, Alex.

– Non, toi, arrête ! Ne le nie pas !

– Alex, ça suffit !

– Tu le savais dès notre arrivée ici ! Tu l'as immédiatement pressenti, toi aussi ! insista sa sœur. Je le sais ! Tu peux peut-être te mentir à toi-même, mais tu ne peux pas me mentir !

– Je ne mens pas ! Tu t'imagines des choses que tu voudrais prendre pour la réalité ! rétorqua Conner en essayant de réprimer ses larmes.

– Toute ma vie, j'ai eu l'impression que je ratais quelque chose ! Comme si, quelque part dans le monde, quelque chose se passait dont je devais faire partie ! Et maintenant, j'ai trouvé : c'est cet endroit ! Une partie de nous appartient à ce monde ! dit-elle en pleurant à chaudes larmes.

– TU NE PEUX PAS LE PROUVER ! hurla Conner.

– CONNER, OUVRE LES YEUX ! hurla-t-elle à son tour. PAPA VENAIT D'ICI ! IL VENAIT DU PAYS DES CONTES !

– ALORS POURQUOI IL NE NOUS L'A JAMAIS DIT ? cria Conner, et l'écho de sa voix retentit dans les mines. POURQUOI NOUS L'AVOIR CACHÉ ?

Il se laissa tomber par terre et pleura en silence, la tête dans les mains.

Alex s'assit près de son frère et pleura avec lui. C'était difficile à comprendre et à accepter.

– Peut-être qu'il pensait qu'il ne pouvait pas nous le dire, dit Alex. Il disait toujours qu'il allait nous amener là où il avait grandi quand on serait grands. On est encore jeunes. Peut-être qu'il pensait nous le dire une fois que nous serions suffisamment âgés pour comprendre.

– Je pense que de nous dire : « Salut les enfants, est-ce que je vous ai déjà dit que je venais d'une autre dimension ? », c'est plutôt perturbant, peu importe l'âge que l'on a, répliqua son frère.

– C'est quelque chose de difficile à avouer. Il devait attendre le bon moment. Malheureusement, le bon moment n'est jamais venu...

– Ça veut dire que grand-mère vient d'ici elle aussi ? demanda Conner.

– J'imagine que oui, dit Alex.

– Mais alors, comment ont-ils fait pour aller jusqu'à notre monde ? Il doit y avoir une autre façon de faire, à part le Sortilège des Vœux.

– Forcément, dit-elle. Mais nous ne connaissons que le Sortilège des Vœux, alors on doit continuer à chercher le cercueil en verre si jamais on veut revoir maman.

Les jumeaux séchèrent leurs larmes et continuèrent leur recherche dans les mines.

– Tu ne penses pas que maman est elle aussi d'ici, quand même ? demanda Conner.

– J'en doute, répondit sa sœur. Elle a des albums photo de son enfance. Papa n'avait que ses histoires.

– Tu crois qu'elle le sait ?

– Elle *doit* le savoir, répondit-elle. Comment ne l'aurait-elle pas su ? Ils ont été mariés pendant plus de dix ans.

– Alors peut-être qu'elle sait qu'on est ici, pensa Conner. Peut-être qu'elle ne se fait pas autant de soucis pour nous qu'on le pense.

Les jumeaux passèrent une heure encore à parcourir les mines à pied. Conner avait vu tant de tunnels qu'il commença à croire que son esprit lui jouait des tours. Il aurait juré avoir vu des choses qui leur tournaient autour dans l'obscurité.

– Tu as vu ? demanda-t-il, à moitié paranoïaque.

– Tu vois des ombres, c'est tout, dit Alex.

– Ah, reprit son frère. J'aurais juré que c'était... Rien.

Les jumeaux découvrirent alors une longue table miniature avec plusieurs dizaines de chaises miniatures tout autour. On aurait dit une salle de pause pour nains. Un grand portrait de Blanche-Neige était accroché au mur de terre derrière la table, et un cercueil en verre incrusté de rubis et de diamants était posé sous le portrait, contre le mur.

– Gagné ! dit Conner.

Il utilisa une pioche qu'on avait laissée sur la table pour déloger du cercueil quelques-unes des pierres précieuses qu'il mit ensuite dans le cartable d'Alex. Il remarqua aussi les entailles où d'autres avaient fait la même chose avant lui.

– En fin de compte, on n'a eu aucun mal, dit Conner.

Il se retourna vers sa sœur et pensa alors qu'il aurait mieux fait de se taire.

– Conner ? Que se passe-t-il ? demanda Alex en voyant son frère complètement pétrifié.

À la faible lueur de leurs lanternes, les jumeaux s'aperçurent qu'une douzaine de loups gigantesques les avait encerclés. La Meute du Grand Méchant Loup grognait et grinçait des dents.

– Arrière ! cria Conner en agitant sa pioche.

Cela ne les impressionna guère. Quelques loups ricanèrent.

– Ce sont eux ? demanda l'un d'eux.

– Oui, répondit un autre. Ça fait des jours qu'on suit leurs traces !

– Bonjour les enfants, dit Malgriffe en s'approchant lentement. J'aurais aimé vous dire à quel point c'est un plaisir de vous rencontrer, mais à votre odeur je sais que nos chemins se sont déjà croisés.

– Ne nous faites pas de mal, s'il vous plaît, supplia Alex.

Elle tremblait de peur et s'agrippait à son frère.

– Peut-on au moins leur manger les bras et les jambes ? demanda un loup. *Elle* n'en a pas besoin, si ?

– Elle ? répéta Alex. Qui ça, *elle* ?

– Nous nous sommes engagés à les lui amener sains et saufs, répondit Malgriffe à contrecœur en regardant les jumeaux. Venez avec nous !

– Conner, qu'allons-nous faire ? demanda Alex à son frère en chuchotant.

– J'ai une idée, répondit-il.

Il posa sa lanterne par terre, s'approcha un peu de Malgriffe, puis cria :

– *Vilain chien ! Ça c'est un très vilain toutou ! Assis !*

Les loups et Alex firent exactement la même tête. Mais que fabriquait-il ?

– J'ai dit : *Assis ! Tu es un très vilain chien ! Va dans ta niche !* insista Conner en remuant son index devant Malgriffe.

Cela ne marchait pas du tout et énervait plutôt les loups.

– J'ai changé d'avis, dit Malgriffe à sa meute. Vous pouvez leur manger les bras et les jambes.

– Bon, je suis à court d'idées, dit Conner en se tournant vers sa sœur.

– Moi, j'en ai une ! dit Alex.

D'un mouvement vif, elle donna un coup de pied dans la lanterne que Conner avait posée par terre. Celle-ci traversa le tunnel en volant et s'écrasa sur l'un des loups, mettant le feu à son pelage. Les autres se précipitèrent vers leur compagnon pour éteindre les flammes. Alex saisit la main de Conner et ils se mirent à courir dans le tunnel.

– Poursuivez-les ! ordonna Malgriffe, et tous partirent à leurs trousses.

Les jumeaux allaient aussi vite que possible. Ils n'avaient plus qu'une lanterne et couraient presque dans le noir. Ils entendaient derrière eux les loups qui s'étaient rués à leur poursuite. Amplifiés par l'écho, les hurlements des bêtes étaient si assourdissants que cela en devenait insoutenable. Comme le tunnel était maintenant en pente, les jumeaux avaient de plus en plus de mal à courir sans tomber.

– Saute là-dedans ! cria Conner en montrant du doigt un chariot sur une voie.

– Pas question ! dit Alex, mais Conner l'attrapa et l'y hissa.

Puis il sauta à son tour et tira sur le levier du frein. Le chariot commença à dévaler le tunnel à vive allure.

Les loups tentèrent de les attraper d'un coup de patte. Les jumeaux s'aplatirent le plus possible dans le wagonnet pour leur échapper, mais trop tard pour éviter qu'un des loups n'atteigne Conner, lui faisant une profonde coupure sur l'avant-bras. Alex donna un coup de pied en pleine gueule à un autre loup, qui recula en geignant. Un troisième faillit atteindre les jumeaux avec ses griffes, mais il parvint seulement à arracher le levier du frein.

Le chariot allait de plus en plus vite, au point de distancer les loups.

– On a réussi ! On est en train de leur échapper ! dit Conner, la main sur sa blessure.

– À ta place, je ne crierais pas victoire si vite ! dit Alex en montrant du doigt un panneau qui disait :

# DANGER :
## UTILISEZ LE FREIN DANS CE TUNNEL

—Je n'aime pas ça ! s'écria Conner, qui aurait aimé que le levier du frein repoussât comme par magie.

À mesure que la pente augmentait, le wagonnet accélérait. Ils allaient tellement vite... *trop vite* ! Ils pouvaient à peine garder les yeux ouverts tant il y avait de vent qui leur fouettait le visage. Les rails décrivirent un virage s'enfonçant davantage dans la montagne. Les jumeaux craignaient de s'envoler du chariot, à moins que ce dernier ne déraillât le premier. Ils n'étaient jamais montés sur des montagnes russes aussi effrayantes.

– Si on ne risquait pas notre vie, ce serait génial ! cria Conner.

Il avait presque envie de lever les bras en l'air, mais il savait que ce n'était pas le moment.

Le chariot traversait les mines à toute allure, apparemment sans perdre de vitesse. En quelques secondes, la plus grande des peurs des jumeaux n'était plus de se faire manger tout crus par des loups, mais de s'écraser dans une mine. Les rails menaient vers une énorme caverne où des stalactites pointues pendaient au-dessus de stalagmites tout aussi acérées avec, à leur base, un petit lac.

Leur frayeur augmenta d'un cran quand ils virent un autre panneau :

# CUL-DE-SAC

Apparemment, il y avait eu une avalanche sur les rails et les jumeaux se dirigeaient à présent à toute vitesse vers le mur de pierres qui s'était formé sur la voie. Ils s'accroupirent le plus possible dans le wagonnet, se préparant à l'impact.

Le chariot fondit dans l'obstacle et fut violemment secoué en le traversant. Quelques pierres tombèrent sur les jumeaux. Alex cria et Conner se couvrit tant bien que mal la tête avec son bras. Au moment où ils crurent qu'ils allaient finalement mourir pour de bon, le chariot s'immobilisa.

Les jumeaux sortirent la tête et virent qu'ils étaient dehors, quelque part dans la Forêt des Nains, de l'autre côté de la montagne.

– Je n'arrive pas à croire qu'on a survécu à ça, dit Conner.

Ils étaient plutôt amochés, mais ils se hissèrent hors du wagonnet, heureux de ne pas être sérieusement blessés.

Sans prendre le temps de se féliciter de leur bonne fortune, les jumeaux s'éloignèrent en courant en direction des arbres.

– Il faut qu'on parte d'ici, dit Alex. Les loups ne vont pas tarder à nous retrouver !

– De qui parlaient-ils ? Devant qui allaient-ils nous emmener ? demanda Conner.

– J'ai bien peur que nous ayons affaire à... *Aaaaaaaaahhh !* hurla-t-elle.

Cela ne faisait pas plus d'une minute qu'ils se trouvaient à l'air libre que tous deux reçurent un gros coup sur la tête. Ils s'écroulèrent par terre, puis perdirent peu à peu connaissance.

Avant de sombrer tout à fait, les jumeaux eurent le temps de voir le troll Pustubule et le gobelin Cornedœuf qui les fixaient, chacun tenant un gourdin à la main.

Les jumeaux se réveillèrent avec un atroce mal de crâne. Ils étaient ligotés l'un à l'autre, allongés à l'arrière d'une charrette qu'ils connaissaient bien.

– Eh, Cornedœuf, regarde qui vient de se réveiller, dit Pustubule.

– Les petits chapardeurs refont surface.

Le gobelin et le troll conduisaient toujours la même charrette, mais elle était tirée par un autre âne. Le précédent avait sans doute été exploité jusqu'à la mort. Le cartable d'Alex était à leurs côtés. Les jumeaux tentèrent de dénouer leurs liens, mais leurs pieds et mains étaient attachés avec des triples nœuds.

– Où sommes-nous ? demanda Alex.

Elle tendit le cou pour regarder à l'extérieur de la charrette et reconnut quelques arbres.

– On est revenus là où ils nous ont attrapés la première fois ! dit-elle. On a dû rester inconscients pendant une journée entière !

– Vous voulez qu'on y ajoute une journée ? dit Cornedœuf en les menaçant avec son gourdin.

– Ça ne va pas recommencer, quand même ! dit Conner. Vous n'allez pas encore faire de nous des esclaves ! On vous a dénoncés auprès des fées !

– Oh oui, on le sait, dit Pustubule.

– Elles sont venues et nous ont longuement fait la morale, dit Cornedœuf.

– Grâce à vous, elles ont bouché tous nos tunnels ! s'emporta Pustubule. Maintenant on doit faire le grand tour pour retourner chez nous !

– Alors laissez-nous partir ! dit Conner.

– Pas cette fois, dit Cornedœuf. Vous avez volé la couronne de nos rois lors de votre première visite. En vertu des règles de l'Assemblée de ceux qui vécurent heureux et eurent beaucoup d'enfants, nous avons le droit de vous ramener dans notre royaume afin de vous inculper pour ce crime.

– Ça va être un sacré procès ! ajouta Pustubule. Tous les trolls et les gobelins vont être là !

– On a déjà prévu de vous tabasser à la fin du procès ! Tout le monde dans le royaume en aura le droit, chacun à son tour ! ajouta Cornedœuf, et les deux compères hurlèrent de rire.

Conner garda son calme. Il leva ses mains ligotées et les posa sur le rebord de la charrette. La coupure sur son bras n'était pas encore cicatrisée et il tendit un peu le bras pour faire tomber sur le chemin quelques gouttes de sang de sa blessure.

– Qu'est-ce que tu fais ? demanda Alex.

– Je laisse une piste, dit Conner.

Elle ne comprenait pas ce qu'il faisait, mais il avait eu une idée et elle lui faisait confiance. Quelques heures plus tard, les jumeaux réussirent à se mettre en position assise.

Le troll et le gobelin continuaient de s'amuser en imaginant les choses horribles qu'allaient subir les jumeaux en arrivant dans leur royaume.

Conner commença à deviner des silhouettes sombres qui couraient parmi les arbres, au loin, comme celles qu'il avait vues dans les mines.

– Prépare-toi, dit-il à sa sœur. Ils sont là.

Alex se prépara mentalement à ce qui allait se passer.

– Ça a pris moins de temps que prévu, dit-elle.

On entendit un petit hurlement venant des arbres. Cornedœuf et Pustubule tirèrent sur les rênes de l'âne et la charrette s'immobilisa.

– Tu as entendu ? demanda Cornedœuf.

– Ouais, j'ai entendu, dit Pustubule.

Ils sortirent leurs gourdins, descendirent et se tinrent de chaque côté de la charrette.

– Là-bas ! cria Pustubule ! Je vois quelque chose !

Le troll et le gobelin se dirigèrent vers les arbres.

– Aide-moi à récupérer mon cartable ! dit alors Alex à son frère.

Ils se traînèrent jusqu'à l'avant de la charrette. Alex attrapa son cartable avec les dents et le tira vers l'arrière ; il atterrit à côté de ses mains ligotées. Elle parvint à l'ouvrir et en retira la pantoufle de verre de Cendrillon, manquant de se fouler le poignet en cours de route.

– Qu'est-ce que tu fais ? demanda Conner.

– Quelque chose qui va me faire mal au cœur et que je ne pourrai jamais me pardonner.

Elle heurta la pantoufle violemment contre le plancher de la charrette et la brisa en trois morceaux. Puis elle utilisa l'un des éclats de verre pour couper la corde et les délivrer, son frère et elle.

– Waouh! s'exclama Conner. Je n'aurais vraiment jamais, mais alors *jamais* pensé que tu ferais un truc pareil! T'es une vraie racaille, toi!

– On peut la recoller, tu ne crois pas? demanda Alex, tentant frénétiquement de reconstituer la pantoufle comme si c'était un puzzle.

– Elle fonctionnera toujours pour le Sortilège des Vœux, pas vrai? demanda Conner.

– Le sortilège n'a jamais dit qu'elle devait être en un seul morceau, répondit sa sœur.

Ils rangèrent les morceaux de pantoufle dans le cartable d'Alex et descendirent de la charrette. Ils coururent vers la forêt en prenant la direction opposée de celle qu'avaient prise le gobelin et le troll. Quelques instants plus tard, ils entendirent des hurlements et des cris à glacer le sang au moment où ces derniers furent assaillis par la Meute du Grand Méchant Loup.

Les jumeaux coururent alors plus vite qu'ils n'avaient jamais couru de leur vie. Plus que quelques secondes et les loups auraient retrouvé leur trace et se lanceraient à leur poursuite. Ils ne savaient même pas dans quelle direction ils allaient, mais ils savaient qu'ils devaient arriver en lieu sûr aussi vite que possible.

Alex regardait la forêt autour d'eux. On entendait un grondement profond près de là. Se pouvait-il qu'ils se trouvent près de la mer?

– Je crois qu'on est beaucoup plus au sud que je ne le pensais! dit-elle. On est peut-être retournés dans le Royaume des fées!

– Alors trouvons une fée qui pourra transformer ces loups en chihuahuas! ajouta Conner.

Il se retourna et vit au loin plusieurs loups qui galopaient vers eux à toute vitesse. Quelques instants plus tard, d'autres loups les dépassèrent à leur droite et à leur gauche. C'est ainsi que les prédateurs attaquaient les animaux dans les documentaires qu'ils avaient vus à la télé.

Les jumeaux passèrent entre des arbres touffus et stoppèrent soudain. Ils étaient au bord d'une très haute falaise qui surplombait l'océan.

– Mais comment a-t-on fait pour rejoindre la mer si vite? s'écria Conner.

– Regarde! dit Alex. C'est la baie des Sirènes. On est quelque part à mi-chemin entre le Royaume des fées et le Royaume endormi.

Conner se retourna. Les loups n'étaient plus qu'à quelques mètres et allaient bondir sur eux.

– Non, on dirait qu'on a le choix entre mourir et mourir! rétorqua-t-il. Alex, je suis vraiment désolé.

– Désolé de quo... *aaaaaah!* beugla-t-elle.

Conner avait poussé sa sœur du haut de la falaise. Puis il sauta à son tour, juste avant que les loups ne l'attrapent. Ils tombaient si vite qu'ils ne pouvaient ni respirer ni entendre les hurlements l'un de l'autre. Dans leur chute, ils n'entendaient que le bruit du vent.

Les jumeaux furent engloutis par les vagues. Les loups restèrent pendant plusieurs minutes au sommet de la falaise, attendant de les voir réapparaître à la surface, mais ils ne virent rien. Les jumeaux avaient disparu.

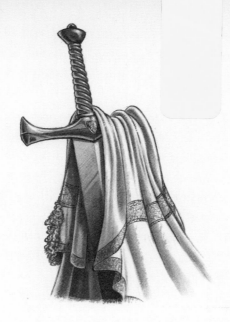

CHAPITRE 17

# BOUCLE D'OR, RECHERCHÉE MORTE OU VIVE

Le soleil allait se coucher et les soldats du Royaume du coin étaient aux trousses de Boucle d'or. Elle avait été aperçue près du village des Pâtissiers tôt dans l'après-midi, et elle était en cavale depuis lors. Un groupe de vingt hommes, décidés à l'arrêter par tous les moyens, la poursuivait à cheval. Heureusement pour elle, Boucle d'or possédait la monture la plus rapide de tous les royaumes.

– Allez, Porridge! lui dit-elle. Tu vas y arriver, ma belle. La frontière est proche!

Elle passa devant la tour de Raiponce et s'enfonça dans la Forêt des Nains, mais les soldats la pourchassaient toujours. Ce faisant, ils contrevenaient aux règles édictées par l'Assemblée de ceux qui vécurent heureux et eurent beaucoup d'enfants, mais il est vrai que Boucle d'or avait elle-même enfreint tant de lois qu'elle ne pensait pas que les soldats seraient réprimandés.

Porridge avait un avantage par rapport aux autres chevaux: elle connaissait la Forêt des Nains par cœur. La jument et sa cavalière gagnèrent du terrain, car elles savaient exactement ce qui se trouvait derrière chaque arbre et où menait chaque chemin.

Boucle d'or entendit derrière elle un soldat ordonner:

– Séparons-nous! Retrouvez-la!

Elle sentait que sa monture commençait à fatiguer. Elles galopaient depuis des heures et Porridge allait bientôt devoir se reposer si elle voulait être encore capable de fuir.

Elles passèrent devant une grange abandonnée qui était partiellement dissimulée par les arbres. Boucle d'or s'y était souvent cachée quand quelqu'un était à ses trousses, et d'autres faisaient comme elle.

– Porridge, je vais me cacher là et attendre, dit Boucle d'or à sa fidèle jument. Trouve un endroit sûr et repose-toi. On se retrouve ici, demain, à l'aube.

Porridge opina de la tête et s'en alla au galop. Boucle d'or dégaina son épée et s'approcha de la grange. La porte avait été arrachée de ses gonds, comme si quelqu'un avait forcé le passage pour y entrer.

L'intérieur était en désordre. Des bottes de foin avaient été renversées, les étables n'étaient plus qu'un amas de morceaux de bois, et les murs et le sol étaient maculés de sang. Heureusement, ceux qui avaient provoqué ces dégâts n'étaient plus là.

Boucle d'or rengaina son épée. Elle n'était pas du tout intimidée par ce spectacle. Elle avait vu bien pire, avait survécu à bien pire, et avait fait bien pire au cours de ses années de cavale.

Elle posa son long manteau et son épée, et commençait à délacer ses bottes pour se préparer à y passer la nuit quand son œil fut attiré par un objet coloré. Un tissu bleu vif dépassait de sous une botte de foin.

Boucle d'or dégagea le tissu et l'examina. C'était une très belle robe qui avait été cousue avec beaucoup de minutie et qui lui en rappelait une qu'elle avait portée quand elle était enfant. Cela faisait si longtemps qu'elle n'avait pas mis de robe.

Elle découvrit un miroir accroché au mur de la grange. Il était légèrement de guingois et la moitié inférieure était en partie fissurée, mais on pouvait encore parfaitement y contempler son reflet. Elle n'aima pas ce qu'elle vit. Elle était jeune, mais avait beaucoup vieilli depuis la dernière fois qu'elle s'était vue si nettement dans un miroir. Elle était désormais une adulte.

Boucle d'or se dévêtit et enfila la robe bleue. Elle détacha ses cheveux et les ébouriffa un peu. Elle essuya la poussière dont son visage était couvert avec un mouchoir et se regarda de nouveau dans le miroir. Elle dévisagea son reflet, complètement stupéfaite. Elle avait oublié à quel point elle était belle. Elle aurait souhaité que Jack la vît ainsi.

– Quelle beauté, quel gâchis ! dit une voix.

En un clignement d'yeux, Boucle d'or reprit son épée et la brandit devant elle.

– Qui va là ? cria-t-elle.

Mais elle ne voyait personne d'autre dans la grange.

– Si seulement le monde voyait ce que je vois... Boucle d'or, la femme qui terrorise tous les royaumes, toute vulnérable dans sa robe, reprit la voix.

– Ne soyez pas lâche et montrez-vous !

Elle se retourna vers le miroir, mais n'y vit plus son reflet. À la place, une autre femme la regardait fixement, le visage pâle, avec un manteau noir et une capuche.

— Bonjour Boucle d'or, dit le reflet.

— C'est vous ! s'exclama-t-elle.

Une seule femme dans le monde était capable de communiquer ainsi de miroir à miroir.

— Je sais qui vous êtes. Vous êtes la reine que tout le monde recherche, ajouta-t-elle.

— Oui, répondit la Méchante Reine. Nous sommes toutes les deux des femmes recherchées.

— Que voulez-vous de moi ? demanda Boucle d'or.

— Pourquoi pensez-vous que j'aie besoin de vous ? Je ne suis apparue que pour partager avec vous une nouvelle qui m'est parvenue récemment.

— C'est ça, oui, prenez-moi pour une imbécile. Je ne suis pas une petite écervelée prête à se faire arnaquer par le premier venu, dit la jeune femme en s'approchant du miroir. Essayez seulement de me donner une pomme empoisonnée, à *moi*, et vous allez voir ! Je vous obligerai à l'avaler.

— Non, bien sûr, dit la Méchante Reine d'un ton moqueur. Vous n'êtes que la pauvre fille à qui on avait fait croire qu'elle allait sortir avec le garçon qu'elle aimait et qui, depuis cette époque, est recherchée par la justice.

Boucle d'or recula.

— Comment le savez-vous ? demanda-t-elle, scrutant le miroir avec intensité.

— J'en sais plus sur vous que quiconque, répondit la femme dans le miroir. Je sais que quand vous étiez une jeune fille, vous avez reçu une lettre d'un jeune garçon dont vous étiez amoureuse et qui s'appelait

Jack. Il vous demandait de le retrouver dans une maison à la sortie de la ville et il vous avait donné des instructions pour y parvenir. Vous y êtes allée et vous avez attendu pendant des heures, mais Jack n'est jamais venu.

– Comment le savez-vous ? répéta Boucle d'or.

– Vous avez commencé à avoir sommeil, n'est-ce pas ? continua la Méchante Reine. Alors vous avez décidé de dormir dans un des lits, et vous espériez vous réveiller avec votre ami à vos côtés. Mais vous ne vous êtes pas réveillée avec lui. Je me trompe ? Vous vous êtes réveillée avec trois ours qui vous regardaient, et ils ont failli vous dévorer. Vous avez réussi de justesse à vous enfuir vivante de la maison, mais les ours vous ont dénoncée et accusée de cambriolage et, comme vous étiez jeune et que vous aviez peur, vous vous êtes enfuie. Vous vous êtes mise à courir, courir et n'avez jamais cessé depuis lors.

« Des années durant, vous vous êtes demandé comment Jack avait pu vous faire un coup pareil. Comment avait-il pu vous duper ainsi ? Et puis un jour, vous vous êtes faufilée dans le Royaume du Petit Chaperon rouge et vous lui avez posé la question. Mais Jack vous a expliqué qu'il avait grandi pauvre et analphabète. Il ne pouvait pas avoir envoyé de lettre parce qu'il n'avait jamais appris à écrire. Quelqu'un *d'autre* l'avait écrite. Quelqu'un *d'autre* avait monté un coup contre vous. Pendant ce temps, Jack vous avait cherchée, pendant des années. Votre disparition l'avait plongé dans le désespoir. Il avait même grimpé en haut d'une tige de haricot magique dans l'espoir de vous retrouver. Et maintenant, cela fait presque dix ans que vous vous retrouvez secrètement la nuit.

– Qui vous l'a dit ?

– Les gens qui font preuve d'une telle volonté ont généralement traversé de terribles épreuves qu'ils souhaitent garder secrètes.

J'ai mené mon enquête sur vous, Boucle d'or. Vous et moi ne sommes pas si différentes que cela. Seulement *moi*, je sais qui vous a écrit cette lettre.

La jeune femme secoua la tête, incrédule. Comment la Méchante Reine pouvait-elle savoir une chose qu'elle-même avait passé sa vie à tenter de découvrir ?

– Et qui est-ce donc ? demanda-t-elle.

– Le Petit Chaperon rouge, voyons.

– Comment ? dit Boucle d'or, interloquée.

– C'est la vérité. La jeune reine a un grand miroir dans sa chambre et elle parle dans son sommeil. Vous seriez consternée en entendant les choses qu'elle avoue quand elle fait des cauchemars.

Boucle d'or dut s'asseoir. Elle n'était même plus capable de ressentir quoi que ce soit d'humain, elle n'était plus qu'un être de colère à l'état pur.

– Le Petit Chaperon rouge a toujours été amoureuse de Jack, et vous étiez un obstacle sur son chemin, reprit la Méchante Reine. Elle était jeune quand elle a écrit cette lettre et n'imaginait pas quelles seraient les conséquences de ses actes. Elle pensait que vous repartiriez le cœur brisé avant le retour des ours, et que Jack serait désormais à elle.

– Mais elle aurait eu maintes fois l'occasion de rétablir la vérité depuis toutes ces années ! s'exclama Boucle d'or.

Elle regardait le sol fixement, mais la colère l'aveuglait. Elle se leva, enleva la robe bleue et remit ses vêtements à elle, sans oublier de prendre son épée.

– Qu'allez-vous faire à présent que vous connaissez la vérité ?

– Rouge et moi allons faire un tour, dit Boucle d'or. Un tour dont elle ne reviendra pas.

– Il n'y a qu'un endroit où elle peut disparaître à jamais... dit la Méchante Reine avant que son reflet ne s'estompe peu à peu dans le miroir.

Boucle d'or surgit de la grange et courut dans la nuit, sifflant son cheval. Elle était sur le point de faire exactement ce que voulait la Méchante Reine, mais, et c'était le plus important, elle allait enfin se venger.

CHAPITRE 18

## LA LEÇON DE LA SIRÈNE

Conner était certain qu'il était mort. Il avait dû se tuer en tombant dans la mer, car il ne s'était jamais senti aussi détendu qu'à présent. Il avait l'impression d'être dans cet état magnifique à mi-chemin entre le sommeil et l'éveil, un état qu'il connaissait très bien. Les yeux fermés, il était couché sur la plus douce surface qu'il ait jamais connue.

L'air était frais et rafraîchissant. Il sentait un peu le salé, mais Conner était sûr que ce n'était que le fruit de son imagination, car l'océan était la dernière chose qu'il avait vue. Il entrouvrit légèrement les yeux et vit sa sœur allongée à ses côtés. Elle aussi avait dû mourir, mais il ne s'inquiétait pas, car elle avait le même air détendu que lui.

Même s'il l'avait voulu, rien n'aurait pu l'inquiéter. Il se sentait tellement bien que, où qu'il se trouvât, il ne ressentait que du plaisir. *On doit être au paradis*, pensa-t-il.

Il ouvrit davantage les yeux. Il voyait un peu flou, mais il apercevait de nombreux objets pleins de couleurs qui se mouvaient dans tous les sens au-dessus de lui. Plus ses yeux s'habituaient à regarder, plus les objets prenaient l'aspect de formes humaines. *Ce doit être des anges*, se dit-il avant de se rendormir.

En s'endormant, une pensée lui vint : est-ce qu'on dort quand on est mort ? Est-ce qu'on sent l'air et les odeurs autour de soi ? Il devait être en vie, en fin de compte. Mais où était-il ? Il écarquilla les yeux afin d'accommoder sa vue plus rapidement.

Sa sœur et lui étaient allongés dans une grosse coquille de palourde au fond de l'océan. Ils étaient dans une sorte de caverne submergée et respiraient grâce à une grande bulle d'air qui les entourait. Il y avait des piliers en corail dans la caverne et, derrière ces piliers, on apercevait des murs noirs et rocailleux. Le sol était en sable et ils avaient devant eux l'immensité bleue de l'océan.

Un groupe de sirènes nageait au-dessus de la bulle. Elles étaient superbes. Elles étaient toutes pâles, mais leurs longs cheveux et leur queue avaient les couleurs de l'océan : bleu, vert, violet et rose. Elles souriaient et firent un signe de la main à Conner dès qu'elles s'aperçurent qu'il était réveillé.

Il regarda son bras et vit que sa blessure avait été bandée avec une algue.

– Alex ! Alex, réveille-toi ! s'écria son frère en lui tapant sur l'épaule jusqu'à ce qu'elle reprît conscience.

– Mmmh ? fit-elle, toujours aussi détendue.

– Des sirènes ! s'exclama-t-il. Il y a des sirènes qui nagent tout autour de nous !

Ces mots interpellèrent sa sœur dont les paupières tremblèrent puis s'ouvrirent. Il lui fallut quelques instants pour comprendre où elle se trouvait et ce qui se passait.

– Conner, pourquoi sommes-nous au fond de l'océan ? demanda-t-elle en se redressant.

– J'en sais rien. Regarde cette bulle d'air autour de nous !

Il remarqua que plus ils respiraient, plus la bulle s'amenuisait.

– La dernière chose dont je me souvienne est que nous étions pourchassés par des loups et puis tu... *Espèce d'abruti !* dit-elle en se rappelant qu'il l'avait poussée de la falaise.

Elle le frappa plusieurs fois avec la paume de la main.

– Hé oh ! Arrête ! C'était ça ou on se faisait attaquer par les loups ! C'était la peste ou le choléra ! s'écria Conner.

– Si on a survécu à la chute, comment avons-nous atterri ici ? demanda Alex.

– C'est nous qui vous avons amenés ici, dit une sirène qui nageait au-dessus d'eux.

Elle avait de longs cheveux soyeux dont la couleur turquoise se retrouvait sur les écailles scintillantes de sa queue.

– L'Esprit de l'écume veut vous parler, reprit-elle.

– L'Esprit de l'écume ? répéta Conner.

– Elle arrive ! dit une autre sirène dont les cheveux et la queue étaient roses.

– Je n'ai pas l'impression que ces sirènes aient souvent l'occasion de sortir, chuchota Conner à sa sœur.

– La voici ! dit une sirène de couleur pourpre.

En effet, une vague d'écume apparut du fond de l'océan et vint à la rencontre des jumeaux. Elle pénétra leur bulle et tourbillonna avant de s'immobiliser devant eux en flottant. Elle se transforma peu à peu et adopta la forme d'une sirène.

– Bonjour, les enfants, dit-elle d'une voix aérienne.

– Bonjour, dit Alex en penchant la tête comme un chiot qui regarde quelque chose d'étrange.

– Salut, dit Conner en fronçant les sourcils.

– J'espère que vous vous portez bien.

Elle était comme effervescente et son écume se renouvelait sans cesse.

– J'ai demandé à mes sirènes de bien s'occuper de vous, reprit-elle. Mes pauvres petits... vous avez failli vous noyer en tombant dans l'océan.

Alex lança à Conner un regard assassin.

– C'est vrai ? dit-elle. Vous êtes l'Esprit de l'écume ?

– Oui. Mais toi et ton frère me connaissez sans doute mieux sous le nom de Petite Sirène.

Le visage d'Alex s'illumina. C'était bien là la dernière personne qu'elle pensait pouvoir rencontrer dans le Pays des contes.

– Vous êtes la Petite Sirène ? répéta-t-elle avec fascination.

– Mon Dieu, mais qu'est-ce qui vous est arrivé ? demanda Conner.

– Je vous croyais morte, ajouta Alex.

– Pas exactement. Quand la sorcière des Mers m'a transformée en femme il y a des années de cela, je devais épouser le prince pour que l'enchantement puisse durer. Malheureusement, comme tout le monde le sait, le prince épousa quelqu'un d'autre et mon corps fut transformé en écume. Je n'existe plus sous une forme physique, mais mon esprit subsiste.

– Comme c'est bizarre, opina Conner.

– Comme c'est merveilleux ! s'écria Alex. J'étais toujours si triste quand je lisais votre histoire. Peu de gens connaissent votre *véritable* histoire. Ils pensent tous que vous avez vécu heureuse et que vous avez eu beaucoup d'enfants.

– Beaucoup d'histoires n'ont pas de fin heureuse, fit remarquer l'Esprit de l'écume. Vous deux cherchez quelque chose qui autrefois m'appartenait, n'est-ce pas ?

– Je ne crois pas, dit Conner.

– Attendez, parlez-vous du « sabre des profondeurs » ? reprit Alex avec excitation. Vous savez de quoi il s'agit ?

– Comment savez-vous qu'on est à sa recherche ? demanda son frère avec méfiance.

– Je sais beaucoup de choses que des créatures ordinaires ignorent. Surtout des choses dont on parle ou que l'on ressent près de l'eau.

– Le lac des Cygnes ! s'écria Alex. Nous parlions des éléments du Sortilège des Vœux qu'on devait encore trouver quand nous traversions le lac des Cygnes !

– Alors, chère madame Écume-qu'on-appelait-autrefois-Petite-Sirène, reprit Conner, qu'est-ce donc que le « sabre des profondeurs » ? On essaie de comprendre ce dont il s'agit depuis qu'on est arrivés ici.

– Vous vous souvenez que j'ai échangé ma voix avec la sorcière des Mers contre des jambes et ce, afin de vivre avec le prince sur la terre ferme ? reprit l'esprit. Quand le prince est tombé amoureux de l'autre femme, mes sœurs sont allées trouver la sorcière, avec qui elles ont échangé leurs cheveux contre un couteau pour que je puisse tuer le prince et retourner à la mer sous l'aspect d'une sirène. Mais je n'ai pu m'y résoudre et je me suis transformée en ce que je suis aujourd'hui.

– *Le couteau !* dit Alex toute excitée. Le « sabre des profondeurs » est le couteau que la sorcière des Mers vous avait donné ! Bien sûr ! Je croyais que c'était quelque chose de plus grand !

– Attendez, interrompit Conner. Vous vous êtes donné tout ce mal pour un *mec* ? N'y avait-il donc pas un homme-sirène de libre ?

– C'est peut-être la morale de l'histoire, répondit l'esprit.

– Où se trouve le couteau à présent ? demanda Alex.

– Je l'ai remis à un homme, il n'y a pas si longtemps, qui en avait besoin pour la même raison que vous. Je le lui ai donné à une condition : qu'il le détruise après s'en être servi.

– Oh non ! s'écria Conner, plongeant la tête dans ses mains et s'arrachant les cheveux.

– Il a donc disparu ? demanda Alex sur le point de pleurer.

– Il n'est plus là, mais il n'a pas été détruit, répondit l'esprit. L'homme n'a pas respecté son engagement, car il pensait qu'il en aurait peut-être encore besoin un jour.

– Où l'a-t-il mis ? demanda Conner.

– Dans un endroit où les gens déposent les choses qu'ils ne veulent plus jamais revoir, répondit l'Esprit de l'écume.

– Il l'a jeté dans les toilettes ? demanda Conner.

– Non. Tu te souviens de l'endroit dont nous avait parlé le Troqueur ambulant ? reprit Alex. Il a dû le déposer dans la Fosse aux ronces !

– Oh, super ! dit Conner d'un ton sarcastique. Il ne pouvait pas choisir un trou de marmotte ?

– On ne pourra jamais le récupérer ! dit Alex. Si on s'approche de cet endroit, les vignes et les ronces nous traîneront jusqu'au fond de la fosse à jamais !

– Pas si vous portez ceci.

La Petite Sirène leur tendit les mains et ils virent dans ses paumes deux colliers, chacun avec un petit coquillage doré.

– Portez-les quand vous chercherez le couteau au fond de la Fosse aux ronces, reprit-elle, et les plantes maudites ne vous feront aucun mal.

– Merci, dit Alex.

Les jumeaux se penchèrent pour prendre les colliers des mains de l'Esprit de l'écume mais celle-ci les retira.

– Je ne vous les donnerai qu'à condition que vous me juriez de détruire le couteau dès que vous en aurez fini avec lui, prévint-elle.

Les jumeaux échangèrent un regard et acquiescèrent.

– Bien sûr, dit Alex.

– Pas de problème, assura Conner.

– Très bien, dit-elle alors en leur donnant les colliers. Mais prenez garde : ces coquillages sont des jumeaux, eux aussi. Si l'un d'eux se brise, l'autre n'aura plus de pouvoir. Souvenez-vous de cela !

– Pourquoi faites-vous tout ça pour nous ? demanda Alex.

– Pourquoi demandez-vous toujours les raisons pour lesquelles on vous vient en aide ? demanda l'esprit à son tour.

Cette réponse destabilisa Alex.

– Parce que, là d'où nous venons, les gens ne s'entraident pas vraiment, dit-elle enfin. Ils le font de temps en temps, mais c'est rarement désintéressé. Il est difficile de trouver des gens vraiment bons.

– Ce ne doit pas être si difficile. J'en vois deux exemples devant moi, répondit l'Esprit de l'écume. C'est pour cela que j'étais disposée à vous aider, et c'est aussi pourquoi je suis prête à vous dire ceci : vous n'êtes pas les seuls à chercher le Sortilège des Vœux.

– On le sait, dit Conner. La Méchante Reine aussi.

– C'est elle qui a lancé les loups à notre poursuite, n'est-ce pas ? ajouta Alex.

– Oui. Elle est aussi résolue à trouver le couteau que vous. C'est pourquoi vous devez vous dépêcher et arriver avant elle. Malheureusement, le Sortilège des Vœux ne peut plus être utilisé qu'une seule fois.

– Quoi ? s'exclama Conner.

Les jumeaux eurent l'impression qu'on venait de leur donner un coup dans le ventre. Décidément, les choses se compliquaient.

– Vous voulez dire que si elle arrive à prendre le couteau en premier, c'est terminé, on aura tout perdu ? dit Conner.

– Oui, je le crains.

La bulle autour des jumeaux avait presque disparu. Elle couvrait à peine la coquille de palourde sur laquelle ils étaient assis. Leur séjour sous l'eau touchait à sa fin.

– On ne peut pas la laisser faire, dit Alex en secouant la tête. On doit arriver les premiers! On doit partir immédiatement!

– Je vais demander à mes sirènes de vous escorter le plus vite possible, mais quand vous aurez rejoint la terre ferme, il faudra vous débrouiller tout seuls pour continuer le voyage. Prenez soin de vous, les enfants.

L'Esprit de l'écume disparut. Les sirènes nagèrent jusqu'aux jumeaux, chacune empoigna le coquillage et, ensemble, elles les transportèrent à travers l'océan vers la suite de leurs aventures.

## CHAPITRE 19

## LA FOSSE AUX RONCES

Les sirènes accompagnèrent les jumeaux, d'abord en mer puis, en remontant un fleuve, dans le nord du Royaume endormi. Quand elles les laissèrent, Alex et Conner n'étaient plus qu'à quelques kilomètres de la Fosse aux ronces. Ils entamèrent leur route vers l'endroit où ils devaient trouver le dernier élément du Sortilège des Vœux.

– Comment fera-t-on pour faire fonctionner le Sortilège des Vœux une fois qu'on aura trouvé le couteau ? demanda Conner.

– Je crois qu'on n'aura qu'à mettre les objets ensemble et ensuite on les laissera faire, dit Alex.

– Bon.

Les environs étaient arides et sans vie. La route était pavée et caho-
teuse. C'était, de loin, l'endroit le moins attrayant de tous ceux qu'ils
avaient visités dans le Pays des contes.

– Je ne sais pas ce que tu en penses, mais j'ai vraiment hâte de
partir d'ici, dit Conner.

– Je te comprends, dit Alex sans grand enthousiasme. Maman me
manque tellement.

– J'ai envie de retrouver la télé et la climatisation, reprit son frère.
Comme ça me manque ! Et la *nourriture*... la nourriture, je n'en parle
même pas !

– Je suis sûre qu'on a aussi beaucoup de devoirs à rattraper, dit
Alex avec gaieté.

Conner grommela.

– Je n'avais pas pensé à ça, dit-il.

Il se demanda s'il lui faudrait aussi faire toutes ses heures de colle.
Pouvait-il s'en tirer en restant coincé dans un monde de contes de fées
pendant une semaine ou deux ?

Alex était entièrement d'accord avec son frère. Elle avait été
très enthousiaste en découvrant le Pays des contes mais, depuis, ils
avaient traversé tant d'épreuves que même elle avait hâte de rentrer.
Cependant, en regardant le paysage dans lequel elle se trouvait, elle
ne put s'empêcher de penser combien il allait lui manquer, même les
régions les plus laides comme celle-ci.

– On a vu des choses incroyables, dit Alex.

– C'est bien vrai, dit son frère.

– Et nous avons rencontré des personnes extraordinaires.

– On ne peut pas dire le contraire, dit Conner en secouant la tête.

– C'est dommage qu'on ne puisse pas venir ici et en repartir à
volonté, dit Alex. Tu ne crois pas que ça nous manquera un tout petit
peu ?

Son frère secoua immédiatement la tête en disant « non » silencieu-sement, mais en y réfléchissant il était moins catégorique.

– On a eu nos heures de gloire, dit-il. Bien sûr, on repartira avec des souvenirs que personne d'autre n'aura. Pense à toutes les histoires qu'on pourra raconter à nos enfants un jour.

– C'est vrai, dit Alex.

Mais cela ne fit que lui rappeler leur père.

Sans qu'ils s'en aperçoivent, le vide laissé par la mort de leur père avait été rempli par leur voyage dans le Pays des contes. Découvrir que leur père venait du monde des contes de fées avait été le clou de leur aventure.

– Maman et grand-mère vont devoir s'expliquer à notre retour, prévint Conner.

– C'est sûr ! approuva sa sœur. Je me demande où vivait papa.

– On trouvera, dit Conner, puis il sourit. J'aimerais savoir s'il connaissait les personnes que l'on a vues ou rencontrées. Et si on a de la *famille* ici !

Alex s'arrêta. Elle écarquilla les yeux pratiquement autant que la bouche et s'exclama, avec agitation :

– Et si on avait des liens de parenté avec la dynastie Charmant ou celle de Blanche-Neige ?

– Ou peut-être qu'on a du sang ogre, ou elfe ou un truc cool du genre ! ajouta son frère.

Cette idée leur donna du courage et ils marchèrent avec plus de détermination. Ils atteignirent enfin la Fosse aux ronces et stoppèrent net. C'était une vision d'horreur. Elle était très large, incroyablement profonde et remplie à ras bord de plantes, certaines mortes, d'autres vivantes. Les vignes et les ronces bougeaient comme des milliers de serpents. La fosse était vivante et affamée. Au bord se trouvaient les ruines d'un vieux château, soit quelques murs et un escalier en pierre qui ne menait nulle part.

– On va vraiment aller là-dedans ? demanda Conner.

– Mettons nos coquillages, dit Alex.

Ils passèrent leurs colliers autour de leurs cous et s'approchèrent lentement de la fosse. Les vignes et les ronces jaillirent droit vers eux comme la langue d'une grenouille qui attrape une mouche avant de reculer brusquement, repoussées par la magie de leurs pendentifs.

– On dirait que ça marche, dit Conner.

Ils entamèrent leur descente dans la fosse, utilisant les ronces mortes comme échelle et s'égratignant le corps jusqu'au sang. Les vignes et les ronces vivantes s'éloignaient des jumeaux à leur passage ; elles semblaient les regarder comme des serpents, prêtes à attaquer à tout moment.

Alex et Conner descendirent le plus bas possible. Le fond de la fosse était couvert d'ordures, telle une gigantesque décharge. L'odeur était insoutenable et les jumeaux durent se couvrir le nez pendant qu'ils cherchaient.

– Hou là là ! dit Conner. On dirait une poubelle géante. Tu t'imagines tous les secrets qu'on peut découvrir rien qu'en fouillant dans cet endroit ?

– Rappelle-toi pourquoi nous sommes venus, dit sa sœur.

Soudain, elle poussa un cri.

– Que se passe-t-il ? demanda son frère.

Alex avait failli marcher sur la main d'un squelette.

– Qui est-ce ? demanda-t-il. Ou plutôt qui *était*-ce ?

– Je ne veux pas le savoir, dit sa sœur, bouleversée par la découverte. Je n'avais encore jamais vu de squelette.

Ce n'était que le premier squelette parmi des dizaines. Il y en avait partout, entiers ou partiels. Certains étaient là depuis plus longtemps que d'autres. Alex devait respirer profondément pour s'empêcher de vomir, car ce spectacle était de plus en plus insoutenable.

Ils trouvèrent quantité de couteaux, de poignards et d'épées ici et là dans la fosse.

– C'est celui-là ? demanda Conner en en montrant un à sa sœur.

– Non, celui-là est en bois, dit-elle.

– Et ça ? dit-il en lui en montrant un autre.

– Non, ça c'est du fer, dit-elle. Rappelle-toi qu'il a été fabriqué dans la mer.

– Ah, dit Conner. Comme *ça* ?

Il tenait un couteau qui correspondait parfaitement à la description de sa sœur. Avec un manche recourbé fait de corail et de morceaux de coquillage, il avait une longue lame en verre de mer.

– Ça doit être ça ! dit Alex avec joie. Conner, on a réussi ! On a trouvé le dernier élément du Sortilège des Vœux !

Elle prit son frère dans ses bras et l'embrassa avec force. Ils étaient tellement heureux qu'ils en avaient les larmes aux yeux. Ils allaient rentrer chez eux !

– Sortons de cette fosse le plus vite possible, dit Conner. Elle me fout les jetons !

Les jumeaux retournèrent vers les ronces mortes et commencèrent leur ascension.

Arrivés aux deux tiers du chemin environ, une branche s'accrocha au collier de Conner et l'arracha de son cou. Comme si la scène s'était déroulée au ralenti, Conner vit le coquillage s'éloigner de lui et tomber dans la fosse. Il tenta de le récupérer, mais c'était trop tard. Il était loin. Le coquillage heurta le sol et se brisa.

Quand Alex et Conner virent le coquillage en morceaux, ils échangèrent un même regard horrifié.

– Oups ! murmura Conner.

Les vignes et les ronces maléfiques vibraient à présent d'excitation. Le charme des coquillages n'opérait plus. Des vignes commencèrent à se jeter sur les jumeaux.

– Il faut sortir d'ici! cria Alex.

Tous deux escaladèrent la fosse plus vite qu'ils n'avaient jamais escaladé quoi que ce soit. Leurs doigts étaient sur le point d'atteindre le sommet quand des tiges s'enroulèrent autour de leurs pieds pour les attirer vers le fond. Conner planta le sabre dans la terre au bord de la fosse, et sa sœur et lui s'y accrochèrent alors même qu'ils continuaient d'être tirés vers le bas. Ils étaient déterminés à ne pas finir comme les autres victimes des vignes.

Puis, d'autres tiges s'accrochèrent à eux, rendant la lutte plus difficile encore. Les jumeaux étaient presque entièrement couverts de plantes. Alex perdit prise et commença à glisser dans la fosse, mais Conner réussit à la rattraper de justesse. Il ne pourrait cependant pas tenir très longtemps ainsi. Un à un, ses doigts glissèrent de la poignée du couteau.

Il lâcha prise.

À ce moment-là, Conner sentit une main froide et gluante saisir la sienne et tenter de les tirer hors de la fosse, lui et sa sœur. La lutte était sans merci : les plantes ne se laissaient pas faire. Les jumeaux avaient l'impression de grandir de vingt centimètres tant ils étaient écartelés.

– Soyez maudites, plantes misérables! dit une voix très comme il faut que les jumeaux reconnurent aussitôt. Lâchez-les, végétaux malpolis et arrivistes!

Une traction encore et la plupart des vignes furent arrachées. Alex et Conner étaient sauvés. Mais leur sauveur avait tiré tellement fort qu'ils lui tombèrent dessus.

– Grenouille! s'écria Alex en serrant fort leur vieil ami dans ses bras.

– C'est toi! s'exclama son frère.

Bien qu'il ait eu du mal à toucher sa main lors de leur première rencontre, Conner l'embrassait maintenant comme s'il avait été un parent que l'on avait cru disparu.

– Bonjour Conner, bonjour Alex, dit Grenouille qui étouffait presque sous leurs marques d'affection.

– Tu nous a sauvé la vie! s'exclama Alex.

– Comment savais-tu qu'on était là? demanda Conner.

Grenouille se redressa, ajusta sa cravate et aida les jumeaux à se relever à leur tour.

– Cela fait des jours que je vous cherche tous les deux! dit-il. Je suis impressionné par la quantité d'endroits que vous avez parcourus! Dieu merci, j'ai croisé les sirènes, sinon je ne vous aurais jamais retrouvés!

– Je suis si fière de toi, dit Alex. Tu es sorti de chez toi! Tu es sorti dans le monde!

– Qu'est-ce qui t'a fait sortir de ton trou? demanda son frère.

– La Bonne Fée vous cherche, répondit Grenouille.

– Oh non! dit Alex. La pantoufle de verre! Elle doit savoir que je l'ai cassée et elle est furieuse!

– La pantoufle de verre? répéta Grenouille en levant ce qui lui faisait office de sourcil.

Alex regarda autour d'elle avec un air timide.

– Eh bien, oui, dit-elle. On a été occupés à collecter des objets.

Elle ouvrit son cartable et montra son contenu à son ami.

– Vous avez trouvé tous les éléments du Sortilège des Vœux? Déjà? dit-il.

Il ne savait pas s'il fallait être fier ou rester pantois.

– Ouaip, dit Conner en arrachant le couteau du sol. Et, crois-moi, ça n'a pas été facile!

– On a trouvé le tout dernier élément ! s'écria Alex avec joie. On va pouvoir rentrer à la maison !

Grenouille restait sans voix. Ces deux gamins avaient réussi à faire une chose à laquelle il n'avait pu que rêver pendant des années.

– C'est incroyable, les enfants.

Son expression de joie se mua soudain en inquiétude.

– Mais vous ne pouvez pas rentrer chez vous tout de suite.

– Pourquoi pas ? demanda Alex.

– Oui, pourquoi ? ajouta Conner.

C'était Grenouille qui leur avait parlé du Sortilège des Vœux en premier. Pourquoi leur disait-il maintenant qu'ils ne pouvaient l'utiliser ?

– J'ai promis à la Bonne Fée que je vous amènerais à elle. En échange, elle a dit qu'elle me rendrait ma forme humaine. Je vous en supplie, vous devez me laisser vous amener à elle.

Les jumeaux comprirent qu'il lui était très pénible de leur demander cela, mais qu'il souhaitait désespérément qu'ils acceptent.

– Grenouille, tu n'as pas idée de tout ce que nous avons dû faire pour réunir tous ces objets, commença Alex.

– On veut rentrer à la maison, ajouta Conner. Maintenant.

– On veut t'aider, continua Alex. Mais si la Bonne Fée nous reprend quelques-uns des objets que l'on a... comment dire... *empruntés subrepticement* ?

– On serait coincés ici pendant encore on ne sait combien de temps, conclut Conner.

Grenouille avait honte de lui.

– Je vous comprends, les enfants. Je vous prie de me pardonner. Je ne pensais pas que vous arriveriez à rassembler tous les éléments du Sortilège des Vœux en si peu de temps, dit-elle en essayant de dissimuler sa déception avec un sourire feint. Puis-je vous aider à invoquer le Sortilège des Vœux ?

Alex et Conner échangèrent un regard. Ils se sentaient vraiment coupables. Ils voulaient rentrer chez eux plus que tout, mais comment pouvaient-ils refuser d'accéder à la demande de leur ami ? Il avait tant fait pour eux.

– Je pense que ce n'est pas bien grave si on reste encore un jour, dit Conner.

Il savait que sa sœur pensait exactement la même chose.

– Ce serait dommage de mettre fin à notre périple *ici*, ajouta Alex.

– Les enfants, vous ne pouvez pas rester ici pour moi, dit Grenouille. Vous avez tout ce qu'il vous faut. Ne vous arrêtez pas pour moi !

– Sans toi, Grenouille, on serait encore perdus dans la Forêt des Nains, dit Alex.

– Si la Bonne Fée essaie de nous prendre nos affaires, on n'aura qu'à s'enfuir en courant comme des fous, ajouta son frère. On est devenus plutôt bons à ça. Tu devrais nous voir à l'œuvre !

Les grands yeux ronds de Grenouille se firent plus humides que d'habitude.

– Les enfants, vous êtes les âmes les plus charitables que j'ai eu le plaisir de rencontrer.

Les jumeaux lui sourirent. À l'idée de l'aider, ils se sentirent mieux que jamais depuis leur arrivée dans le Pays des contes.

– Alors, dis-nous : où va-t-on ? demanda Alex.

Soudain, un cri perçant résonna à travers le pays. Les trois se tournèrent vivement en direction du bruit.

– Lâche-moi ! cria une femme.

– Que se passe-t-il ? demanda Alex.

Ils entendirent peu après un bruit de galop. Au loin, ils reconnurent un cheval couleur crème qui se dirigeait vers eux à vive allure.

— C'est Porridge! s'écria Conner. Et Boucle d'or!

Ils fonçaient en direction de la Fosse aux ronces... *et ils traînaient le Petit Chaperon rouge derrière eux!*

Les jumeaux et Grenouille se figèrent à la vue de ce spectacle. Ils crurent que leurs yeux leur jouaient des tours.

— Vous voyez ce que je vois? Ou je rêve? demanda Conner.

— Je t'ordonne de me lâcher immédiatement! criait le Petit Chaperon rouge.

Elle portait de si nombreuses couches de vêtements qu'elle n'avait pas été blessée alors qu'elle avait été traînée jusque-là à même le sol. En revanche, elle était très, très énervée.

— As-tu idée de ce que mes soldats te feront subir quand il t'attraperont? demanda-t-elle.

— Oh, tais-toi, espèce de traînée rougeaude à capuche! rétorqua Boucle d'or.

Porridge s'arrêta net, non loin des jumeaux et de Grenouille. La cavalière descendit de cheval et traîna le Petit Chaperon rouge vers la Fosse aux ronces.

— Je me souviens de vous deux, fit-elle en passant devant les enfants, qu'elle reconnut vaguement.

— Euh, bonjour, dit Alex.

— Vous avez besoin d'aide? demanda Conner.

— Pas la peine, répondit Boucle d'or. Je suis juste en train de sortir la poubelle.

— Vous trois, pourquoi êtes-vous là, à ne rien faire? criait la reine. Aidez-moi!

— J'ai dit *silence*, espèce de pouffe à paniers! prévint Boucle d'or, puis elle la traîna plus près de la fosse.

– Mais que se passe-t-il ? demanda Alex.

Grenouille, son frère et elle suivirent les deux femmes, ne sachant comment ni à qui venir en aide.

– Cette folle a détruit une des portes de mon royaume, puis elle est venue à cheval jusqu'à ma salle du trône, puis elle m'a capturée avec un lasso et m'a traînée jusqu'ici ! criait la reine. Et maintenant elle va me tuer !

– C'est exactement ça ! acquiesça Boucle d'or.

– Comment ? Mais pourquoi voulez-vous tuer la reine Petit Chaperon rouge ? demanda Grenouille.

– Parce qu'elle est atteinte du ciboulot ! cria la reine.

– Elle sait pourquoi ! répliqua Boucle d'or.

Elle s'approcha du bord de la fosse et les jumeaux commencèrent à craindre sérieusement d'être les témoins d'un meurtre.

– Tu seras pendue pour ça ! cria le Petit Chaperon rouge.

– Ils ne pourront rien prouver, rétorqua l'autre. Ils ne retrouveront jamais ton cadavre !

Boucle d'or remit la reine sur ses pieds. Celle-ci était toujours ligotée, et Boucle d'or commença à la pousser violemment vers le bord de la fosse.

– Je t'en prie ! suppliait la reine. C'était il y a si longtemps ! On était des enfants !

– Ça fait des années qu'on n'est plus des enfants, reprit l'autre. Tu as eu plein d'occasions de te racheter.

– Moi aussi je l'aime ! Je n'ai fait que ce que je pensais être nécessaire ! reprit le Petit Chaperon rouge.

– Tu ne supportais pas l'idée que je puisse avoir quelque chose que tu n'avais pas ! hurla Boucle d'or.

Elle prit son élan pour donner une dernière impulsion, mais le Petit Chaperon rouge l'évita et Boucle d'or faillit elle-même tomber dans la fosse. La reine se mit à courir le plus vite possible en tournant autour de la fosse. Les plantes bougeaient avec enthousiasme. Elles savaient qu'une des femmes allait bien finir par tomber.

– Viens ici! tonna Boucle d'or.

– Laisse-moi tranquille, espèce de poule en cavale! criait l'autre.

Elles firent un tour de piste autour de la fosse, puis le Petit Chaperon rouge se réfugia dans les ruines du château. Boucle d'or dégaina son épée et commença à lancer des estocades, manquant la reine d'un cheveu.

– C'est affreux! s'exclama Alex, les mains sur les oreilles.

Les jumeaux voulaient réagir mais ne pouvaient rien faire sans risquer de prendre un coup.

– C'est génial! dit Conner. Je parie cent balles que c'est Boucle d'or qui gagne!

– On était de si bonnes copines! cria le Petit Chaperon rouge, esquivant les coups d'épée.

– Tu ne sais pas ce que c'est que l'amitié! rétorqua Boucle d'or, son épée s'approchant toujours davantage de sa rivale. Tu aurais pu m'innocenter le jour où tu es devenue la reine de ce royaume de pacotille!

– Je n'ai jamais voulu être reine, d'abord! Je voulais seulement l'impressionner, lui! Le fait que tu sois une fugitive me garantissait que tu restes loin de lui! Il ne fallait pas prendre les choses personnellement!

– Personnellement? répéta Boucle d'Or, tout à fait hors d'elle. Je ne devais pas le prendre personnellement? Alors que tu m'as forcée à vivre en cavale, à commettre des crimes pour survivre, et tout ça parce que tu voulais me piquer mon amoureux?

Elle donna un grand coup d'épée qui arracha un gros morceau de mur en pierre.

Le Petit Chaperon gravit alors l'escalier délabré. Elle n'avait plus d'autre endroit où aller. Boucle d'or courut la rattraper. La reine était cernée. La seule façon de s'échapper était de sauter dans la fosse.

– Si tu me laisses partir, je t'innocenterai! supplia-t-elle.

– Menteuse! répliqua l'autre.

– Je te donnerai mon château! On est en train d'en reconstruire la moitié à cause d'un incendie! Il est magnifique! ajouta la reine.

– Je ne veux pas de ton château! Je veux ma vengeance!

Et elle poussa le Petit Chaperon rouge du haut de l'escalier.

Celle-ci hurla en tombant dans la fosse. Les vignes tendirent leurs feuilles vers elle, contentes qu'on les nourrisse. Soudain, un lasso apparut de nulle part et attrapa le Petit Chaperon rouge par la taille juste avant qu'elle ne se fasse engloutir par les plantes.

– Qu'est-ce que... bredouilla Boucle d'or.

Les jumeaux et Grenouille tournèrent la tête de l'autre côté de la fosse et virent une femme sur un cheval noir qui tenait la corde.

– C'est la fille du Chasseur! s'exclama Conner en la désignant du doigt.

Le Petit Chaperon rouge criait car les vignes la tiraient vers le fond de la fosse. La fille du Chasseur accrocha la corde à son cheval puis le fit brusquement reculer, arrachant la reine de la fosse.

– Ça recommence? hurla-t-elle, traînée au loin et désormais prisonnière de la Chasseuse.

– Fille de lutin! marmonna Boucle d'or en voyant l'inconnue s'éloigner, emmenant avec elle ses espoirs de vengeance.

Elle descendit l'escalier et sa jument la rejoignit au pied des ruines.

– Que s'est-il passé? demanda Conner, encore tout étourdi de tant d'agitation.

– Je ne sais pas, dit Alex. Mais après l'avoir vue, j'ai un mauvais pressentiment.

– Qui était cette femme ? demanda Boucle d'or.

– La fille du Chasseur, dit Conner. Elle travaille pour la Méchante Reine.

– La Méchante Reine ? répéta la fugitive, plus furieuse encore.

– On doit partir le plus loin possible d'ici, prévint Alex.

– Oh non... dit Grenouille à voix basse.

Les jumeaux ne l'avaient jamais vue aussi terrifiée.

Au loin, la Meute du Grand Méchant Loup s'approchait. Les loups grognaient, plus énervés et méchants que jamais. On aurait dit que de la fumée leur sortait des oreilles. Ils encerclèrent les jumeaux, Grenouille, Porridge et Boucle d'or.

Cette dernière s'avança et se planta devant les jumeaux. Cependant, même elle avait peur. D'habitude, les loups ne représentaient pas un problème insurmontable pour elle, mais cette fois-ci elle comprit, à la façon qu'ils avaient de les scruter, furieux et affamés, que cela ne se passerait pas comme lors de leurs joutes dans la forêt.

– Après ce que vous nous avez fait endurer, on devrait vous arracher les entrailles avec nos griffes ! grogna le chef de meute au jumeaux, les crocs serrés. Oh, mais regardez qui les a rejoints ! Ce soir on aura droit au Petit Chaperon rouge *et* à Boucle d'or, on dirait !

Les autres loups hurlèrent d'enthousiasme.

– Juste pour information, vous venez tout juste de rater le Petit Chaperon rouge, dit Conner.

– Oui, cause toujours, rétorqua Malgriffe.

– Pourquoi s'en prendre à des enfants et à une grenouille géante ? interrompit la fugitive.

– On amène les enfants à la Méchante Reine, dit Malgriffe. Grenouille ne nous intéresse pas... *Bon appétit, les gars !*

Le visage de Grenouille devint vert pâle. Les loups s'approchèrent de lui, faisant claquer leurs gueules énormes.

– Je vais aller chercher de l'aide, les enfants, murmura Grenouille en se tournant vers les jumeaux qui étaient pétrifiés.

Un loup bondit sur lui, mais l'amphibien sauta deux fois plus haut et la bête le manqua. Il atterrit à l'extérieur du cercle que les loups avaient formé autour d'eux et partit en courant. Quelques loups le poursuivirent et il disparut au loin.

– Grenouille ! cria Alex.

Ils n'avaient plus qu'à prier pour qu'il s'en sorte.

– Porridge, dit Boucle d'or à sa jument, je veux que tu partes d'ici, tu entends ? Cette fois-ci nous ne sommes pas de taille à pouvoir gagner.

Au début, la jument hésita à l'abandonner, mais elle finit par hocher de la tête et détala en suivant la même route que Grenouille. Un loup tenta de l'attaquer en chemin, mais Porridge lui donna un coup avec ses antérieurs et le loup atterrit dans la Fosse aux ronces. La bête gémit quand les vignes l'enserrèrent et la firent descendre jusqu'au fond de la fosse, d'où elle ne ressortirait jamais.

Les autres loups n'étaient pas près de laisser d'autres personnes s'échapper.

– Allons voir la reine, grogna Malgriffe. Si quelqu'un d'autre tente de s'enfuir, on lui réglera son compte.

Les jumeaux tremblaient de peur. Boucle d'or posa la main sur leurs épaules et leur chuchota à l'oreille :

– Soyez courageux, les enfants. Le courage est quelque chose que personne ne pourra jamais vous ôter.

## CHAPITRE 20

## UN CŒUR DE PIERRE

Les loups emportèrent les jumeaux et Boucle d'or, traversant la contrée déserte et sans vie. Ils marchèrent pendant des kilomètres sur la rocaille, sans faire de halte. Les loups surveillaient leurs prisonniers de près. Quand les jumeaux osaient soupirer un peu trop fort, ils grognaient de manière menaçante.

Ils avaient aussi confisqué l'épée de Boucle d'or et le cartable d'Alex, pour éviter qu'ils ne puissent avoir accès aux objets du Sortilège des Vœux. Alex observait attentivement son sac dans la gueule d'un des loups. Tout ce dont son frère et elle avaient besoin était dedans. Leur chance de rentrer chez eux n'était qu'à quelques mètres et, pourtant, elle était hors de leur portée.

Les jumeaux ne savaient plus ce qui, de la peur ou de la colère, l'emportait sur l'autre. Quelques minutes auparavant, ils étaient encore certains de rentrer chez eux, mais à présent ils ne savaient même plus où ils se trouvaient, ni où ils allaient, ni même s'ils allaient survivre à ce qui les attendait. Finalement, ils avaient si peur que cela leur procurait même une sorte de courage. Ils étaient les prisonniers d'un des personnages les plus infâmes que l'histoire ait connus. Ils ne voyaient pas comment les choses pouvaient être pires.

Même Boucle d'or ne semblait pas connaître l'endroit qu'ils traversaient. Pourtant, les jumeaux étaient sûrs qu'elle avait parcouru *tous* les recoins de *tous* les royaumes. Mais la jeune femme regardait autour d'elle avec la même curiosité qu'eux. L'endroit semblait si différent du reste du Royaume endormi. Il n'avait pas l'air assoupi, mais semblait plutôt avoir été assassiné.

Ils aperçurent enfin, au loin, un château délabré. Bien qu'en pierre, le frêle édifice donnait l'impression qu'un gros coup de vent pouvait le faire s'écrouler. Alex et Conner comprirent sans mot dire que c'était là que les loups les amenaient, et là que les attendait la Méchante Reine.

Quand ils eurent atteint le château, Malgriffe hurla. On abaissa un pont-levis branlant, puis un homme les accueillit. Il était imposant, il portait une barbe grise et était vêtu de plusieurs peaux de bêtes.

– Elle les attend, dit le Chasseur.

Les loups poussèrent les jumeaux et Boucle d'or sur le pont-levis. Alex et Conner pénétrèrent dans le château mais eurent aussitôt envie d'en repartir. La poussière et les toiles d'araignées qui l'avaient envahi ne rendaient pas le lieu très accueillant.

Le Chasseur poussa les jumeaux le long d'un couloir en pierre, puis à travers de grosses portes qui grinçaient beaucoup, jusqu'à une salle, grande et longue, qui ne comptait que quelques chaises et une petite table.

Le Petit Chaperon rouge était ligotée sur une des chaises, avec une grosse écharpe blanche qui lui couvrait la bouche. Elle avait les yeux boursouflés et humides. Au début, elle accueillit les jumeaux avec joie, heureuse de ne plus être l'unique prisonnière, puis elle fut prise de panique et commença à gigoter sur sa chaise quand elle vit Boucle d'or et les loups derrière les enfants.

La Chasseuse était debout aux côtés du Petit Chaperon rouge, qu'elle surveillait avec attention.

Une femme encapuchonnée se tenait au milieu de la salle, devant deux grands miroirs, l'un doré, l'autre noir. Elle leur tournait le dos et était parfaitement immobile et silencieuse.

– Faites-les s'asseoir, dit-elle sans se retourner.

Les jumeaux surent que c'était la Méchante Reine. Ils n'en doutaient pas ; ils pouvaient le sentir. Ils n'avaient jamais été si angoissés de leur vie.

Le Chasseur et la Chasseuse forcèrent les trois nouveaux venus à s'asseoir sur les chaises. Puis ils leur ligotèrent les mains, les pieds et le torse.

– C'est facile ! dit Boucle d'or en regardant la Chasseuse avec haine pendant que celle-ci triplait les nœuds. On ne t'a jamais dit que ça ne se fait pas d'enlever les otages des autres ?

Le Petit Chaperon poussa un cri aigu et marmonna quelque chose qui ressemblait à « C'est pas juste ». Les jumeaux comprirent vite pourquoi on l'avait bâillonnée avec un mouchoir.

– On t'a rapporté les jumeaux et un *bonus*, Ta Majesté, dit Malgriffe en baissant la tête et en faisant une révérence moqueuse.

On sentait de l'animosité entre le loup et la Méchante Reine.

– Quelqu'un s'est échappé ? demanda cette dernière.

– Juste une grosse grenouille et un cheval, grommela Malgriffe.

– Alors nous n'avons pas beaucoup de temps, répliqua-t-elle. Posez les objets sur la table.

Le Chasseur prit le cartable d'Alex de la gueule du loup qui l'avait porté jusque-là et le posa sur la table, près des jumeaux.

La Méchante Reine y avait disposé sa propre collection d'objets pour le Sortilège des Vœux : une mèche de cheveux dorés, un morceau du panier du Petit Chaperon rouge et la deuxième pantoufle de verre.

– Un marché est un marché, dit Malgriffe. Nous vous avons amené les jumeaux. À présent, livrez-nous le Petit Chaperon rouge !

Celle-ci gémit et dit quelque chose qui ressemblait à « Mais pourquoi moi ? » à travers le bâillon.

– Je vous la livrerai quand j'en aurai terminé avec les enfants, dit la Méchante Reine. À présent, attendez dehors.

– *Ce n'est pas ce que nous avions conclu !* hurla Malgriffe, et toute sa meute se mit à grogner comme lui.

– *J'ai dit : attendez dehors !* ordonna de nouveau la Méchante Reine.

Elle avait une voix tellement puissante que, rien qu'à l'entendre, les jumeaux sentirent des larmes se former au coin de leurs yeux.

– Vous pourrez emporter le Petit Chaperon rouge, Boucle d'or *et* les enfants quand j'aurai terminé, ajouta-t-elle.

Les loups étaient furieux, mais ils quittèrent la salle.

– Videz le sac, ordonna la Méchante Reine.

Le Chasseur obéit. Il retira un à un les objets que les jumeaux avaient réunis et les posa sur la table : la mèche de cheveux, la pantoufle de verre, le morceau de panier, la couronne en pierre, le flacon contenant une larme de fée, le fuseau, les pierres précieuses et le couteau.

– On en a besoin ! cria Conner qui se débattait avec les cordes.

Pourquoi avez-vous besoin du Sortilège des Vœux, vous ? Vous n'avez donc pas de pouvoirs magiques ?

– Le seul don que j'aie jamais eu est mon pouvoir d'intimidation, dit la Méchante Reine.

Elle se détourna des miroirs et regarda les jumeaux.

Elle n'était pas le monstre brutal qu'ils avaient imaginé. Elle ressemblait encore beaucoup à la femme du portrait dans le palais de Blanche-Neige, si ce n'est qu'elle était usée par le temps et la fatigue. Son visage était quelconque, mais elle aurait pu être très belle, eussent l'époque et les circonstances joué en sa faveur. Ses yeux étaient noirs et mornes. Elle semblait vide et froide jusqu'au tréfonds de son âme.

La Méchante Reine alla jusqu'à la table et examina les éléments du Sortilège des Vœux. Elle prit le flacon et le regarda de près.

– Dès que cette larme aura touché cette table, expliqua-t-elle, le Sortilège des Vœux sera à moi.

Conner était furieux de la voir près de tous les objets qu'ils s'étaient donné tant de mal à collecter. Il voulait rentrer chez lui et il n'allait pas la laisser faire. Si eux ne pouvaient utiliser le Sortilège des Vœux, *il était hors de question qu'elle s'en serve* !

Il lutta de toutes ses forces pour se libérer de ses attaches. Il se fit mal, mais il parvint à libérer un de ses pieds. Il s'en servit pour donner un coup le plus haut et le plus fort possible, parvenant à heurter le flacon que la Méchante Reine tenait à la main.

Le flacon vola à travers la salle. La Méchante Reine suivit l'objet des yeux et cria :

– Rattrapez-le !

Le Chasseur courut aussi vite que possible et plongea, les bras tendus, pour tenter de le réceptionner, mais il le manqua de quelques centimètres et le flacon explosa sur le sol poussiéreux. La larme coula entre les dalles de pierre et disparut.

La Méchante Reine fixa Conner, sans bouger, sans aucune expression sur le visage. Mais le garçon voyait bien que d'infimes mouvements trahissaient sa colère.

– Gamin stupide, dit-elle, puis elle le frappa violemment au visage d'un revers de la main.

Le corps tout entier de Conner accompagna le coup et du sang coula sur sa chemise.

– Conner! cria Alex.

– Ça va, dit-il en relevant lentement la tête pour regarder la Méchante Reine.

Un côté de son visage commençait à se tuméfier.

– Combien de temps faut-il pour récupérer une nouvelle larme de fée? demanda la Méchante Reine.

– Des jours, Votre Altesse, dit le Chasseur en se relevant. La fée que nous avons capturée n'a fait que crier quand on a essayé de lui prendre des larmes. Elle n'en a versé aucune. Si ma fille part maintenant, elle peut revenir d'ici deux jours, avant l'aube.

– Nous ne pouvons pas attendre tout ce temps.

La Méchante Reine fit demi-tour et se planta devant ses miroirs pour demander:

– Miroir, mon beau miroir, à quand l'assaut de ce manoir?

Le reflet noir devint brumeux, des gouttes de condensation se formèrent et commencèrent à ruisseler sur la surface de la glace.

– Conner, regarde. C'est le Miroir Magique! dit Alex.

La silhouette sombre d'un homme apparut sur la glace. Une voix basse et rauque remplit le hall:

*« Ce château a hébergé ma reine pendant plusieurs semaines,*
*Mais une armée approche et, à sa tête, une grenouille vaine.*

*Ils avancent vite dans cette direction, parés pour une attaque,*
*Avec un cheval couleur crème et un homme dénommé Jack. »*

– Jack ? dit Boucle d'or.

– Jack ! bredouilla le Petit Chaperon rouge.

– Des soldats arrivent ! murmura Alex à son frère. Grenouille est vivant ! Il est allé chercher de l'aide !

– Ce sont sans doute mes soldats qui s'approchent, bafouilla le Petit Chaperon rouge dont le bâillon ne recouvrait plus bien la bouche. Ils viennent me délivrer et tous vous massacrer... surtout *toi* ! dit-elle en jetant un regard assassin en direction de Boucle d'or.

La Méchante Reine se détourna du Miroir Magique et regarda dans le Miroir de la Vérité. Elle dévisageait Alex à travers le reflet, comme hypnotisée. Les jumeaux ne l'avaient jamais vue avec un visage aussi expressif depuis leur arrivée.

– Que faire, Votre Altesse ? demanda le Chasseur.

La Méchante Reine ne l'écoutait pas. Elle était concentrée sur Alex.

– Pourquoi est-ce qu'elle te regarde comme ça ? demanda Conner.

– Je n'en sais rien, dit sa sœur, les lèvres tremblantes.

Tout le monde savait que la Méchante Reine n'avait jamais beaucoup aimé les jeunes filles, et Alex avait peur d'être la prochaine à qui l'on allait offrir une pomme empoisonnée.

– Votre Altesse, quels sont vos ordres ? insista le Chasseur. Si des soldats s'approchent, il faut partir !

– Non, dit la Méchante Reine. J'aurai terminé avant leur arrivée. J'aimerais être seule avec les enfants. Emmenez les autres dans le donjon.

Le Chasseur hésita, puis sa fille et lui détachèrent partiellement le Petit Chaperon rouge et Boucle d'or et les poussèrent vers la porte.

– Fais gaffe à toi, grand-père, dit Boucle d'or au Chasseur.

– On aura notre propre cellule ? marmonna le Petit Chaperon rouge. Vous ne pouvez pas me mettre dans une cellule avec *elle* ! Autant me jeter avec les loups !

Les portes se refermèrent bruyamment derrière eux. Les jumeaux demeurèrent seuls, dans la grande salle, avec la Méchante Reine.

– Alex, chuchota Conner. C'est peut-être un peu nunuche de te dire ça maintenant mais, quoi qu'il arrive, sache que je t'aime. Tu es la meilleure sœur que je pouvais avoir, et ces derniers jours ont été les plus incroyables de mon existence.

– Ne fais pas ça, Conner, dit-elle en faisant tous ses efforts pour retenir ses larmes. Tu me dis au revoir ! Ne me dis pas au revoir ! Ça va aller... Des soldats sont en route. Ils vont nous sauver...

Elle ne savait pas si c'était elle ou lui qu'elle cherchait à convaincre.

– Ils vont nous sauver, répéta-t-elle.

– Malheureusement, plus personne ne peut vous sauver à présent, dit la Méchante Reine.

– Vous allez donc nous tuer ? demanda Alex.

La Méchante Reine ne dit rien et demeura immobile.

– Pourquoi est-ce que vous nous faites ça ? demanda Conner. Pourquoi êtes-vous si *méchante* ?

– Ah, reprit la Méchante Reine. La question qui revient toujours : qu'est-ce qui fait de nous ce que nous sommes ? Permettez-moi de vous poser une question, les enfants. Vous, pourquoi n'êtes-vous *pas* méchants ?

Les jumeaux ne comprenaient pas sa question. Ils étaient persuadés que c'était un piège, qu'elle essayait de les confondre, mais ils répondirent quand même avec franchise et fierté.

– On nous a bien élevés, dit Alex. On avait deux parents extraordinaires qui nous ont appris à être bons, et nous croyons que de bonnes choses arrivent à ceux qui ont le cœur bon.

– C'est donc votre environnement qui a fait de vous de bonnes personnes, conclut la Méchante Reine. Quelle chance ! Mais pourquoi dites-vous que vous *aviez* deux parents ? Qu'est-ce qui leur est arrivé ?

Qu'elle les interroge sur quelque chose qui leur tenait tant à cœur les rendait malades.

– Notre père est décédé, répondit Conner. Ça ne vous regarde pas !

– Était-il une *bonne* personne ? Avait-il un *bon* cœur ?

– Le *meilleur* ! dit Conner.

– Je vois, reprit la Méchante Reine. Il avait donc tort, n'est-ce pas ? Car une personne bonne n'aurait jamais eu une fin si tragique, vous ne pensez pas ? Il a dû vous mentir.

– Dites donc, où voulez-vous en venir ? demanda Conner.

– Moi aussi, j'ai eu des parents. Ils m'avaient raconté un mensonge comme celui-là.

Les jumeaux échangèrent un regard, et la Méchante Reine devina la surprise dans leurs yeux.

– C'est troublant, n'est-ce pas ? Apprendre que quelqu'un comme moi a eu des parents, une vie, qu'elle a *aimé* autrefois... dit-elle, se perdant dans ses pensées.

– Si vous avez eu des parents normaux, que vous est-il arrivé ? demanda Conner. Ou êtes-vous tout simplement née malheureuse ?

La Méchante Reine baissa les yeux.

– Comme vous, j'ai été influencée par mon environnement pour devenir qui je suis aujourd'hui.

Elle se détourna des jumeaux et retourna devant ses miroirs.

– Je vais vous raconter une histoire, les enfants, une histoire qui a rarement été contée.

– Je doute que ce soit une histoire qu'on ne connaisse pas, dit Alex.

– Vous ne pouvez pas la connaître, reprit l'autre. Il s'agit de *mon* histoire.

Alex et Conner échangèrent un regard inquiet. Voulaient-ils écouter son histoire ?

– Il était une fois une enchanteresse, commença la Méchante Reine. Elle ne ressemblait à aucune des fées ou des sorcières qui avaient vécu jusque-là. Elle vivait sans se préoccuper des conséquences de ses actes. Elle ne pensait qu'à son propre plaisir. Elle s'offrait tout ce qu'elle désirait, ne se souciant pas des blessures qu'elle pouvait infliger en agissant ainsi.

« De nombreuses années avant ma naissance, l'Enchanteresse décida que c'était le *monde* qu'elle désirait, et elle chercha à l'obtenir, royaume par royaume. À l'époque, il n'y en avait pas autant à conquérir, surtout après qu'elle eut jeté un sort d'endormissement sur celui de la Belle au bois dormant.

« Très tard, un soir d'hiver, deux villageois entendirent quelqu'un frapper à leur porte. Ils trouvèrent une jeune femme qui grelottait devant chez eux. Elle était enceinte et épuisée d'avoir couru. Elle venait d'échapper à quelque chose ou à quelqu'un, mais les villageois n'eurent pas le temps de lui poser de questions, car elle était sur le point d'accoucher. Cette nuit-là, la femme mourut en donnant naissance à son bébé. Malgré le mystère qui enveloppait la jeune mère, les villageois adoptèrent l'enfant. C'était une fille, ils la nommèrent Merhsante.

– Merhsante ? » répéta Alex en écarquillant les yeux.

La Méchante Reine ne l'écoutait pas et poursuivit son histoire.

– Merhsante devint une très belle jeune femme. Elle était aimable et bonne, et tous les gens du village l'appréciaient, surtout un jeune homme qui avait le même âge qu'elle, un garçon qui s'appelait Mira.

« C'était un poète, et il avait coutume de lui réciter des poèmes toute la journée, au bord d'un lac un peu à l'écart du village. Merhsante tentait de l'impressionner en lui récitant ses propres vers, mais ils n'étaient jamais très bons. Elle lui disait tous les jours: "Mira, Mira, au bord de l'eau, prends mon cœur, c'est ton cadeau." Ils riaient et s'enlaçaient tous les jours jusqu'au coucher du soleil. Ils étaient fous amoureux et ils se fiancèrent.

« Mais la veille de leur mariage, l'Enchanteresse vint chercher Merhsante, prétendant qu'elle et sa mère naturelle lui appartenaient.

« L'Enchanteresse tua les parents adoptifs de Merhsante et l'emporta au loin, ici, dans ce château dans le nord-ouest du royaume. Merhsante est alors devenue l'une des nombreuses esclaves qui appartenaient à l'Enchanteresse. Celle-ci avait de grands projets pour sa nouvelle recrue : elle épouserait le prince Neige, le futur roi du Royaume du Nord, et l'Enchanteresse pourrait contrôler le royaume en utilisant son esclave. Mais Merhsante résista, bien sûr. Son cœur appartenait déjà à un homme.

« Mira chercha Merhsante pendant des années et la trouva enfin. Ils s'écrivirent des lettres, les échangeant à travers les barreaux de la cellule de la jeune esclave. L'Enchanteresse finit par les découvrir. Mais elle était maligne. Elle savait que, si elle tuait Mira, Merhsante serait inconsolable et qu'elle ne lui servirait plus à rien. Alors elle emprisonna Mira dans un miroir magique jusqu'à la fin des temps. Merhsante en eut le cœur brisé.

– *Merhsante, c'est vous !* s'écria Alex.

– L'homme dans votre Miroir Magique, c'était votre *fiancé* ? demanda Conner.

– Oui, répondit la Méchante Reine. Je suis devenue Merhsante la Méchante Reine du Royaume du Nord. Ça sonne bien, vous ne trouvez pas ? Les gens ont tendance à avoir de l'imagination quand il s'agit de condamner les autres.

– C'est comme ça que vous êtes devenue reine, conclut Alex.

– Pas exactement, objecta la Méchante Reine en lui jetant un regard courroucé. Quand Mira fut emprisonné dans le miroir, je me résolus secrètement à ne pas faire ce que l'Enchanteresse avait prévu pour moi. Je feignis cependant de lui obéir, gagnant sa confiance et devenant, en quelque sorte, sa protégée. Elle avait une pièce remplie de potions, ici, dans le château. J'y passais des heures, chaque jour, me plongeant dans l'étude des substances, apprenant tout ce que je pouvais sur elles.

« Je concoctai un poison si puissant que tous les arbres et les fleurs à des kilomètres à la ronde périrent après que j'en eus versé trois gouttes par terre par la fenêtre de ma cellule. J'étais sûre que cela viendrait à bout de l'Enchanteresse, et ce fut le cas. Le poison l'affaiblit au point qu'elle devint une femme souffreteuse. Elle s'enfuit du château et mourut quelque part dans la forêt, près d'ici, incapable de survivre sans sa magie.

« Aussitôt, je délivrai les esclaves de son château, y compris l'homme qui devint mon Chasseur. Mais la seule personne que je ne pus libérer était Mira. Il était prisonnier du miroir, et je n'avais aucun moyen de l'en faire sortir.

« Pendant des années, je parcourus tous les royaumes, demandant de l'aide à toutes les fées et sorcières alentour, mais personne ne savait comment libérer un homme d'un miroir. Le maléfice était trop puissant. Voir tous les jours mon bien-aimé de l'autre côté de la glace, sans pouvoir le toucher, l'embrasser ou le prendre dans mes bras, m'était insupportable. La souffrance était si profonde que j'en suffoquais. J'étais certaine que mon cœur allait cesser de battre si je ne faisais pas quelque chose pour lui.

« Je trouvai une vieille sorcière qui s'appelait Hagatha, au fin fond des Forêts des Nains, et la suppliai de m'aider. Elle, comme tous les autres, ne put rien faire pour délivrer Mira, mais elle soigna mon cœur brisé. Elle me l'arracha de la poitrine puis le transforma en pierre.

– C'est dégueu! murmura Conner.

La Méchante Reine s'approcha d'un tabouret près de ses miroirs. Une pierre en forme de cœur humain y était posée. Alex en eut le souffle coupé en comprenant ce qu'elle représentait.

– Je ne ressens de peine, de souffrance ou d'émotion que quand je touche cette pierre, expliqua la Méchante Reine.

Elle la ramassa et la prit fermement dans la main. Son reflet dans le Miroir de la Vérité tout d'un coup se métamorphosa. Les jumeaux y voyaient à présent Merhsante, la jeune et belle femme que la Méchante Reine avait été autrefois.

Elle reposa la pierre sur le tabouret et son reflet se transforma à nouveau en la femme froide et encapuchonnée qu'elle était devenue.

– C'est donc vrai: vous n'avez *pas de cœur*! s'écria Alex.

– Mais pourquoi avez-vous voulu devenir reine? demanda Conner.

– Je pensais qu'en étant reine et en disposant des pouvoirs d'un monarque je pouvais avoir l'autorité nécessaire pour trouver le moyen de libérer Mira. Le prince Neige devint roi. Il venait de se marier. Bientôt, on annonça que sa femme attendait leur premier enfant. Je décidai de frapper avant la naissance de leur héritier.

«Je donnai une potion d'amour au roi et il tomba amoureux de moi. Cette partie ne fut pas la plus difficile. Il fallait aussi se débarrasser de sa femme, qui était enceinte. J'empoisonnai ses aiguilles à tricoter et attendit qu'elle se piquât. Une nuit glaciale, en tricotant une couverture pour sa future enfant, elle perdit les eaux et, surprise, se piqua le doigt avec une des aiguilles. Elle mourut, mais ses dames de compagnie réussirent à sauver l'enfant. Blanche-Neige était née.

«Quelques mois plus tard, j'épousai le roi, et quelques mois plus tard, il mourut à son tour. Je repris ma quête pour libérer Mira.

Malheureusement, son long emprisonnement dans le miroir commençait à altérer son esprit. Ses souvenirs et son apparence commencèrent à s'estomper. Il commença à s'exprimer en vers, comme dans ses poèmes quand il était jeune. Il voyait des choses qui avaient lieu à des centaines de kilomètres de là, mais ne se rappelait plus son propre nom. Il n'était plus un homme, mais un reflet. Si mon cœur n'avait pas été déjà transformé en pierre, je serais sûrement morte en voyant l'homme que j'aimais plus que tout m'oublier peu à peu.

«Je vieillissais et Mira ne me reconnaissait pratiquement plus. Je convoquai dans mon palais toutes les esthéticiennes du royaume pour suivre tous les régimes de beauté possibles et imaginables et ce, pendant des années; tout cela afin de préserver le peu de jeunesse qu'il me restait. Bientôt, les gens eurent vent de mes agissements, et le royaume me critiqua, disant que j'étais vaniteuse et obsédée par ma beauté.

«Pendant que je vieillissais, Blanche-Neige, elle, grandissait. Chaque jour, elle était de plus en plus belle. Elle souhaitait tant trouver en moi l'amour d'une mère, mais je n'avais aucun amour à donner en partage. Elle avait coutume de se faufiler dans mes appartements pour me voir pendant des heures subir des traitements destinés à préserver ma beauté.

«Un jour, elle entra dans mes appartements en mon absence et découvrit Mira dans le miroir. Elle me ressemblait beaucoup au même âge et Mira crut que c'était moi. Pendant des mois, il n'eut plus que Blanche-Neige à la bouche. "Ma reine, ô ma reine, vous êtes d'une beauté à rendre un homme fou, mais Blanche-Neige est mille fois plus belle que vous", me disait-il. Il avait trouvé un nouveau visage et un nouveau nom pour décrire tout l'amour qu'il ressentait pour moi.

«Je souhaitai alors la mort de Blanche-Neige. J'ordonnai à mon Chasseur de l'emmener dans les bois et de la tuer. Mais elle s'échappa, et j'essayai moi-même de la tuer plusieurs fois par la suite. J'étais convaincue que, Blanche-Neige morte, Mira se tournerait de nouveau vers moi. Mais c'était trop tard : Mira avait disparu. Son reflet s'effaça et devint ce qu'il est aujourd'hui.

« J'ai passé toute ma vie à tenter de retrouver ce qui m'a été volé il y a tant d'années. Mais ma vie ne fera jamais de moi une martyre. On parlera toujours de moi comme d'une reine vaniteuse qui tenta de tuer Blanche-Neige, une pauvre, faible et innocente princesse et rien de plus. Mais qui ne serait pas allée jusqu'au bout du monde pour retrouver la personne aimée plus que la vie elle-même ? Qui ne se serait pas fait arracher son propre cœur pour que cesse cette douleur ?

Alex ne put s'empêcher de pleurer à chaudes larmes. Elle aussi avait souhaité tant de fois que la souffrance causée par la disparition de son père cessât. Elle aussi aurait peut-être cherché à transformer son cœur en pierre si l'occasion s'était présentée. Elle était forcée de se reconnaître dans la Méchante Reine, et cela la troublait.

– J'ai fait beaucoup de choses exécrables au cours de ma vie, mais on m'a fait subir des choses odieuses également, ajouta la Méchante Reine. À mon sens, le monde et moi sommes quittes.

– Mais ce n'était pas vous ! s'écria Alex. Vous n'étiez pas dans votre état normal ! Si vous aviez eu un cœur, vous n'auriez pas fait subir toutes ces choses odieuses à tous ces gens. Vous êtes encore Merhsante !

– Si les gens connaissaient votre histoire, ils se feraient une autre idée de vous, assura Conner.

– Le monde choisit toujours ce qui l'arrange, et non la vérité. Il est plus facile de haïr, d'accuser et de craindre que de comprendre. Personne ne veut la vérité ; les gens veulent du divertissement.

La Méchante Reine se retourna vers les jumeaux et vit les larmes qui coulaient sur le visage d'Alex. Elle s'avança vers elle et en recueillit une avec son doigt.

– Les histoires de cœur ont toujours le même effet sur les filles comme toi, remarqua la Méchante Reine en regardant fixement la larme sur son doigt.

D'un geste délicat, elle déposa la larme sur la table où se trouvaient tous les objets collectés par les jumeaux. Soudain, ils se mirent à briller et une lumière dorée tourbillonna au-dessus d'eux. La Méchante Reine venait de déclencher le Sortilège des Vœux.

## CHAPITRE 21

# LE MIROIR

— Comment ? dit Alex.

Son cerveau était tellement embrouillé qu'elle avait l'impression qu'il allait exploser.

— Je ne comprends rien ! Il fallait une larme de *fée* !

— On ne peut pas laisser faire ça ! cria Conner. On doit l'arrêter ! Il ne faut pas qu'elle utilise le Sortilège des Vœux !

Les jumeaux luttèrent pour se délivrer des cordes qui les ligotaient, mais ils ne purent rien faire. C'était trop tard. La lumière quitta les éléments du Sortilège des Vœux et se mit à tournoyer autour de la Méchante Reine.

— Non ! hurla Conner.

– Je vous en prie ! Ne faites pas ça ! cria Alex à son tour.

La Méchante Reine inspira profondément et dit alors :

– Sortilège des Vœux, libère l'homme dans le miroir.

La lumière fonça vers le miroir comme un éclair, l'engloutissant peu à peu. Le verre fondit comme de la glace en été ne laissant du miroir qu'une sorte de grand cadre ouvrant sur une pièce obscure.

Les jumeaux attendirent avec impatience. La Méchante Reine s'en approcha, gardant ses distances par précaution, mais rien n'advint. Elle s'approcha davantage, se tenant si près du cadre que les jumeaux se demandèrent si elle n'allait pas carrément pénétrer dans le miroir.

– Mira ? demanda la Méchante Reine.

Tout d'un coup, un homme surgit du miroir et s'écroula par terre. Il avait les yeux clos et respirait avec peine. Il était pâle et semblait paralysé, comme s'il venait de se réveiller du coma.

C'était l'homme le plus quelconque que les jumeaux aient jamais vu. Il n'avait absolument aucun trait distinctif. Il avait passé tellement de temps à renvoyer leur reflet à d'autres que son être s'était presque totalement dissous.

– Où suis-je ? demanda-t-il entre deux profondes respirations.

Il n'avait de l'énergie que pour ouvrir un œil à la fois.

La Méchante Reine saisit son cœur de pierre et les jumeaux virent son visage changer lorsque son corps et son âme furent ainsi réunis. Elle était devenue quelqu'un d'autre... ou plutôt, elle *était* enfin *quelqu'un*.

– Mira, c'est moi, Merhsante. Tu es libre ! dit-elle.

Sa voix changeait lorsqu'elle tenait la pierre. Elle parlait tout bas, avec amour et émotion, le visage baigné de larmes.

Les jumeaux virent les reflets de la Méchante Reine et de Mira dans le Miroir de la Vérité. Ce n'étaient pas ceux de la femme encapuchonnée et de l'homme pâle qui étaient réellement dans la salle avec eux. On y voyait deux jeunes gens : l'une était la belle jeune femme que la Méchante Reine avait été autrefois, l'autre, le très beau jeune homme que Mira était avant d'avoir été victime du sortilège.

Merhsante le tenait tendrement dans ses bras et le berçait doucement.

– Tu es libre, Mira... Tu es libre, répétait-elle à voix basse. Je t'ai libéré comme je te l'avais promis. Je suis désolée que ça ait pris tout ce temps.

L'homme ouvrit son deuxième œil et la regarda fixement. Elle n'avait délivré que l'infime parcelle qu'il restait de lui. Tout le reste s'était estompé depuis de nombreuses années.

– Merhsante, dit-il.

Il esquissa un sourire lorsqu'il reconnut son nom.

Mais ce sourire disparut aussitôt. Ses paupières tremblèrent puis se refermèrent. Il cessa alors de respirer.

– Mira ? demanda la Méchante Reine. *Mira !*

L'homme ne bougeait plus. À son corps inerte, on comprenait qu'il avait rendu son dernier souffle. Le reflet dans le miroir doré s'était entièrement volatilisé.

– *Non*... murmura la Méchante Reine. *Non !*

Elle pleurait à présent à chaudes larmes.

– *Reviens ! Je t'en supplie, reviens !*

Alex et Conner s'émurent de ce spectacle. La Méchante Reine étreignait fermement le corps de l'homme du miroir avec, dans une main, son cœur de pierre. Ses larmes ruisselaient sur lui. Elle avait attendu ce moment toute sa vie, y avait consacré toute son existence, mais c'était trop tard.

🍎

Les loups commençaient à s'impatienter à l'extérieur du château. Plusieurs d'entre eux faisaient les cent pas sur le pont-levis, d'autres étaient couchés devant l'entrée du couloir. Un autre s'aiguisait les crocs avec l'épée de Boucle d'or. Ils avaient assez attendu la Méchante Reine et grognaient d'impatience.

Tout d'un coup, Malgriffe tendit l'oreille et scruta l'horizon. Le sol vibrait : quelque chose d'imposant se dirigeait vers eux.

– Qu'est-ce que c'est ? demanda-t-il.

Une troupe s'approchait du château à vive allure. Ils portaient l'armure vert et argent des soldats du Royaume du Nord. À leur tête, sur le même cheval, on apercevait Grenouille et sir Grant. Jack galopait à leurs côtés sur le dos de Porridge.

Tous les loups bondirent sur leurs pattes.

– Allez, les gars ! On a suffisamment attendu, dit Malgriffe. Allons chercher le Petit Chaperon rouge et partons d'ici !

Les loups obéirent en hurlant et pénétrèrent dans le château. L'un d'eux tira sur un levier avec sa gueule pour remonter le pont-levis.

Les soldats se regroupèrent au pied des douves.

– La Méchante Reine est là-dedans ! dit Grenouille à sir Grant. Les loups travaillent pour elle ! Mes amis sont leurs prisonniers !

– Méchante Reine ! cria sir Grant avec sa voix de stentor. Je suis sir Grant, de la garde royale de Sa Majesté Blanche-Neige. Vous avez trente secondes pour vous rendre, ou nous ouvrirons le feu sur le château !

Les soldats disposèrent une rangée de canons. Jack descendit de Porridge et découvrit par terre l'épée de Boucle d'or. *Elle était dans le château.*

– Préparez les canons ! ordonna sir Grant.

Les soldats dirigèrent les canons vers le château.

– *Feu !*

Un coup de canon réduisit le pont-levis en mille morceaux, laissant un gros trou. Le château tout entier fut ébranlé par l'impact.

– Préparez-vous à tirer à nouveau! ordonna sir Grant.

– Ne tirez pas! cria Jack. Il y a des personnes innocentes dans le château! Il ne faut pas tirer tant qu'on ne les aura pas libérées, saines et sauves. J'ai de bonnes raisons de croire que la reine Petit Chaperon rouge est à l'intérieur!

Grant s'inquiéta. Il ne souhaitait pas avoir la mort d'une reine innocente sur la conscience.

– Vous avez dix minutes avant qu'on ouvre le feu, dit-il à Jack. Allez-y et délivrez autant de personnes que vous pourrez.

Jack acquiesça sans la moindre hésitation. Si la femme qu'il aimait était en danger, rien ne l'empêcherait d'aller à sa rescousse.

– Je vous accompagne, dit Grenouille, galvanisé par son soudain accès de bravoure. Vous aurez peut-être besoin d'aide.

Jack et Grenouille sautèrent sur le dos de Porridge. La jument prit son élan et chargea en direction du château, sautant par-dessus les douves et utilisant le passage creusé dans le pont-levis quelques minutes plus tôt.

Le donjon du château n'était pas très grand, mais il comportait une rangée de petites cellules. On avait retiré les cordes et les bâillons à Boucle d'or et au Petit Chaperon rouge, mais chacune avait sa propre cellule (surtout pour éviter que la première ne tue la deuxième avant que les loups n'aient eu l'occasion de le faire). Le Chasseur et la Chasseuse les surveillaient, comme un papa faucon et sa fille surveillant leurs proies.

– Je ne comprends pas pourquoi mon armée ne m'est pas encore venue en aide! Ça devrait être leur priorité numéro un! bougonna le Petit Chaperon rouge. Si j'avais été Cendrillon, cette histoire à la noix ne me serait jamais arrivée.

– J'ai distancé ton armée parce que tes soldats sont *lents*, comme toi et la plupart des choses dans ton royaume, dit Boucle d'or. D'ailleurs, je suis sûre qu'ils ont déjà choisi une nouvelle reine.

– C'est pas drôle! C'est le pire jour de ma vie! Je ne savais même pas qu'il était possible de se faire enlever deux fois dans la même journée!

Les loups firent irruption dans le donjon. Le Petit Chaperon rouge blêmit.

– Les soldats envahissent le château, dit Malgriffe. On n'attendra plus la Méchante Reine! On vient chercher le Petit Chaperon rouge *maintenant*!

– Va chercher la reine, dit le Chasseur à sa fille.

Elle hocha la tête et courut vers l'autre extrémité du donjon, où se trouvait un petit escalier en pierre. Elle se retourna avant de gravir les marches, se demandant si elle avait raison de laisser son père seul.

– Non! cria le Petit Chaperon rouge. Vous ne pouvez pas les laisser faire!

Elle chercha partout des yeux quelqu'un dans le donjon à qui elle pût adresser ses supplications. Elle n'avait aucun ami dans ce lieu.

– J'aimerais tant que ce jour s'achève! ajouta-t-elle.

– D'accord, vous pouvez l'emporter avec vous! dit le Chasseur.

Il déverrouilla la cellule. Le Petit Chaperon rouge bondit en poussant la porte, bousculant le Chasseur qui tomba au milieu des loups. Puis elle prit ses jambes à son cou et se dirigea vers l'escalier en pierre que la Chasseuse avait emprunté avant elle.

– Poursuivez-la! ordonna Malgriffe.

Sa meute et lui coururent après la jeune reine. Cependant, celle-ci prit de l'avance, car les loups avaient du mal à gravir l'escalier étroit.

Quelques instants plus tard, Jack et Grenouille firent irruption à leur tour dans le donjon. Jack brandissait l'épée de Boucle d'or.

– Reculez! cria Jack au Chasseur, et ce dernier s'écarta dans un coin en levant les mains.

– Jack! s'écria Boucle d'or en s'agrippant aux barreaux de sa cellule. Qu'est-ce que tu fais là?

– Porridge est venue me trouver! J'ai compris que quelque chose n'allait pas, car tu n'étais pas avec elle. Elle m'a amené ici, et j'ai rejoint l'armée de Blanche-Neige en route.

Ils se regardaient si amoureusement que Grenouille en était gêné.

– Tout cela est merveilleux! Eh bien, pendant que vous célébrez vos retrouvailles, je vais aller chercher la reine Petit Chaperon rouge et les jumeaux, si vous le permettez.

Puis il sautilla vers la sortie. Le Chasseur sortit alors une arbalète de dessous son manteau en fourrure.

– *Jack! Attention!* cria Boucle d'or.

Le Chasseur commença à tirer des flèches en direction de Jack. Celui-ci plongea, les évitant de justesse. Boucle d'or aussi dut esquiver les projectiles qui faisaient des ricochets dans tous les sens contre les murs en pierre du château. Le Chasseur agissait mécaniquement, réarmant son arbalète aussitôt après avoir appuyé sur la gâchette.

La jeune femme ramassa une flèche qui avait atterri près d'elle et tenta de crocheter le verrou de sa cellule avec.

Jack essayait d'arrêter les flèches avec l'épée. Cela devenait de plus en plus difficile, car le Chasseur tirait de plus en plus vite. Jack réussit à renvoyer une flèche de façon très précise et celle-ci passa tout près du Chasseur. Ce dernier grogna et se figea. Ses yeux s'écarquillèrent et il s'écroula, la tête la première. La flèche avait rebondi sur le mur derrière lui et s'était plantée dans son dos. Le Chasseur était mort.

– *Jack! Derrière toi!* hurla Boucle d'or.

Jack se retourna et la Chasseuse lui planta sa dague dans le bras. Elle avait tout vu.

– *Aaah !* cria Jack.

Il lâcha l'épée et tomba par terre. Il se traîna au sol et s'appuya contre un mur en se tenant le bras. Il y avait du sang partout.

La Chasseuse s'approcha de lui en levant sa dague. Elle ne parlait pas, mais ses yeux étaient emplis d'une colère noire. Jack venait de tuer son père, du moins c'est ainsi qu'elle interprétait la scène à laquelle elle venait d'assister. Elle se jeta sur lui pour lui donner le coup de grâce. Mais Boucle d'or arrêta la dague avec son épée. Elle avait réussi à crocheter la serrure de sa cellule et avait repris son arme juste à temps pour sauver la vie de Jack.

– Je crois qu'il est temps que toi et moi on cause entre nanas, lui dit-elle.

Puis elle lui donna un coup de pied dans le ventre.

La Chasseuse roula jusqu'à l'autre bout de la salle et se releva aussitôt.

Les deux femmes se tournaient autour, décrivant des cercles. Elles se défiaient du regard, attendant que l'autre fasse le premier mouvement. Boucle d'or lança un coup d'épée à la Chasseuse et le duel commença.

La Chasseuse n'avait qu'une dague qui faisait la moitié de la taille de l'épée de son ennemie, mais elle s'en servait avec adresse. Boucle d'or avait enfin trouvé un adversaire à la hauteur. Elles allaient partout dans le donjon, chacune arrêtant les attaques de l'autre.

À un moment, Boucle d'or fut acculée par la Chasseuse. Elle escalada alors le mur en courant, fit une pirouette au-dessus de son adversaire et inversa leurs positions, acculant la Chasseuse à son tour.

– Où as-tu appris à faire ça ? demanda Jack.

– Je te raconterai plus tard ! répondit Boucle d'or.

La Chasseuse donna un coup de tête à Boucle d'or et s'enfuit du donjon en courant.

– Reviens ici! cria Boucle d'or en se lançant à sa poursuite.

Elles continuèrent de batailler, montant toujours plus haut dans le château...

Pendant ce temps, le Petit Chaperon rouge était toujours poursuivie à travers ce même château par la Meute du Grand Méchant Loup. Elle courait à toutes jambes, les larmes coulant sur ses joues. Elle n'avait eu aussi peur qu'une seule autre fois dans sa vie : ce fameux jour où, enfant, elle avait rendu visite à sa mère-grand.

Cependant, elle ne pleurait pas seulement parce qu'elle avait peur. Elle était aussi contrariée parce qu'elle gâchait une de ses robes préférées. Elle songea aussi qu'elle aurait dû choisir des chaussures plus adaptées à la course à pied en s'habillant ce matin-là.

Elle atteignit l'un des endroits les plus élevés du château. Le plancher était vermoulu et plein de trous ; elle les évita avec soin pour ne pas dégringoler de plusieurs étages. Les loups derrière elle ne prirent pas tant de précautions et glissèrent sur le parquet poli, tombant dans les trous et hurlant dans leur chute mortelle.

Le Petit Chaperon rouge continua sa course et gravit un escalier en bois, dont la moitié supérieure s'écroula devant elle dès qu'elle fit quelques pas.

– Je n'aime pas ça, dit-elle.

Elle se retourna et vit Malgriffe sur les marches inférieures. Elle était coincée. Le loup s'avança vers elle. Il monta l'escalier, une marche à la fois, prenant un malin plaisir à la voir souffrir.

– Cela fait plus de dix ans que j'attends ce moment, grogna-t-il.

– Comme tu as de grandes griffes, dit-elle en tremblant.

– C'est pour mieux te mutiler, mon enfant, répondit le loup.

Le Petit Chaperon rouge n'avait jamais cru qu'elle mourrait ainsi. Elle s'était toujours figurée dans son château avec, à son chevet, les dizaines d'enfants qu'elle aurait eus avec Jack.

– Comme tu as de grandes dents, continua-t-elle.

– C'est pour mieux te dévorer, mon enfant, répondit Malgriffe.

Le loup n'était plus qu'à quelques mètres. Il se cambra, prêt à lui sauter dessus. Soudain, on entendit un sifflement discret venant de l'extérieur du château. Un boulet de canon traversa alors le mur et percuta Malgriffe de plein fouet. Les marches s'écroulèrent et le loup fut projeté jusque dans la pièce voisine. S'il avait survécu à l'impact, ce n'était certainement pas en un seul morceau.

– Comme... commença le Petit Chaperon rouge.

Elle s'agrippa à la rampe de l'escalier comme si sa vie en dépendait. Les marches autour d'elle avaient disparu. Elle était vraiment coincée à présent.

Le palier commença à chanceler et le bois commença à s'effondrer.

– *Mon Dieu... mon Dieu... mon Dieu !* brailla-t-elle.

La rampe s'écroula et le Petit Chaperon rouge tomba, hurlant tout du long.

Quelques secondes avant qu'elle ne s'écrase par terre, Grenouille sauta et attrapa la jeune reine en plein vol. Ils atterrirent sains et saufs, grâce aux puissantes pattes de l'amphibien.

– Vous m'avez sauvé la vie ! dit le Petit Chaperon rouge, les yeux écarquillés et pleins de reconnaissance.

– Je ne me suis pas présenté, Votre Majesté, dit Grenouille. Je m'appelle...

Il ne put jamais terminer sa phrase. Le Petit Chaperon rouge le couvrait de baisers sur les joues. Grenouille devint vert profond... qui eût cru qu'une grenouille pouvait rougir ?

Le château commença à chanceler sous le feu des canons.

– Ils ont lancé l'assaut! s'écria Grenouille. On doit trouver Conner et Alex et sortir d'ici!

🍎

Alex et Conner ne comprenaient pas ce qui se passait. Ils n'entendaient que des cliquetis d'épées, les gémissements des loups derrière les portes du grand hall et les cris sourds des soldats à l'extérieur. Ils sentaient que le château chancelait et s'écroulait autour d'eux.

Des boulets de canon commencèrent à traverser les murs de la grande salle. De gros morceaux du plafond en pierre se mirent à pleuvoir autour d'eux. Ils comprirent qu'ils devaient quitter le château au plus vite.

– Votre Majesté? demanda Alex à la Méchante Reine. Il faut sortir d'ici. Le château va s'effondrer!

La Méchante Reine ne répondait pas. Elle continuait de pleurer sur le cadavre de feu son amant.

– Si on ne sort pas d'ici bientôt, l'accident de Humpty Dumpty ne ressemblera qu'à une petite égratignure sur le genou! s'écria Conner.

La Méchante Reine ne les écoutait pas. Elle était tellement accablée de chagrin qu'elle n'entendait rien. Elle ne s'apercevait même pas de l'apocalypse autour d'elle.

– *Merhsante!* Je vous en prie! Vous devez nous détacher! supplia Alex. Posez la pierre et vous ne ressentirez plus tout ce chagrin!

Les portes de la grande salle s'ouvrirent en grinçant et Grenouille fit irruption dans la pièce. Le Petit Chaperon rouge demeura à l'entrée, affolée par l'ampleur des dégâts.

– Grenouille! hurla Conner. Détache-nous avant qu'on se fasse écraser!

– J'arrive, les enfants !

Il traversa la salle en quelques bonds et les détacha le plus vite possible. Ce n'était pas facile car les nœuds étaient très serrés. Il libéra Conner en premier, puis les deux s'affairèrent sur les liens d'Alex.

– Dépêchez-vous ! criait le Petit Chaperon rouge depuis la porte. On est en train de relooker mon château et j'aimerais vraiment voir le résultat avant de mourir !

Alex fut enfin délivrée. Conner et Grenouille se précipitèrent vers la sortie, mais Alex alla vers la table et commença à ranger tous les éléments du Sortilège des Vœux dans son cartable.

– Qu'est-ce que tu fais ? cria Conner. Tu n'as donc pas pigé que le château allait nous tomber sur la tête ?

– Je ne repars pas sans ça ! dit Alex. On a promis de les rapporter ou de les détruire, tu te souviens ?

L'effet du Sortilège des Vœux sur le Miroir Magique commençait à s'estomper. La glace commençait à se *reformer*. Un boulet tomba sur le mur près des miroirs. Le miroir doré fut renversé par l'explosion et s'écrasa par terre. Le Miroir Magique commença à se balancer, prêt à tomber à tout moment.

– Merhsante ! cria Alex. Je vous en prie, venez avec nous !

Mais elle ne l'écoutait pas.

Le Miroir Magique s'écrasa alors sur la Méchante Reine et Mira, et se brisa en mille morceaux, qui s'éparpillèrent. Mais les deux avaient disparu. Le miroir les avait engloutis juste avant de se briser.

Alex accourut et chercha une trace de la Méchante Reine ou de Mira, mais elle ne vit rien que des éclats de verre. La seule chose qu'elle retrouva fut le cœur de pierre.

Elle le mit dans son sac et s'apprêtait à rejoindre son frère et Grenouille, qui attendaient à la porte, quand quelque chose par terre attira son attention. C'était son reflet dans un éclat de verre du miroir doré. Le reflet était très brillant et plein de couleurs. Elle s'y vit tout sourire, avec quelque chose derrière elle... qui ressemblait à des *ailes*.

– Dépêche-toi, Alex ! cria Conner. Je ne tiens pas à devenir fils unique !

– J'arrive ! répondit-elle.

Elle se détourna du reflet et regagna l'entrée du grand hall où l'attendaient son frère, Grenouille et le Petit Chaperon rouge.

Ils trouvèrent Jack dans le couloir qui donnait sur le grand hall. Il tenait son bras blessé. Porridge attendait là aussi, avec impatience, ne voulant pas partir sans sa cavalière.

– Jack ! cria le Petit Chaperon rouge en allant l'embrasser. Tu es venu !

– Je ne suis pas venu pour toi ! rétorqua-t-il en refusant qu'elle le touchât. Où est Boucle d'or ?

Le Petit Chaperon rouge porta la main à sa poitrine. Elle suffoquait. Son cœur brisé commença à la consumer comme un poison lent. Il était donc vraiment amoureux de Boucle d'or.

– Aidez-moi à mettre tout le monde à l'abri. Après je retournerai la chercher ! dit Grenouille.

– Je viens avec vous... *Aaaah !* cria Jack en essayant de bouger le bras.

– Je crains que ce ne soit pas possible, dit Grenouille.

Un à un, Grenouille prit Alex, Conner, le Petit Chaperon rouge et Jack dans ses bras, afin de sauter de l'autre côté des douves. Il fallut également convaincre Porridge, mais Jack parvint à l'amadouer et la fit sauter comme les autres. Ils rejoignirent les soldats qui furent nombreux à s'incliner en voyant la reine Petit Chaperon rouge.

– Ne prenez pas garde à ma coiffure, messieurs, dit-elle. La journée a été rude.

– Où est la Méchante Reine ? demanda sir Grant.

– Elle est partie, dit Alex à mi-voix.

– Partie ? répéta ce dernier.

– Oui, dit Alex avec tristesse. Croyez-moi, vous n'avez pas besoin de vous inquiéter : vous ne la reverrez plus jamais.

Sir Grant hocha la tête. On venait de le soulager d'un grand poids, lui mais aussi le royaume tout entier.

– Où était Boucle d'or quand vous l'avez vue pour la dernière fois ? demanda Grenouille à Jack.

– Elle se battait avec cette femme. Je ne sais pas où elles sont parties.

– Elle est là ! cria Conner en montrant du doigt le sommet du château.

Tout le monde leva la tête. Boucle d'or et la Chasseuse étaient toujours en train de se battre... *sur le toit.*

Personne ne pouvait rien faire, ni rien dire. Tous se contentaient d'observer le duel, les yeux et la bouche grands ouverts. Aucune des deux femmes ne semblait prendre le dessus. C'était un combat jusqu'à la mort. Le château s'écroulait tout autour d'elles, mais elles ne cessaient de se battre, chacune décidée à en finir avec l'autre.

Leur lutte prenait des proportions épiques. Elles croisaient le fer avec plus de violence que jamais.

Une partie du toit près du lieu où elles s'affrontaient s'affaissa et Boucle d'or perdit l'équilibre. Elle fit tomber son épée en tentant de se redresser. La Chasseuse vit là l'occasion d'en finir. Elle leva sa dague bien au-dessus de sa tête. Elle allait frapper Boucle d'or et celle-ci ne pouvait rien faire pour se défendre.

– Non ! hurla Jack.

Il se précipita vers un canon et alluma la mèche. Il le braqua en direction de la Chasseuse et fit feu. Le boulet s'éleva dans les airs en direction des femmes et s'écrasa sur la partie du toit où se tenait la

Chasseuse. Celle-ci tomba de la plus haute tour du château jusque dans les douves en poussant un cri inaudible. Il n'y avait aucune chance qu'elle ait pu survivre.

Boucle d'or retrouva son équilibre et regarda Jack avec amour. Ils passèrent un moment ainsi à se contempler amoureusement lorsqu'un autre désastre survint. Le château tout entier se mit à s'effondrer dans un énorme nuage de poussière.

– *Boucle d'or !* hurla Jack.

– Je ne peux pas voir ça ! dit Alex en se cachant le visage contre l'épaule de son frère.

On ne voyait rien avec la poussière. Le grondement était assourdissant. Des dizaines de milliers de pierres tombaient les unes sur les autres. Beaucoup d'entre elles roulaient jusqu'aux douves. Après un petit moment, une fois les pierres entassées, la poussière se dissipa. Le château n'était plus qu'un énorme amas de pierres de taille. Il n'y avait aucune trace de Boucle d'or.

– Boucle d'or ! beugla Jack, courant le long des douves, cherchant quelque signe d'elle.

Les chances qu'elle ait survécu étaient minces. Grenouille traversa les douves d'un bond et disparut dans les décombres. Tout était silencieux. Les jumeaux crurent que Jack allait faire une crise cardiaque tant l'attente était insoutenable. Chaque seconde passée sans rien voir ou entendre semblait durer une heure.

Lentement mais sûrement, deux silhouettes se frayèrent alors un chemin au milieu des décombres : c'était Grenouille qui aidait Boucle d'or à marcher. Elle boitait mais était vivante.

Les jumeaux poussèrent des cris de joie et Jack tomba à genoux, bénissant le ciel. Grenouille traversa les douves d'un saut et Boucle d'or et Jack tombèrent dans les bras l'un de l'autre. Ils s'embrassèrent avec tant de fougue que cela fit rougir quelques soldats. Si ça ce n'était pas de l'amour !

Le Petit Chaperon rouge, le cœur brisé, souffrait de tout son corps à la vue de ce spectacle. C'était peut-être la seule fois où elle n'obtenait pas ce qu'elle voulait. Et Dieu sait si elle avait désiré Jack plus que tout au monde.

Porridge caracola gaiement vers Boucle d'or qui lui caressa la crinière.

– Ça va, ma belle, dit-elle. Je suis juste un peu secouée.

– Boucle d'or, dit alors sir Grant sur un ton officiel, nous vous arrêtons.

– Attendez, comment ça ? demanda Jack en se plantant devant les gardes qui s'approchaient d'elle.

Il se tourna vers le Petit Chaperon rouge et lui lança un regard méprisant.

– Fais quelque chose ! dit-il.

Au début, le Petit Chaperon rouge ne sut quoi dire. Elle n'avait jamais vraiment rien fait d'officiel, ni pris de décision royale.

– Le Royaume du Petit Chaperon rouge veut pardonner Boucle d'or pour tous ses crimes, dit-elle enfin. Et la liste est longue !

– Tout ça est très bien, dit sir Grant, mais vous ne pouvez pas lui pardonner les crimes qu'elle a commis dans les autres royaumes. Elle terminera ses jours derrière les barreaux. *Saisissez-la !*

## CHAPITRE 22

# LE SECRET DE BLANCHE-NEIGE

Le groupe chemina en silence jusqu'au Royaume du Nord. Seul résonnait le bruit des sabots des chevaux sur la chaussée. À présent que la Méchante Reine n'était plus, le monde tout entier semblait pousser un soupir de soulagement.

Boucle d'or put faire le voyage sur le dos de Porridge, mais les mains et les pieds enchaînés. On lisait l'agacement sur son visage. Tout le long du chemin, Jack resta fidèlement à ses côtés, la main posée sur les mains menottées de son aimée.

Le Petit Chaperon rouge les observait de loin, détournant les yeux quand quelqu'un la surprenait dévisageant le couple. Elle n'avait jamais ressenti tant d'émotions mêlées. Elle demeurait silencieuse et immobile, priant pour que la douleur disparût.

Les jumeaux restèrent particulièrement discrets pendant le voyage. Après tout ce qu'ils avaient vu, ils peinaient à trouver les mots pour décrire leurs pensées et leurs sentiments. L'histoire de la Méchante Reine les obnubilait. Ils n'arrivaient pas à effacer de leur esprit l'image de la reine tenant le corps de l'homme qu'elle avait aimé sa vie durant, avant que les deux ne disparaissent, engloutis par le miroir. Cette histoire les attristait, mais la disparition du Sortilège des Vœux était une déception plus cruelle encore.

Ils avaient peur que cela ne prenne longtemps avant qu'ils découvrent une nouvelle façon de rentrer chez eux. Et à supposer qu'ils trouvent un autre moyen, quels obstacles et quels dangers allaient-ils encore devoir affronter ? Qu'allaient-ils faire en attendant ? Où allaient-ils vivre ?

– Je suis vraiment désolé, les enfants, dit Grenouille qui marchait à leurs côtés. Je me sens tellement responsable. Si seulement je vous avais laissés utiliser le Sortilège des Vœux au lieu de vous convaincre de venir avec moi, rien de tout ceci ne serait advenu.

– Ce n'est pas ta faute, lui dit Alex. Les loups nous auraient rattrapés, tôt ou tard.

– En fait, toute cette histoire est *bien* ta faute, corrigea Conner. Si tu ne nous avais pas parlé du Sortilège des Vœux, rien de tout ceci ne nous serait arrivé. On n'aurait jamais été poursuivis par des loups, enlevés par des trolls ou pris pour cibles par la Méchante Reine.

Grenouille baissa la tête. Le sentiment de culpabilité lui pesait énormément. Alex faillit frapper son frère.

– Mais... continua ce dernier avec un grand sourire de nigaud, c'est vrai aussi que tu nous as sauvé la vie à trois reprises, alors je crois que ça compense tout le mal.

Grenouille eut un petit rire.

– Vous pouvez rester chez moi tout le temps qu'il vous faudra, dit-il. Je vous aiderai à trouver un autre moyen de rentrer chez vous. Je vous le jure.

Les jumeaux hochèrent la tête et lui sourirent. C'était réconfortant de savoir qu'ils avaient un endroit où vivre, même si ce n'était qu'un trou sous la terre.

Ils voyagèrent pendant un jour et demi avant d'atteindre enfin le lac des Cygnes et le palais de Blanche-Neige. Le Petit Chaperon rouge fut impressionnée par ce dernier. Il était si vaste et avait un aspect si majestueux.

– Mon château sera comme celui-là quand il sera terminé, dit-elle à qui voulait l'entendre, mais cela n'intéressait personne.

Les soldats empoignèrent alors Boucle d'or et l'escortèrent jusqu'au donjon.

– Attendez! Vous ne pouvez pas l'enfermer sans procès! cria Jack.

– Dans son propre intérêt, je ne lui souhaite pas d'être traduite en justice, signala un soldat.

– Jack, rentre à la maison, dit Boucle d'or. Je devrais être libérée d'ici quelques décennies pour bonne conduite.

Jack la suivit, en ne cessant de pester, mais conscient, lui aussi, qu'il ne pouvait rien faire.

– Suivez-moi, dit sir Grant aux jumeaux. Allons voir la reine.

Les jumeaux, le Petit Chaperon rouge et Grenouille suivirent le soldat dans le palais. Ils gravirent l'escalier jusqu'au troisième étage et traversèrent le couloir jusqu'à la porte qui devait être l'entrée officielle des anciens appartements de la Méchante Reine.

Grant frappa à la porte.

– Votre Majesté, c'est sir Grant. Êtes-vous ici? demanda-t-il.

– Oui, entrez s'il vous plaît, répondit Blanche-Neige.

Ils suivirent sir Grant dans la pièce qui avait été complètement transformée. Tous les draps avaient été retirés des meubles et les peintures étaient de nouveau accrochées aux murs. La pièce était désormais parfaitement ordinaire.

– Que faites-vous ici, tous les deux ? demanda Blanche-Neige en apercevant les jumeaux.

Elle était en train de raccrocher le portrait du Chasseur sur le mur. Elle avait passé les deux dernières journées à remettre elle-même la pièce en état.

– Votre Majesté, dit sir Grant en retirant son casque, nous avons trouvé votre marâtre. Elle se cachait dans un château dans le nord-est du Royaume endormi.

– Et alors ? demanda Blanche-Neige, s'armant de courage pour écouter la suite.

– Elle est morte, dit Grant.

Le visage de Blanche-Neige devint encore plus pâle, chose que les jumeaux n'auraient pas cru possible. Elle s'assit sur l'estrade dans le fond de la pièce. Elle ne pleurait pas, mais on voyait qu'elle avait du mal à digérer la nouvelle.

– Comment est-ce arrivé ? demanda-t-elle.

Grant se tourna vers les jumeaux.

– Je n'étais pas là, mais eux ont vu ce qui s'est passé, dit-il.

– Elle n'est pas morte *à proprement parler*, commença Alex en cherchant à formuler les choses avec tact. Le château s'effondrait et son miroir, eh bien, il...

– Il lui est tombé dessus et il l'a gobée comme un insecte ! *Paf !* Et elle a disparu ! dit Conner tout excité. C'était dingue ! Il n'y avait plus rien !

Alex fusilla son frère du regard.

– Eh bien, pas tout à fait, corrigea-t-elle.

Elle plongea la main dans son sac et en tira le cœur de pierre. À sa vue, Blanche-Neige eut le souffle coupé. Alex traversa la pièce et tendit à la reine le cœur de sa belle-mère.

– C'est tout ce qu'il en reste. Je pense qu'il doit vous revenir.

Blanche-Neige regarda la pierre et les larmes lui jaillirent des yeux.

– Sir Grant, j'aimerais être seule avec les enfants, dit-elle. Veuillez préparer des chambres pour les autres, s'ils souhaitent rester, dit-elle en faisant un signe de la tête au Petit Chaperon rouge et à Grenouille.

– Je vous remercie, Votre Majesté, dit Grenouille en faisant une révérence.

– C'est très gentil à vous, merci, dit le Petit Chaperon rouge. Peut-être juste le temps qu'on termine de reconstruire mon palais. Je suis en train d'y aménager une pièce comme celle-ci justement...

Sir Grant les conduisit hors des appartements avant que le Petit Chaperon rouge ait pu finir sa phrase. Les jumeaux demeurèrent seuls avec Blanche-Neige. Au début, elle resta silencieuse. Elle regardait la pierre fixement.

– Il faut croire que vous ne m'avez pas écoutée, dit-elle enfin.

– Nous vous avons écoutée, dit Conner, mais nous n'avons pas obéi.

– Savez-vous ce que c'est ? demanda la reine en leur montrant la pierre.

– Oui, répondit Alex. C'est son cœur. Elle nous a tout expliqué, le cœur, sa vie avant de devenir, euh, la Méchante Reine, et cetera.

– C'était une sacrée histoire, d'ailleurs, ajouta Conner. Vous saviez que ce type dans son Miroir Magique, c'était en fait le fiancé qu'elle avait perdu ?

– Oui, je le savais, répondit Blanche-Neige. C'est pour ça que je l'ai aidée à s'évader.

Les jumeaux furent stupéfaits et secouèrent la tête avec incrédulité. Ils avaient dû mal entendre.

– Comment ? reprit Alex. C'est vous qui l'avez aidée à s'évader ?

– *Vous parlez sérieusement ?* s'écria Conner.

– Oui, c'est moi, avoua la reine.

Sa voix ne trahissait aucun regret.

– J'ai écouté son histoire pendant des heures, assise dans sa cellule. Cela m'a fendu le cœur. Alors je me suis arrangée pour qu'elle et son miroir remontent la rivière jusqu'au royaume voisin afin qu'elle puisse poursuivre sa quête.

Les jumeaux n'en revenaient pas. Ils avaient tant de questions à poser, mais seuls des sons inarticulés et des grognements sortaient de leur bouche.

– Toutes ces années, je m'étais demandée pourquoi elle ne m'aimait pas, et j'ai compris : elle ne pouvait pas aimer, reprit Blanche-Neige. J'ai pensé qu'avoir le cœur si profondément brisé était un châtiment suffisant pour tous les crimes qu'elle avait commis contre moi. Elle a donc libéré l'homme ?

– Oui, dit Alex. Malheureusement, c'était trop tard. Il est mort dans ses bras.

Blanche-Neige soupira, bouleversée.

– Je vois, dit-elle.

– Mais ils étaient ensemble, ajouta Conner, ils ont été réunis une dernière fois.

– Que va-t-il se passer à présent ? demanda Alex. Va-t-on la dédouaner pour ses agissements ? Va-t-on révéler au monde sa véritable histoire ?

– Je crains que ce ne soit plus facile à dire qu'à faire, dit la reine. Je crois que la meilleure chose que nous puissions faire maintenant pour honorer sa mémoire est de vivre chaque jour avec la compassion et la compréhension qu'elle ne reçut jamais.

Les jumeaux se tournèrent l'un vers l'autre et échangèrent un sourire peiné.

– La leçon que je tire de tout ça est que les *méchants* sont souvent des personnes que les circonstances ont rendues mauvaises, conclut Alex.

Blanche-Neige hocha la tête et fixa le cœur de pierre sans cacher la peine qu'elle ressentait.

– Je suis d'accord, dit-elle. C'est là la tragique leçon que l'on peut tirer du triste destin de la Méchante Reine.

Le donjon était un lieu misérable, comme put le constater Boucle d'or qui se trouvait maintenant aux premières loges. Sa cellule était humide et de taille réduite. L'odeur était fétide et la lumière, faible. De temps en temps, un rat essayait de traverser sa cellule, mais la prisonnière le toisait avec un œil noir et intimidant afin qu'il rebroussât chemin.

– Vous n'avez pas intérêt! dit-elle plusieurs fois aux rongeurs.

Il était minuit passé et le calme régnait dans le donjon. C'était son premier jour de captivité et Boucle d'or ne parvenait pas à trouver le sommeil. Elle savait que ce jour devait arriver tôt ou tard, mais une fois assise par terre sur le sol dur, elle ne put s'empêcher de penser à quel point il était injuste que cela arrive maintenant.

Soudain, l'écho lointain des pas d'une personne se répercuta dans l'escalier en colimaçon menant du palais au donjon. Une jeune femme, enveloppée de la tête aux pieds dans une longue cape, traversa l'allée de cellules pour se diriger vers la sienne.

– *Dégueu ! Beurk ! Pouah !* s'exclamait la femme à chaque pas.

Boucle d'or reconnut la voix guindée.

– Bonjour, chuchota le Petit Chaperon rouge timidement.

– Qu'est-ce que tu fais ici ? demanda la captive. Tu es venue m'escorter en personne jusqu'à l'échafaud ?

– Parle plus bas. Les gardes ne savent pas que je suis là.

– Qu'est-ce que tu veux ?

– Je suis venue pour te libérer.

– Quoi ? répéta Boucle d'or, ébahie. Mais pourquoi ?

– Parce que j'ai décidé de faire amende honorable, répondit l'autre d'un air hautain.

– Alors vas-y, libère-moi, dit la prisonnière, presque comme un défi.

Elle ne se faisait pas trop d'illusions. Elle savait qu'il devait y avoir une entourloupe.

– Je vais le faire, mais d'abord, je t'ai écrit une lettre, dit le Petit Chaperon rouge en tirant un bout de parchemin de sa cape.

– Tu veux que je lise ta lettre d'abord ? dit Boucle d'or, sans même tenter de dissimuler l'agacement dans sa voix.

– Bien sûr que non. Je me doute que tu ne sais probablement pas lire, reprit l'autre d'un air innocent.

– Tu as vraiment de la chance que des barreaux nous séparent parce que...

– Je plaisantais, calme-toi, Bouclette. J'ai travaillé dessus toute la nuit et j'ai pensé que le mieux était que je descende ici pour te la lire moi-même à voix haute.

– Je t'écoute, dit la prisonnière en croisant les bras.

Le Petit Chaperon rouge se racla la gorge.

– « Chère Boucle d'or, lit-elle, je suis désolée de t'avoir gâché la vie. » Ouf, je me sens déjà mieux après avoir lu cette partie ! « Quand j'y repense, je sais que t'avoir envoyé cette lettre, quand nous étions enfants, n'était pas une bonne idée. Je n'ai jamais voulu te forcer à devenir une fugitive. Je pensais juste que les ours allaient t'égratigner un peu ou t'arracher un bras, pas plus. »

– Cette lettre est censée m'*ôter* l'envie de te tuer ? l'interrompit Boucle d'or.

– Laisse-moi terminer. «J'aime Jack depuis aussi longtemps que toi, mais il a choisi une fille moins jolie, moins intelligente et moins riche que moi. Il t'aime, il ne m'aime pas, et c'est la chose la plus difficile que j'aurai jamais à accepter. J'espère qu'une fois que je t'aurai libérée du donjon, tu pourras me pardonner. Amicalement, Sa Majesté la grande reine Petit Chaperon rouge. »

Boucle d'or n'avait jamais été aussi énervée.

– Tu as pris toute la nuit pour m'écrire *ça* ? demanda-t-elle.

– Oui, et j'ai pesé chaque mot. Qu'en penses-tu ? Tu me pardonnes ? On est quitte ?

– Ouvre la porte d'abord, dit Boucle d'or.

Elle préférait rester dans une cellule jusqu'à la fin des temps plutôt que de passer encore cinq minutes en compagnie du Petit Chaperon rouge.

Cette dernière s'agita avec une paire de clés dorées et finit par trouver celle qui déverrouilla la cellule. La prisonnière en sortit, regarda le Petit Chaperon rouge droit dans les yeux et lui flanqua une grosse gifle en pleine figure.

– *Aïe !* beugla la reine.

– Voilà. *Maintenant* on est quitte, conclut Boucle d'or.

– Je sais, je l'ai mérité, dit le Petit Chaperon rouge, la main sur le visage. Maintenant, reprit-elle, mets ça sur ta tête avant qu'on nous attrape et qu'on se retrouve toutes les deux derrière les barreaux.

Elle enveloppa Boucle d'or avec sa cape et les deux femmes se dépêchèrent de sortir du donjon. Elles traversèrent les couloirs du palais à pas de loup et gagnèrent la pelouse devant l'entrée du château. Elles marchèrent quelques minutes dans la forêt et atteignirent l'étang du Vilain Petit Canard. Porridge attendait au bord de l'eau. Au début, Boucle d'or ne le remarqua pas derrière le cheval, mais Jack l'attendait là aussi, avec impatience.

Elle s'arrêta net.

– Qu'est-ce que tu fais là ? demanda-t-elle.

Elle connaissait déjà la réponse.

– Je l'ai fait, Jack ! Je t'avais dit que j'y arriverais ! piailla le Petit Chaperon rouge avec un grand sourire.

– Je viens avec toi, dit Jack.

– Jack, on en a déjà parlé, dit Boucle d'or. Tu ne peux pas venir avec moi. Surtout maintenant. Quand on découvrira ma disparition, je serai encore plus recherchée qu'avant.

– La vie ne vaut pas la peine d'être vécue sans toi, dit-il. Je ne passerai plus un jour à me demander si la femme que j'aime est morte, vivante ou en train de croupir dans une cellule. J'ai cru te perdre au château et je refuse de revivre un tel calvaire. Je viens avec toi, même si je dois te courir après.

Les deux femmes en eurent les larmes aux yeux (pour différentes raisons). Leur cœur appartenait au même homme. Le Petit Chaperon rouge aurait donné tout ce qu'elle possédait pour l'entendre lui dire une chose pareille.

– Es-tu réellement disposé à passer chaque seconde de ta vie, jusqu'à la fin de tes jours, à fuir la justice pour être avec moi ? demanda Boucle d'or.

– Je donnerais tout pour passer chaque minute de chaque jour à tes côtés, répéta Jack.

Il monta sur Porridge et tendit la main à Boucle d'or pour l'aider à monter derrière lui.

Elle connaissait des tas de raisons et d'excuses pour le dissuader de la suivre. Elle voulait le convaincre de rester et de vivre sa vie, mais cette fois, son cœur l'en empêcha. Elle saisit sa main tendue et grimpa à ses côtés.

Ensemble, ils prirent les rênes et galopèrent dans la nuit. Dès l'aube, ils allaient être les fugitifs les plus recherchés du monde, mais ils étaient enfin dans les bras l'un de l'autre.

– De rien! Pas besoin de me dire merci! Tout ira bien pour moi! criait le Petit Chaperon rouge derrière eux pendant qu'ils s'éloignaient dans la forêt. *Tout ira bien pour moi!*

Elle tomba à genoux et pleura à chaudes larmes, gâchant tout son maquillage. Elle n'avait jamais autant pleuré de sa vie.

– Vous avez agi très noblement, dit une voix derrière elle.

Elle se retourna et découvrit Grenouille qui était accroupi près de l'étang, en train de collecter des mouches qu'il mettait dans un grand bocal en verre.

– Combien de temps me faudra-t-il pour ne plus me sentir comme ça? demanda la reine.

– Je crains malheureusement qu'il n'en reste quelques traces jusqu'à la fin de vos jours, mais le temps arrangera les choses.

– J'ai cru que l'aider à s'évader atténuerait la douleur, mais elle n'a fait qu'empirer, avoua-t-elle.

Grenouille se pencha à côté d'elle.

– Ce ne sont pas vos souffrances ou celles que vous infligez qui comptent, mais ce que vous en faites. Vous pouvez pleurer des années durant, vous en avez le droit, mais vous pouvez aussi choisir de tirer une leçon de cette douleur et d'en sortir plus forte. Croyez-moi. J'ai passé des années tapi sous terre, craignant le qu'en-dira-t-on. Mais, un jour, je me suis décidé à sortir, et j'ai fini par sauver plusieurs vies!

Le Petit Chaperon rouge se moucha dans le manteau de Grenouille, qui ne s'en offusqua pas.

– Vous êtes très intelligente, pour une grenouille, dit le Petit Chaperon rouge en souriant. Peut-être que maintenant que tous mes rêves sont réduits à néant je vais pouvoir consacrer un peu de ma tête vide et de mon énergie à mon royaume. Après tout, je suis reine.

– Cela me semble une idée formidable, dit Grenouille.

Il lui offrit son bras et aida la reine attristée à se relever. Ils s'accompagnèrent l'un l'autre jusqu'au palais.

– Quel est votre nom, au fait ? demanda le Petit Chaperon rouge. Je ne l'ai pas retenu.

L'autre hésita.

– Grenouille, dit-il. Appelez-moi Grenouille.

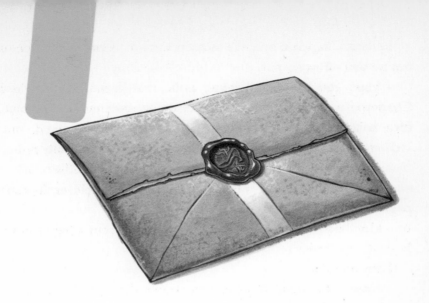

## CHAPITRE 23

## UNE INVITATION ROYALE

**D**ans le palais, Alex et Conner disposèrent d'appartements séparés. C'était la première fois depuis leur séjour au Bott-Inn qu'ils purent dormir dans un lit, et ce fut la première nuit depuis leur arrivée dans le Pays des contes où ils purent vraiment se reposer. Ils étaient tellement épuisés qu'ils sommeillèrent jusqu'à la mi-journée du lendemain.

Ils n'avaient plus l'habitude de dormir séparés. Plusieurs fois au cours de la nuit, Alex et Conner se réveillèrent en cherchant l'autre. Ils se souvenaient alors qu'ils étaient au palais, enfin en lieu sûr.

Les domestiques prirent leurs tee-shirts et leurs jeans pour les laver, et on leur donna d'autres vêtements en attendant. Alex reçut une superbe robe écarlate avec des manches et un col en fourrure. Conner dut porter, à contrecœur, une chemise boutonnée jusqu'au cou, le col bien trop plissé à son goût, et une culotte bouffante. Pour la première fois depuis les deux semaines écoulées, ils étaient vêtus comme les gens du pays.

La nouvelle de l'évasion de Boucle d'or et de la disparition de Jack avait traversé tout le palais. Les jumeaux ne purent s'empêcher de sourire derrière le dos des soldats affairés qu'ils croisaient dans les couloirs. Ils savaient que, où qu'ils fussent, Jack et Boucle d'or étaient ensemble.

Alex et Conner proposèrent à Grenouille de partir pour aller voir la Bonne Fée, mais, pour le moment, ce dernier s'y refusait.

– Après votre périple, j'insiste pour que vous restiez un jour ou deux ici afin de souffler un peu! affirma-t-il.

Ils restèrent donc quelques jours. Ils partagèrent tous les repas avec Blanche-Neige et le roi Chandler dans l'immense salle à manger. À table, Blanche-Neige raconta aux jumeaux des histoires passion-nantes sur la vie au château quand elle était petite, sur son séjour chez les nains, sur les différentes réactions des gens qui la crurent ressus-citée d'entre les morts lorsqu'elle revint chez elle.

Un soir, elle invita les sept nains à dîner. Les jumeaux s'étaient demandé pourquoi une moitié de la table de salle à manger était beaucoup plus basse que l'autre, mais ils comprirent lorsque les nains vinrent s'y asseoir. Les histoires qu'ils racontèrent les firent tellement rire qu'ils en eurent mal au ventre. Conner battit les sept nains et Grenouille aux cartes et gagna toutes leurs pièces d'or.

Les jumeaux ne s'étaient jamais autant amusés depuis leur arrivée dans le monde des contes de fées, mais l'ambiance fut un peu refroidie lorsque Conner demanda à Chandler:

– Au fait, pourquoi êtes vous allés embrasser une morte?

Les jumeaux passèrent des jours dans l'énorme bibliothèque du palais. Alex parcourait tous les livres sur toutes les étagères, cherchant un moyen qui pût les ramener dans leur monde. Il lui fallut trois jours pour parcourir tous les livres, mais elle ne trouva rien. Pendant tout ce temps Conner la suivait du regard, assis sur un sofa, goûtant à tous les desserts qui ne cessaient de lui être envoyés des cuisines.

– Je crois qu'il est temps de quitter ce palais, dit Alex à son frère.

– Tu veux partir ? demanda-t-il. Pourquoi ? C'est génial ici !

– Je ne veux pas que notre visite devienne importune, dit Alex. Et puis on ne trouvera pas le moyen de rentrer à la maison en traînant dans un palais. Grenouille a dit qu'il nous aiderait à chercher. Plus vite nous nous mettrons en route, plus vite on pourra rentrer à la maison. D'ailleurs, même si on ne sait pas ce qu'elle nous veut, on a promis à Grenouille de l'accompagner voir la Bonne Fée. Si elle n'est pas trop furieuse qu'on ait cassé la pantoufle de verre, elle pourra peut-être nous donner un conseil concernant le moyen de retourner chez nous.

– J'imagine, oui... dit Conner en regardant avec tristesse le gâteau qu'il était en train de manger.

Tout d'un coup, son regard s'illumina.

– Tu sais, dit-il, il y a quelque chose qu'on n'a pas tenté.

– Quoi donc ? demanda sa sœur.

Son frère se leva, ferma les yeux et commença à claquer ses talons.

– Je veux retourner à la maison ! Je veux retourner à la maison ! cria-t-il en imitant Dorothée dans *Le Magicien d'Oz*.

Il ouvrit un œil et fut déçu de voir qu'il n'avait pas bougé.

– J'ai pensé que ça valait le coup d'essayer, expliqua-t-il.

Le jour suivant, les jumeaux réunirent leurs affaires et remirent leurs vêtements. Ils jetèrent le sabre des profondeurs dans la cheminée de la chambre d'Alex afin de le détruire, comme ils en avaient fait la promesse à l'Esprit de l'écume. Ils étaient prêts à partir à midi avec Grenouille lorsque sir Grant vint avec une nouvelle.

– Un message est arrivé pour vous, dit-il.

Curieux, les jumeaux le suivirent aussitôt jusqu'à la salle à manger, où Blanche-Neige, le Petit Chaperon rouge et Grenouille attendaient avec impatience. Les reines avaient toutes deux une enveloppe d'un blanc éclatant à la main. Un messager d'un autre royaume sonna sa trompette en les voyant arriver et leur tendit une enveloppe identique.

– Cendrillon vient d'avoir son enfant! annonça Blanche-Neige. C'est une fille!

Les jumeaux décachetèrent l'enveloppe avec empressement. Elle était blanche et était adressée à «Alex et Conner Vœushington». Le cachet doré sur le dos avait la forme d'une pantoufle de verre.

SA MAJESTÉ LE ROI CHANCE CHARMANT ET SA ROYALE MAJESTÉ

LA REINE CENDRILLON ONT L'HONNEUR DE VOUS CONVIER

À UNE FÊTE PRIVÉE DANS LEUR PALAIS POUR CÉLÉBRER LA NAISSANCE

DE LEUR FILLE, LA PRINCESSE, DEMAIN APRÈS-MIDI.

– C'est merveilleux! s'écria Alex. Mais pourquoi sommes-nous invités, *nous*?

– Aucune idée, dit Conner. Elle a peut-être besoin de baby-sitters?

– Moi non plus je ne m'attendais pas à recevoir d'invitation, dit le Petit Chaperon rouge. On ne convie pas souvent les reines qui ont été élues.

– Vous voulez dire que vous avez l'habitude qu'on vous laisse sur le carreau? demanda Conner.

Le visage du Petit Chaperon rouge adopta la même couleur que son habit. Elle ne répliqua pas.

– On va y aller ? demanda Conner.

– Tu crois vraiment que je vais rater ça ? s'exclama sa sœur. D'ailleurs, on doit rendre à Cendrillon la pantoufle de verre que lui avait volée la Méchante Reine et les fragments de la deuxième. On lui doit bien ça.

– Et Grenouille ? demanda Conner.

– Oh, ne vous inquiétez pas pour moi, dit ce dernier en faisant un geste d'apaisement. Je n'ai pas été invité personnellement et je ne veux pas m'imposer. Le Royaume charmant ne m'a jamais beaucoup intéressé de toute façon.

– Que nenni ! s'écria le Petit Chaperon rouge. Vous serez mon invité, ne refusez pas !

La tête haute, elle se dirigea vers la porte.

Grenouille comprit qu'il n'y échapperait pas.

– On va voir la petite princesse, puis on ira trouver la Bonne Fée avec toi, décida Alex. J'espère qu'elle pourra te transformer à nouveau en homme.

– Vous voulez dire que vous allez devenir un homme ? s'écria le Petit Chaperon rouge en se posant la main sur le cœur.

– Oui, dit Grenouille. Mais c'est une longue histoire.

– Pourquoi ne pas me l'avoir dit plus tôt ! s'écria-t-elle. Vous n'avez *aucune* idée à quel point cela change mes sentiments à votre égard ! Même si j'avoue que je suis très fière de moi d'être devenue amie avec une... euh, enfin, avec ce que vous êtes à présent.

Si Grenouille avait eu des sourcils, il les aurait levés.

– Venez avec moi *immédiatement* ! ordonna le Petit Chaperon rouge en lui prenant le bras. Allons choisir nos habits pour demain !

Grenouille se tourna vers les jumeaux, les suppliant du regard de venir à son secours, mais ils étaient trop occupés à se retenir de rire pour l'aider.

L'après-midi même, on chargea deux calèches et tous se mirent en route vers le Royaume charmant. Blanche-Neige et le roi Chandler voyagèrent dans la première, et les jumeaux dans la suivante, accompagnés de Grenouille et du Petit Chaperon rouge. Un bataillon de soldats les accompagna pendant tout le chemin.

– C'est *comme ça* que j'aime voyager! s'écria Conner.

Sur la route, les jumeaux reconnurent de nombreux endroits qu'ils avaient traversés pendant leur périple. Ils contèrent leurs aventures à Grenouille et au Petit Chaperon rouge, qui étaient tout ouïe. Grenouille croassa plusieurs fois pendant la narration animée des jumeaux, surtout lors de l'épisode avec les trolls et les gobelins.

En raison de leur auditoire, ils omirent la scène dans laquelle ils étaient entrés en douce dans le château du Petit Chaperon rouge dont ils avaient, en partie, provoqué l'incendie. Les jumeaux ne cessaient de s'interrompre l'un l'autre en disant: «On ne pourra pas raconter cette partie à maman» au sujet des épisodes les plus périlleux de leur voyage.

Les calèches roulèrent toute la nuit et atteignirent le palais de Cendrillon le lendemain après-midi. Des pétales de rose flottaient dans l'air et des cloches sonnaient dans tout le royaume pour célébrer la naissance de la princesse héritière.

Grenouille commença à se comporter très bizarrement dès leur arrivée. Il tremblait de nervosité. Le palais l'angoissait pour une raison que les autres ignoraient. Le groupe gravit l'escalier interminable à l'entrée du palais et fut escorté, à travers le hall et son tapis rouge, jusqu'à la salle de bal.

Celle-ci était pratiquement vide et semblait bien plus vaste encore en l'absence de danseurs. Cendrillon était assise sur son trône, berçant son nourrisson. Assis en cercle autour d'elle, par terre ou sur des chaises, se trouvaient la Belle au bois dormant, Raiponce et le Conseil des fées. Dans un coin de la salle, les maris de la Belle au bois dormant et de Raiponce félicitaient le roi Chance.

– Comment allez-vous l'appeler ? demanda Raiponce.

Celle-ci était très belle. Ses cheveux avaient la même couleur que la mèche qu'Alex et Conner avaient ramassée pour le Sortilège des Vœux. Elle les avait attachés en un énorme chignon – les jumeaux n'en avaient jamais vu un de cette taille. Quelques mèches s'en échappaient et ondulaient le long de son cou et jusqu'à ses pieds.

– Je n'arrive pas à me décider, dit Cendrillon.

– Tu devrais l'appeler comme sa tante Raiponce, dit Raiponce.

Cela fit rire tout le monde.

– Je t'aime beaucoup, Raiponce, mais j'aime trop ma fille pour lui faire un coup pareil, dit Cendrillon, et tous rirent de plus belle.

– Regardez qui est là ! dit Cendrillon en apercevant le groupe qui s'avançait vers eux.

Tous étaient heureux de voir Blanche-Neige et Chandler, mais la salle se crispa sensiblement en voyant derrière eux Alex, Conner et un homme en forme de grenouille géante. Tout le monde les observa avec gêne, comme s'ils avaient été nus.

– Mais... ce sont les jumeaux qui ont volé la pantoufle de verre ! s'exclama le roi Chase en se détournant du groupe de rois et en s'avançant vers Alex et Conner.

– Non ! Nous n'y sommes pour rien ! s'écria Alex, prise de panique, craignant que l'histoire se répète et qu'elle et son frère soient encore poursuivis par des gardes, comme dans le château de Blanche-Neige.

– Calmez-vous, chers amis ! intervint Cendrillon en riant. Personne n'a rien volé ! Ce sont mes invités. Ma marraine la Bonne Fée souhaite leur parler.

– Que leur veut-elle, ma chérie ? demanda Chance à sa femme.

– Je ne sais pas vraiment, répondit celle-ci.

Alex et Conner échangèrent un regard inquiet. La chose devait être encore plus grave qu'une pantoufle cassée.

– On a peut-être malencontreusement cassé une de vos pantoufles, confessa Alex.

Conner ne l'avait jamais vue aussi honteuse.

– Ce n'était pas vraiment notre faute, ajouta son frère. Enfin, je veux dire que c'était *bien* notre faute, mais en fait la situation était un peu compliquée, et ça ne serait jamais arrivé si on n'avait pas été absolument obligé de...

– Oh, ne vous inquiétez pas pour ça, dit Cendrillon. Je ne saurais vous dire combien de fois je les ai cassées moi-même. La Bonne Fée les répare toujours quand elle me rend visite. C'est probablement tout ce qu'elle veut. Elle sera bientôt là.

Les jumeaux furent tellement rassurés qu'en expirant de soulagement ils rapetissèrent de quelques centimètres. Conner donna une petite tape sur l'épaule de sa sœur, car il savait que toute cette histoire l'avait énormément inquiétée. S'il y avait une chose qu'elle désirait plus que tout, c'était bien de faire bonne impression devant le parterre de personnalités réunies dans cette salle de bal.

Blanche-Neige, le Petit Chaperon rouge, Alex et Conner rejoignirent les femmes regroupées autour du bébé. Chandler emmena Grenouille vers le coin où les hommes conversaient, et il fit les présentations. Grenouille leur serra la main maladroitement. Il était le premier homme grenouille à visiter le château.

– Regardez-la ! s'écria Blanche-Neige en admirant le bébé. Elle est magnifique !

– Comme elle vous ressemble, Cendrillon ! dit le Petit Chaperon rouge. J'étais moi-même un très beau bébé.

C'était vrai, la princesse était magnifique. Elle n'avait que quelques jours mais ressemblait déjà beaucoup à sa mère, avec des cheveux auburn et des yeux brillants.

– Je suis si heureuse de voir que vous allez bien, tous les deux ! s'écria la Belle au bois dormant en apercevant les jumeaux. Les choses ont-elles bien marché pour vous ? demanda-t-elle en leur faisant un clin d'œil.

Les jumeaux baissèrent la tête.

– Pas si bien, malheureusement, avoua Alex.

Elle fouilla dans son cartable et en tira le fuseau. Mais merci quand même de nous avoir prêté ça, dit-elle.

– Ce fut un plaisir, dit la Belle au bois dormant en reprenant l'objet. Conner, j'aimerais te remercier pour ton... comment l'as-tu appelé, déjà ? Ah oui, « le truc de l'élastique ». On a essayé avec quelques citoyens du royaume, et on dirait que ça fait son effet !

– Je vous l'avais dit ! s'écria Conner, tout fier.

Il n'avait pas souvent l'occasion de dire une chose pareille.

– Blanche-Neige, j'ai entendu dire qu'on avait fini par retrouver ta belle-mère, dit Cendrillon. J'en suis heureuse ! Tu dois être très soulagée.

Les autres reines et fées la félicitèrent également. Cependant, Blanche-Neige ne partageait pas leur joie.

– Tout va bien, Blanche ? demanda la Belle au bois dormant.

– Oui, bien sûr, répondit-elle. Mais ça me laisse un goût doux-amer.

– Doux-amer ? répéta la fée Emerelda.

– C'est une longue histoire, prévint Blanche-Neige.

– Super ! J'adore les histoires ! s'écria Raiponce qui s'assit par terre pour s'installer plus confortablement.

Blanche-Neige se tourna vers les jumeaux. Ils sourirent pour l'encourager à raconter à tous l'histoire qu'ils connaissaient déjà.

Blanche-Neige conta alors aux reines et aux fées tout sur le passé de sa belle-mère. Elle expliqua ce qu'avait fait l'Enchanteresse en l'arrachant à sa famille, comment la sorcière avait jeté un sort à son fiancé pour l'enfermer dans le miroir, puis elle leur parla du cœur de pierre. Cependant, elle ne mentionna pas l'épisode où elle-même avait aidé sa belle-mère à s'évader. Comme les jumeaux qui n'avaient pas tout dit devant le Petit Chaperon rouge, Blanche-Neige s'adaptait à son public.

Plusieurs femmes semblèrent sur le point de fondre en larmes. D'autres restèrent bouche bée. D'autres encore secouèrent la tête avec incrédulité.

– Je n'arrive pas à y croire, dit Rosette.

– Je n'ai jamais entendu d'histoire aussi triste, dit Coralie en caressant le Poisson qui marchait posé tranquillement sur ses genoux.

– Alors que le monde entier la haïssait, elle ne cessa jamais de tenter de libérer l'homme qu'elle aimait, remarqua la Belle au bois dormant.

– Jamais elle ne perdit l'espoir, nota Cielène.

Cendrillon se redressa sur son trône.

– Espoir... *Espérance*. Voilà ! dit-elle en se tournant vers sa fille. C'est ainsi que je la nommerai. Princesse Espérance Charmant, notre future reine.

– C'est un beau prénom ! reconnut Chance en embrassant sa fille sur le front.

Tout le monde fit des «oh!» et des «ah!» et applaudit avec satis-
faction.

– Je crois qu'il est temps de baptiser la princesse Espérance en lui
offrant quelques cadeaux, dit Emerelda, faisant signe aux fées de se
lever.

Une à une, les fées bénirent la princesse en lui prodiguant des dons
de baptême. On lui offrit ceux de la sagesse et de la santé, de la compassion et de la richesse, de la fierté et de la discipline, et, enfin, de la
beauté, même si elle n'en avait pas besoin.

– Voulez-vous la prendre dans vos bras? demanda Cendrillon à
Alex.

– Moi? dit-elle en se désignant elle-même du doigt. Oui, ce serait
un grand honneur.

Cendrillon posa délicatement sa fille dans les bras d'Alex. Celle-ci
se demanda si le bébé avait une quelconque idée de l'endroit où il se
trouvait et s'il savait qui il était. La petite princesse savait-elle à quel
point le simple fait d'avoir vu le jour faisait déjà d'elle un être merveilleux? Devinait-elle qu'elle était la future reine d'un des royaumes
du Pays des contes? Elle bâilla. Peut-être qu'elle le savait, oui, et que
cela l'épuisait rien que d'y penser.

Les portes de la salle de bal s'ouvrirent et les jumeaux virent un
homme qu'ils connaissaient venir vers eux: c'était sir Lampton, qui
s'approcha tout sourire.

– Votre Majesté, la Bonne Fée est là, dit-il.

– Ah, merci, Lampton, répondit Cendrillon. Pouvez-vous l'inviter
à se joindre à nous?

– Bien, Votre Altesse. Mais avant de vous rejoindre, elle aimerait
parler avec les enfants. *En tête à tête.*

Tous les regards se tournèrent vers Alex et Conner, qui avalèrent
leur salive bruyamment.

– Elle vous attend dans la tour de l'horloge, précisa Lampton.

Les jumeaux quittèrent la salle en marchant lentement derrière lui. Il les guida à travers le palais, prenant plusieurs escaliers jusqu'à la tour de l'horloge.

– Ça me fait plaisir de vous revoir, tous les deux, dit-il aux jumeaux. Ça fait un bon moment que la Bonne Fée vous cherche.

– Ça promet, dit Conner. On va se faire gronder ?

Lampton ne répondit pas. Les jumeaux s'inquiétèrent de ce silence. Alex tira la carte et le journal de son cartable, ainsi qu'un morceau de la pantoufle de verre.

– Si elle n'est pas contente à cause de quelque chose, on lui expliquera tout depuis le début, dit Alex. On n'a rien fait de mal, *tu ne crois pas* ?

– Bien sûr que non, dit Conner. Nos intentions étaient toujours bonnes, à tout moment, *n'est-ce pas* ?

Les jumeaux et Lampton vinrent à bout des marches et atteignirent enfin une porte ronde qui donnait sur la tour de l'horloge. Lampton frappa doucement à la porte.

– Entrez, dit une voix à l'intérieur.

– Bon, il faut y aller... dit Alex à son frère. Croisons les doigts !

Lampton fit entrer les jumeaux. La tour de l'horloge était immense. Les jumeaux avaient l'impression de se tenir dans une énorme et très vieille horloge, car ils voyaient partout d'immenses roues, ressorts et engrenages. On pouvait contempler tout le royaume à travers la fenêtre du cadran.

Une femme de petite taille observait le paysage en leur tournant le dos. Elle portait un long manteau bleu ciel avec une capuche qui étincelait comme un ciel étoilé.

– Je vous laisse, dit Lampton en fermant aussitôt la porte derrière lui.

Les enfants s'avancèrent vers elle en faisant de petits pas discrets.

– Euh, excusez-moi, dit Conner, madame la Bonne Fée ? Vous vouliez nous voir ?

La Bonne Fée se tourna vers les enfants. C'était une belle femme
âgée, avec un sourire radieux et des yeux pleins de bonté. Ses cheveux
brun clair étaient superbement coiffés. Les jumeaux se raidirent.

– *Grand-mère ?* dit Alex en suffoquant.

## CHAPITRE 24

# LE CONTE D'UNE FÉE

— Je suis si heureuse qu'il ne vous soit rien arrivé! s'écria leur grand-mère en se précipitant vers les jumeaux, les serrant encore plus fort que jamais dans ses bras. Votre mère et moi étions si inquiètes! ajouta-t-elle.

Les jumeaux ne l'embrassèrent pas en retour. Ils en étaient incapables et parvenaient à peine à respirer. Ils s'étonnèrent d'être encore debout, car ni l'un ni l'autre ne sentaient plus leurs jambes.

— Comment ça va? demanda leur grand-mère. Vous êtes blessés? Vous avez faim? Avez-vous besoin de quelque chose?

— Grand-mère? demanda Alex avec une petite voix. C'est vraiment *toi*?

– C'est moi, ma chérie, dit-elle. Je suis bien là.

– La Bonne Fée, c'est *toi* ? reprit Conner.

Elle sourit.

– Oui, dit-elle, la voix triste. Je suis vraiment désolée, je ne voulais pas que vous l'appreniez ainsi...

Elle s'interrompit, car elle venait d'apercevoir l'objet qu'Alex tenait dans la main.

– Mon Dieu... mais que faites-vous avec le vieux journal de votre père ?

Alex et Conner étaient sous le choc.

– C'était le journal de *papa* ? répéta Alex avec de grands yeux écarquillés.

– Pendant tout ce temps, on suivait les indications du journal de *papa* ? ajouta son frère.

– Je crois que je vais m'évanouir, prévint Alex.

Leur grand-mère tira une longue baguette magique en cristal de sous son manteau. Elle l'agita et fit surgir un canapé par magie dans la tour de l'horloge. Elle prit alors les jumeaux par la main et les fit asseoir afin qu'ils se remettent de leurs émotions.

Cela les surprit. Même si elle était la Bonne Fée, ils ne s'attendaient pas à ce que leur *grand-mère* fasse de tels tours de magie.

Celle-ci prit le journal d'Alex et le parcourut, stupéfaite qu'il se soit retrouvé en leur possession.

– Où avez-vous trouvé ça ? demanda-t-elle.

– C'est notre ami Grenouille qui nous l'a donné, dit Alex. On suit les instructions qui s'y trouvent depuis notre arrivée ici.

– On a cherché tous les éléments du Sortilège des Vœux, expliqua Conner.

– *Le Sortilège des Vœux ?* reprit leur grand-mère avec inquiétude. Je comprends pourquoi je n'arrivais pas à vous mettre la main dessus !

– Toi et papa, vous êtes donc d'ici, c'est bien ça? dit Alex. Je n'ai pas tout inventé dans ma tête?

– C'est papa qui a écrit ce journal? reprit Conner, incapable de changer de sujet.

– Oui, oui et oui! répéta leur grand-mère. Tout ça est vrai. Je lui ai offert ce journal quand il était petit. Je suis contente qu'il vous ait servi.

Les jumeaux, qui s'étaient accoutumés à avoir le tournis, crurent vraiment qu'ils allaient se trouver mal. Ils ne savaient pas par quel bout commencer.

– Papa voulait faire appel au Sortilège des Vœux pour pouvoir voyager vers notre monde? demanda Conner.

– Il disait dans son journal qu'il était amoureux d'une femme de notre monde, dit Alex. *C'était... Était-ce...*

– Votre maman, oui, dit leur grand-mère.

Alex et Conner échangèrent un regard, observant l'un l'autre l'effet de la nouvelle sur leur visage. Tous deux avaient la même expression abasourdie.

– Ça fait combien de temps que tu es la Bonne Fée? demanda Alex.

– Pourquoi personne ne nous a jamais rien dit? s'étonna son frère.

– Je me doute que vous avez des milliers de questions, reprit leur grand-mère, alors laissez-moi tout vous expliquer.

– Oui, s'il te plaît, fit Conner.

Elle inspira profondément. Elle ne savait pas par où commencer.

– Nous avions toujours prévu de vous dire la vérité quand vous seriez plus grands, commença-t-elle. Votre père comptait les jours qui restaient avant de pouvoir vous amener ici pour une visite. Malheureusement, l'occasion ne s'est jamais présentée. Après son décès, comme vous aviez déjà tant de mal à vous en remettre, votre maman et moi n'avons pas souhaité vous accabler davantage. Alors nous avons décidé d'attendre.

– Maman sait que ce monde existe, alors? demanda Alex.

– Elle n'est jamais venue, mais elle en sait assez, répondit leur grand-mère. Votre père et moi, en revanche, sommes nés et avons grandi ici. Avant la naissance de votre père, quand j'étais une jeune fée en formation, j'ai découvert votre monde par accident.

– Ta petite maison dans les bois, ta voiture bleue, ce n'était que pour faire semblant? interrompit Conner.

– Certainement pas! rétorqua-t-elle. Je vis dans cette maison entre chacun de mes voyages et j'adore cette voiture bleue. J'aimerais tant que les gens d'ici connaissent les automobiles.

– Comment as-tu donc fini dans notre monde? insista Alex.

– C'est arrivé par le plus grand des hasards, dit-elle. J'avais récemment terminé de faire une tournée des royaumes, allant voir ceux qui avaient besoin d'un coup de main, et j'avais hâte de me rendre encore utile. J'ai agité ma baguette magique, j'ai fermé les yeux et j'ai pensé très fort: «Je veux aller dans un endroit où les gens ont encore plus besoin de moi», croyant que j'allais me retrouver dans un petit village du Royaume du Nord. Quand j'ai ouvert les yeux, j'ai tout de suite su que je n'étais plus dans le Pays des contes.

«Je n'ai rien dit pendant des années, des centaines d'années à vrai dire, puis j'en ai parlé aux autres fées. J'ai rencontré un groupe d'enfants là-bas qui me firent visiter les lieux. J'étais fascinée par leur monde, et ils étaient encore plus fascinés par les histoires du mien. Ils ne connaissaient rien de la magie ou des fées avant mon arrivée. Leur monde était tout le temps en proie aux famines et aux maladies... Alors ils restaient assis pendant des heures à écouter les histoires du monde dont je venais. Ça semblait les aider à oublier leurs problèmes.

«J'ai remarqué combien les histoires pouvaient les motiver, combien elles leur donnaient de l'espoir, du courage, de la force, et je voyais qu'ils en tiraient des leçons. Les orphelins apprenaient ainsi à aimer et à avoir plus confiance ; mes récits ramenaient un peu de joie dans les yeux des enfants à qui la maladie avait volé leur enfance. J'ai alors décidé que je ferais mon possible pour que nos contes, notre histoire soient mieux connus.

«Pour le moment, je suis la seule à avoir le don d'aller et venir entre les deux mondes, et c'est une grosse responsabilité. J'ai recruté la Mère L'Oie et d'autres fées pour aller dans votre monde diffuser nos contes. Nous avons trouvé les enfants qui en avaient le plus besoin, ceux qui n'avaient pas eu de chance et à qui il fallait un peu de magie. C'est ainsi qu'est apparu le terme "conte de fées". Votre monde évoluait si vite et devenait si grand que nous ne pouvions plus continuer toutes seules. Au fil des ans, nous nous sommes alors adressées à des gens comme les frères Grimm, ou Hans Christian Andersen et quelques autres afin qu'ils nous aident.

– Il y a donc *bien* une différence temporelle ? demanda Alex.

– Votre monde se transforme beaucoup plus vite que le nôtre. À l'époque, j'y allais une fois par semaine, et chaque fois que j'y retournais il semblait que des dizaines et des dizaines d'années s'étaient écoulées.

– C'est pour ça que les contes existent dans notre monde depuis si longtemps ! s'écria Conner.

– Oh non ! s'exclama Alex. Maman ! Ça veut dire qu'elle est devenue une vieille femme pendant qu'on était là ?

– Non, répondit leur grand-mère. Figurez-vous, mes enfants, qu'il y *avait* une différence temporelle. Mais que quelque chose de réellement magique a eu lieu entretemps qui a tout changé.

– Quoi donc ? demanda Conner.

– Vous êtes nés tous les deux », dit-elle en souriant.

Les jumeaux restèrent pantois.

– Pourquoi sommes-nous si spéciaux ? demanda Conner.

– Parce que la magie n'en fait parfois qu'à sa guise, répondit leur grand-mère.

Elle regarda son alliance.

– Votre grand-père aimait beaucoup votre monde, continua-t-elle, et m'y accompagnait toujours. Il a été l'amour de ma vie. Malheureusement il est mort peu après la naissance de votre père. J'ai élevé votre père toute seule ici, mais je continuais de rendre visite à l'autre monde de temps à autre, même si cela me faisait de la peine car cela me rappelait votre grand-père.

« Votre père aimait l'aventure. Dès son plus jeune âge, il partait sans cesse explorer différents coins de différents royaumes. Il était toujours très curieux au sujet de l'autre monde et je lui promis de l'y emmener quand il serait grand. Des années plus tard, il nous accompagna dans un hôpital pour enfants afin d'y lire des contes à des enfants malades. Votre mère y travaillait comme infirmière depuis peu. Je sus dès l'instant où il la vit que son cœur ne lui appartenait plus.

« Naturellement, je lui interdis de rester dans ce monde, et même d'y jamais retourner avec moi ou les fées. C'était égoïste de ma part, mais j'avais peur qu'il ne s'égare du fait de la différence temporelle entre les deux mondes et qu'il passe le reste de sa vie loin de moi. Je ne pouvais pas me permettre de perdre mon fils après avoir perdu votre grand-père. Mais son amour pour votre mère était si grand qu'il trouva par lui-même le moyen d'y retourner grâce au Sortilège des Vœux. Je n'avais pas le choix : je donnai ma bénédiction et le laissai partir. Ce fut là la chose la plus difficile que j'aie jamais eu à faire en tant que mère.

« Mais à votre naissance, une chose étonnante survint : votre monde et notre monde ont progressivement commencé à évoluer en synchronie. De ma vie, je n'ai vu de magie plus extraordinaire que celle-là.

« Grâce à votre père, vous avez une partie de ce monde en vous. Vous l'avez toujours eue. Vous êtes les premiers enfants des deux mondes, vous êtes comme un pont qui les relie. »

Les jumeaux furent soulagés d'apprendre que leur mère aurait le même âge à leur retour.

– Ça veut dire... reprit Alex, hésitant un moment parce que l'idée lui semblait trop belle pour être vraie, que Conner et moi sommes *à moitié des fées* ?

– Oui, on pourrait formuler ça ainsi.

Alex serra les mains sur son cœur, émue aux larmes. Conner leva les yeux au ciel et soupira.

– C'est merveilleux ! s'écria Alex.

– Ah, ça c'est le pompon ! fit Conner avec sarcasme. Les garçons à l'école ne doivent *jamais* entendre parler de ça.

– Comment crois-tu que tu as pu enclencher le processus magique de mon vieux livre de contes ? reprit sa grand-mère en regardant Alex.

Celle-ci se redressa sur le canapé et se souvint de la nuit où, lisant *Le Pays des contes* dans son lit et voulant de tout son cœur y voyager, elle avait découvert qu'il ne s'agissait pas d'un livre ordinaire.

– Tu veux dire que c'est *moi* qui ai provoqué ça ? demanda-t-elle. C'est moi qui ai fait en sorte que *Le Pays des contes* nous amène jusqu'ici ?

– Oui, répondit sa grand-mère en souriant avec fierté.

Alex n'en revenait pas. *Elle* avait des pouvoirs magiques. C'était grâce à *elle* qu'ils avaient voyagé jusque-là.

– Tout s'explique ! s'écria-t-elle. Dans le château où se cachait la Méchante Reine, c'est *ma* larme qui a déclenché le Sortilège des

Vœux! Après, j'ai vu mon reflet dans un des miroirs magiques et j'avais des ailes! Je croyais que c'était le fruit de mon imagination!

– La Méchante Reine? répéta leur grand-mère. On dirait que vous avez tous les deux vécu une aventure encore plus folle que je ne le croyais!

– Ah ça, oui! acquiesça Conner.

– Vous me raconterez tout ça. Votre maman s'est fait un sang d'encre! Il a fallu qu'elle donne toutes les excuses possibles et imaginables pour expliquer votre absence à l'école. Je crois qu'il est temps de vous ramener à la maison.

*Maison.* Elle allait les ramener à la *maison.* Le mot n'avait jamais aussi bien sonné à leurs oreilles.

– Tu peux faire ça? dit Conner.

– Tu serais étonné de tout ce que ta vieille grand-mère peut faire! dit-elle en riant.

Son hilarité se dissipa cependant et elle fixa tristement le journal qui avait appartenu à son fils décédé.

– C'est incroyable, vous ne trouvez pas? Même après sa mort, votre père a réussi à vous faire visiter ce monde. C'était son rêve.

Alex et Conner avaient toujours pensé que leur père était extraordinaire, mais jusqu'alors ils ne s'étaient pas doutés à quel point il était *vraiment* extraordinaire.

Les jumeaux et leur grand-mère quittèrent la tour de l'horloge et surprirent sir Lampton l'oreille collée contre la porte. Il les accompagna dans l'escalier et les conduisit jusqu'à la salle de bal.

– J'ai connu votre père, murmura Lampton à leur oreille. Nous avons grandi ensemble. J'ai compris que vous deviez être ses enfants dès que je vous ai vus. C'est pourquoi j'ai glissé la pantoufle dans votre sac.

Les jumeaux ne purent même pas l'en remercier tant ils étaient sonnés.

Ils entrèrent dans la salle de bal et tout le monde se leva en voyant la Bonne Fée.

– Asseyez-vous tous, s'il vous plaît. Je suis venue bénir la princesse en lui offrant un cadeau, et ensuite je ramènerai mes petits-enfants à la maison, dit-elle en entourant de ses bras Alex et Conner.

– Vos petits-enfants ? s'exclama Cendrillon. Je ne savais pas ! Nous sommes donc pratiquement de la même famille ! dit-elle en souriant aux jumeaux.

– Tu as entendu ça, Alex ? dit Conner en se penchant vers sa sœur. Cendrillon elle-même a dit qu'on faisait pratiquement partie de sa famille !

– Je sais, chuchota-t-elle surexcitée. J'essaie de me retenir de pleurer.

La Bonne Fée prit la petite princesse dans ses bras. Les jumeaux étaient contents de voir leur grand-mère à l'œuvre.

– Elle est magnifique, ma chérie, dit-elle à Cendrillon. Mon cadeau à la princesse sera le courage. Elle pourrait en avoir besoin dans les années à venir.

Elle embrassa l'enfant sur la joue. Ses lèvres y laissèrent une petite marque qui étincela quelques instants, puis son don fut absorbé.

– Avant de m'en aller, j'ai encore un cadeau à faire, dit-elle en sortant sa longue baguette magique de cristal. L'homme connu sous le sobriquet de « Grenouille » peut-il avancer jusqu'au milieu de la salle ?

L'intéressé, qui se cachait en partie derrière les rois Charmant, alla timidement rejoindre la Bonne Fée.

– Je vous remercie infiniment de vous être occupé de mes petits-enfants, dit la grand-mère des jumeaux. Je ne pourrai jamais assez vous remercier, mais en attendant j'aimerais vous libérer de votre sortilège.

Grenouille ouvrit la bouche très grand. Il ne cessait de regarder tour à tour les jumeaux et la Bonne Fée.

– *Je... je... je...* bégaya-t-elle sans jamais parvenir à terminer sa phrase.

La Bonne Fée agita sa baguette magique et le sortilège se dissipa comme des graines de pissenlit emportées par le vent. Grenouille n'était plus une grenouille, mais un *homme.* Fort beau, d'ailleurs, avec des cheveux noirs et des yeux qui illuminaient toute la salle. Les jumeaux restèrent ébahis en le voyant si transformé.

– *Charlie ?* s'écria le roi Chance. C'est *toi* ?

Les frères Charmant s'avancèrent vers lui. Ils le dévisageaient comme s'ils avaient vu un fantôme.

– Bonjour, cher frère, dit Grenouille. Ça faisait longtemps.

La stupéfaction de la famille Charmant se dissipa et fit place à la fête. Ils se précipitèrent vers leur frère et l'étreignirent très fort. La salle tout entière accueillit avec beaucoup de joie ces retrouvailles si longtemps attendues. Le Petit Chaperon rouge rougissait en silence. Elle regardait le prince Charlie d'une tout autre façon. Il n'était plus le gentil bonhomme grenouille qui lui avait sauvé la vie dans un château qui s'écroulait: il avait l'étoffe d'un mari.

– On te croyait mort! s'écria Chandler en lui pinçant la joue.

– On t'a cherché dans tous les royaumes! dit Chase en lui donnant une tape sur le dos.

– Maintenant vous savez pourquoi vous ne pouviez pas me trouver, répondit Charlie en haussant les épaules.

– Pourquoi ne pas nous l'avoir dit? demanda Chance.

– J'avais honte, répondit son frère. Je ne savais pas quoi faire. J'ai cru qu'il fallait que je me cache. Pardonnez-moi.

Les jumeaux n'en revenaient pas. Ils comprirent alors pourquoi il s'était comporté de façon si étrange depuis leur arrivée au château.

– Alors tu es un prince ? dit Alex avec un énorme sourire. Tu avais oublié de nous le dire.

– Je vous présente mes excuses, dit Charlie. J'aurais pourtant juré que je l'avais mentionné lorsque nous bûmes un thé aux nénuphars.

Ils rirent en cœur. Charlie prit les jumeaux dans ses bras avec presque autant d'énergie que ses frères l'avaient fait avec lui.

– Merci de m'avoir persuadé de sortir de ce trou sous la terre ! dit-il.

– Merci à *toi*, corrigea Alex.

– Moi, je continuerai à t'appeler Grenouille, prévint Conner.

La Bonne Fée agita sa baguette magique une dernière fois et une porte apparut au milieu de la salle de bal. Elle alla vers les jumeaux et posa les mains sur leurs épaules.

– Il est l'heure, dit-elle.

Les jumeaux reconnurent la porte immédiatement : c'était celle de l'entrée de leur maison. Ils n'avaient jamais été aussi heureux de la voir. Une lumière filtrait au-dessous : ils savaient que leur mère les attendait de l'autre côté.

Les rois, les reines et les fées qui se trouvaient dans la salle regardaient les jumeaux avec bienveillance. Ils avaient presque tous eu des soucis avec eux, mais ils étaient tristes de les voir s'en aller.

– Dites au revoir, les enfants, dit la Bonne Fée aux jumeaux.

Conner ne put se retenir plus longtemps et se précipita vers la porte.

– *Salut !* cria-t-il à tout le monde dans la salle sans se retourner.

Il traversa la porte en courant et disparut, enfin de retour chez lui.

Alex leva les yeux vers sa grand-mère.

– On pourra revenir? demanda-t-elle, espérant de tout cœur entendre la réponse qu'elle désirait.

– Un jour, répondit sa grand-mère.

Alex fit alors un pas vers les hommes et les femmes dont elle n'avait cessé de lire les histoires depuis sa plus tendre enfance. Elle aurait juré qu'elle avait déjà rêvé de ce moment-là. Elle avait quelque chose à leur dire et décida qu'elle n'aurait peut-être pas d'autre occasion de le faire.

– Je sais que ça n'a pas grand sens de vous dire ça, mais je voulais vous remercier d'avoir toujours été là pour moi, dit-elle. Vous êtes les meilleurs amis que j'aie jamais eus.

Ils ne comprirent pas bien ce qu'elle entendait par là, mais ils furent émus par ces paroles.

– Allons, ma chérie, dit sa grand-mère en l'accompagnant vers la porte.

Alex sécha ses larmes. Elle ne put s'empêcher de sourire, cependant, au moment de traverser la porte avec sa grand-mère, car elle savait que ce n'était qu'un *au revoir*.

## Remerciements

———◆➤✦◄◆———

J'aimerais remercier ma famille, Rob Weisbach,
Alvina Ling, Brandon Dorman, l'équipe de Little, Brown,
ainsi que Glenn Rigberg, Meredith Fine, Erica Tarin, Alla Plotkin,
Ashley Fink, Pam Jackson, les acteurs et l'équipe technique de *Glee*,
et, enfin, Hans Christian Andersen et les frères Grimm, bien sûr.

Imprimé au Canada
Dépôt légal : octobre 2013
ISBN : 978-2-7499-1976-8

LAF 1741